Biographie

Georges
BROSSARD

AUDACE ET DÉMESURE

Projet dirigé par Marie-Anne Legault, éditrice

Adjointe éditoriale : Raphaelle D'Amours
Conception graphique : Sara Tétreault
Mise en pages : Andréa Joseph [pagexpress@videotron.ca]
Révision linguistique : Sylvie Martin et Chantale Landry
Recherche photographique : Stéphane Le Tirant
Photographie en couverture : François Fortin

Québec Amérique
329, rue de la Commune Ouest, 3ᵉ étage
Montréal (Québec) Canada H2Y 2E1
Téléphone : 514 499-3000, télécopieur : 514 499-3010

Nous reconnaissons l'aide financière du gouvernement du Canada par l'entremise du Fonds du livre du Canada pour nos activités d'édition.

Nous remercions le Conseil des arts du Canada de son soutien. L'an dernier, le Conseil a investi 157 millions de dollars pour mettre de l'art dans la vie des Canadiennes et des Canadiens de tout le pays.

Nous tenons également à remercier la SODEC pour son appui financier. Gouvernement du Québec–Programme de crédit d'impôt pour l'édition de livres–Gestion SODEC.

Catalogage avant publication de Bibliothèque et Archives nationales du Québec et Bibliothèque et Archives Canada

Kahle, Barbara
Georges Brossard : audace et démesure
(Biographie)
ISBN 978-2-7644-2726-2 (Version imprimée)
ISBN 978-2-7644-2774-3 (PDF)
ISBN 978-2-7644-2775-0 (ePub)
1. Brossard, Georges. 2. Entomologistes - Québec (Province)-
Biographies. I. Titre. II. Collection : Biographie (Éditions
Québec Amérique).
QL31. B76K33 2014   595. 7092   C2014-941383-1

Dépôt légal : 3ᵉ trimestre 2014
Bibliothèque nationale du Québec
Bibliothèque nationale du Canada

Imprimé au Québec

BARBARA KAHLE

Georges
BROSSARD

AUDACE ET DÉMESURE

QuébecAmérique

« *Papa, nous aimerions profiter de cette tribune pour te rendre hommage. Merci beaucoup pour tout ce que tu as fait pour nous. Merci de nous avoir laissés vivre nos propres passions. Nous sommes fiers de toi.* »

Georges Jr. et Guillaume

*« Quoi que tu rêves d'entreprendre, commence-le.
L'audace a du génie, du pouvoir, de la magie. »*

Goethe

Préface de Pierre Bourque
Georges Brossard, un parcours de vie hors du commun

Depuis plus de 30 ans maintenant, Georges Brossard fait partie du patrimoine culturel et scientifique québécois. En effet, en 1980, cet homme simple et généreux, qui a parcouru le monde à plusieurs reprises, s'est donné comme mission d'élever le niveau de connaissances de son peuple sur le monde mystérieux et craint des insectes et il a su par son travail relever ce défi difficile de façon remarquable.

En prenant comme modèle le frère Marie-Victorin, qui a réussi à vulgariser et à faire connaître et aimer la flore du Québec puis, par la création du Jardin botanique de Montréal, à rendre accessible à notre population la diversité végétale de notre planète, force est de reconnaître que Georges Brossard a réalisé le même exploit pour le monde fascinant des insectes.

Le chemin parcouru par Georges Brossard, magnifiquement raconté par Barbara Kahle, provoque à la fois l'étonnement et l'admiration : comment un homme seul (mis à part l'aide et le soutien constants de Suzanne, sa compagne) a-t-il fait pour tisser des liens aux quatre coins de la terre, pour collectionner et identifier des dizaines de milliers de spécimens d'insectes, pour donner des centaines, sinon des milliers de conférences, pour créer et participer à des émissions télévisées éducatives de dimension planétaire, pour écrire des cahiers et des guides pédagogiques, pour vivre dans les endroits les plus reculés et les plus inaccessibles au cœur des forêts asiatiques, africaines ou d'Amérique du Sud tout en participant à la création de nombreux insectariums voués à l'éducation populaire ?

Je pense souvent à Elzéard Bouffier, ce personnage mythique du roman de Jean Giono, admirablement illustré par Frédéric Back dans son film *L'Homme qui plantait des arbres*, en évoquant l'œuvre de Georges Brossard.

Georges Brossard n'est pas descendu de la montagne du savoir, de l'université pour apporter son message et sa passion ; il a emprunté le chemin inverse, celui de la connaissance intime des biotopes de la terre, malgré la souffrance, les embûches, la maladie, fidèle, à l'âge adulte, à l'émerveillement que lui procuraient les expéditions de son enfance dans les marécages et les boisés de La Prairie sur la Rive-Sud de Montréal.

Autodidacte, il a appris sur le tas, à partir d'expériences, d'échecs successifs, de travail acharné, jour et nuit, dans la solitude de son refuge à Saint-Bruno, comme dans ses innombrables rencontres et discussions avec des gens du monde entier, tous statuts sociaux confondus : ouvriers, paysans, professionnels comme universitaires. Il n'a jamais appartenu à une élite ni à aucune école de pensée, si ce n'est à l'école de la vie et, sans relâche, il a poursuivi avec une passion dévorante l'accomplissement de son rêve.

Pour ma part, j'ai eu ce privilège rare de vivre près de lui, de voyager avec lui et de l'accompagner autant en Abitibi qu'au Venezuela, en Chine et en Afrique ; ensemble, nous avons réalisé l'Insectarium de Montréal, mais il faut comprendre que c'est Georges Brossard qui a été l'âme, l'inspiration et le créateur de ce grand temple consacré au monde des insectes. J'avais connu mon « chemin de Damas » chez lui, à Saint-Bruno, en 1985, lors de la découverte de sa fabuleuse collection d'insectes et je savais fort bien qu'il ne me restait plus qu'à me placer à son service et à faciliter par tous les moyens à ma disposition l'éclosion et le développement de cette grande institution québécoise. Je savais pertinemment qu'une occasion si belle et si précieuse ne pourrait se reproduire dans un temps prévisible et que je ne pouvais rater une telle chance.

L'ascendant qu'exerce Georges Brossard sur le public, adulte comme enfant, m'a toujours fasciné ; une aura se dégage de sa personne dès qu'il apparaît. Il ne laisse personne indifférent, même s'il demeure difficile à apprivoiser, car il cache son monde intérieur, ses doutes, ses peurs, ses craintes, cette hantise de ne pas être toujours à la hauteur. Malgré son panache et ses habits excentriques, Georges Brossard demeure un être pudique, gêné.

Barbara Kahle a réussi dans ce livre biographique sur la vie de Georges Brossard à décrire les multiples facettes de la personnalité de cet homme exceptionnel, constamment en mouvement et à la recherche de l'infini.

Quand s'arrêtera-t-il ? Seul Georges Brossard a la réponse, mais il peut compter sur l'amitié, l'affection et le respect de milliers de ses compatriotes, sans oublier ses nombreux supporters et fidèles dispersés dans le monde entier.

Bonne lecture,

Pierre Bourque, O.C., C.Q.

Avant-propos de Stéphane Le Tirant
Georges Brossard, un homme d'exception

À la fin des années 70, je m'intéressais déjà passionnément à l'entomologie. Dans les années 80, j'ai eu un petit emploi comme journaliste scientifique et on m'a envoyé faire une entrevue avec un entomologiste amateur et original… C'était Georges Brossard ! À partir de cette journée, j'ai cultivé une amitié sincère avec cet homme d'exception qui allait changer ma vie et ma destinée.

J'ai eu la chance de côtoyer Georges autant lors de ses expositions au Jardin botanique qu'en plein cœur de Shanghai lors de la création d'un insectarium. J'ai été au banquet du gouverneur de la Louisiane en sa compagnie pour le plus grand projet d'insectarium aux États-Unis et j'ai chassé les scarabées avec lui au Venezuela dans la forêt tropicale. Au Japon, nous avons visité une dizaine d'insectariums au retour d'une chasse prodigieuse en Thaïlande et en Malaisie. J'ai vu Georges faire lever la salle de 3 000 entomologistes au Congrès international d'entomologie à Montréal comme conférencier et je l'ai vu prendre un enfant malade dans ses bras pour Rêves d'enfants. J'ai eu la chance de le voir recevoir des doctorats honorifiques, l'Ordre du Québec et du Canada et nombre d'autres honneurs, mais, malgré tout cela, Georges ne m'a jamais autant impressionné que lorsqu'il se promène à l'Insectarium de Montréal, dans une école ou dans les quartiers les plus pauvres de la métropole. Cet homme profondément humain aime le monde, le vrai monde et, avant tout, les enfants, qui sont notre devenir. Cet homme m'inspire au quotidien pour sa passion, sa joie de vivre, son intensité, sa vigueur, sa force de travail, son énergie et ses multiples réalisations et aussi pour son amour indéfectible envers sa famille.

Georges Brossard est le meilleur ami sur qui on puisse compter. Il est toujours là quand on en a besoin. Il est fidèle en amitié et est toujours prêt à rendre service ou à vous donner un conseil avisé, que ce soit en affaires, en droit, en relation ou tout simplement au quotidien.

En tant que conservateur des collections de l'Insectarium de Montréal, j'ai eu la chance de faire de nombreuses rencontres avec des entomologistes de tous les pays. Je n'ai, à ce jour, jamais rencontré un homme comme Georges, qui aime tant les insectes, qui désire en posséder autant, en accumuler autant.

Georges Brossard n'a rien d'un homme normal. Il est de ceux qui ont des capacités intellectuelles et physiques exceptionnelles et qui possèdent des forces créatrices et de persuasion hors du commun. Cet homme est polyglotte, gymnaste, féru de droit, homme d'affaires avisé, entomologiste, muséologue, pêcheur, pilote d'avion, il a fait le tour du monde plusieurs fois et il est maître de conférences. Georges Brossard possède un charisme incroyable, il attire les jeunes et les moins jeunes. J'ai eu la chance de croiser sur ma route cet homme au destin unique et fascinant dont les aventures vous passionneront comme la lecture d'un bon roman. Son cheminement fantastique est raconté grâce à la plume avisée de l'auteure Barbara Kahle.

Un jour, ce personnage nostalgique m'a demandé ce que j'écrirais sur sa pierre tombale. Je lui ai répondu la phrase suivante, qui le résume bien : « Prenez bien garde au jour où Dieu mettra sur terre un penseur en liberté. »

Stéphane Le Tirant
Conservateur de l'Insectarium de Montréal

Prologue

En 2002, 12 ans après l'ouverture de l'Insectarium, son fondateur, Georges Brossard, grille une dernière cigarette devant la porte d'entrée de l'institution montréalaise, avant de prononcer le discours qui marquera le coup d'envoi de l'exposition Papillons en liberté. Cette exhibition, instaurée par son ami Stéphane Le Tirant quelques années plus tôt, est un événement annuel au cours duquel des milliers de lépidoptères sont relâchés dans la grande serre du Jardin botanique de Montréal, au plus grand plaisir des visiteurs. L'endroit se transforme alors en une immense et superbe volière accueillant ces insectes exotiques en provenance de plusieurs pays du monde, alors que l'hiver québécois tarde à laisser sa place à la saison suivante.

À quelques minutes du lancement officiel, une dame en fauteuil roulant bloque une des portes d'entrée de l'Insectarium. Elle tente désespérément de pénétrer dans l'édifice, mais les manœuvres sont difficiles. Les employés de l'endroit la contournent et pénètrent dans le musée en utilisant l'autre porte, sans même daigner accorder un regard à la pauvre femme. Georges est témoin de leur manque de courtoisie, son sang ne fait qu'un tour. Il se souvient avoir donné une formation au personnel de l'établissement 10 ans plus tôt, au cours de laquelle il avait voulu communiquer sa passion et les missions de son institution, insistant sur l'importance de bien servir la clientèle, de la traiter «aux petits oignons». Ce n'est manifestement pas ce qui se passe avec cette cliente, qui risque fort de ne pas arriver à temps pour le grand lancement! Que non, se dit Georges, elle ne sera pas en retard! Il s'approche d'elle et, en souriant, rassure l'infortunée: «Rien ne presse, les gens à l'intérieur peuvent bien attendre un peu, c'est moi qui donne le *show*...»

Dans la grande salle, l'heure est à la fête. On attend impatiemment celui qui doit prononcer le discours d'ouverture. En fait, on le cherche désespérément… L'animateur, qui commence à être inquiet, fait patienter les gens : « Nous aurons la chance d'entendre ce soir monsieur Georges Brossard, dès que nous serons en mesure de le trouver ! » Comme pour prêter main-forte aux organisateurs de l'événement, la foule, enthousiaste à l'idée de rencontrer le fameux entomologiste, se met à scander son nom : « Georges Brossard, Georges Brossard, Georges Brossard ! »

Et c'est à ce moment qu'il arrive… en poussant le fauteuil roulant de la dame que les employés, confortablement assis dans la dernière rangée, avaient ignorée. Georges marche d'un pas décidé, n'hésitant pas un instant à installer la dame (qui n'en demandait pas tant) complètement à l'avant.

Puis, sous un tonnerre d'applaudissements, Georges commence son discours :

> « De tous les animaux qui vivent sur terre, ce sont certainement les papillons qui exercent la plus grande fascination auprès des humains, mais surtout auprès des enfants. Ils sont beaux et gracieux mais, hélas, ils sont fragiles ! Et c'est peut-être ce qui explique pourquoi les enfants s'y identifient autant. Pour eux, le papillon est comme une fée qui transporte leurs rêves au loin… »

Des entrées remarquées, une passion communicative pour les insectes et une envie irrépressible d'aider les plus vulnérables, voilà, entre autres, ce qui caractérise Georges Brossard, un personnage hors du commun. Son histoire débute somme toute assez simplement, sur la Rive-Sud de Montréal, à une époque où la nature règne encore en maître, et où le futur entomologiste de réputation internationale explore les champs en culottes courtes, à la recherche de papillons. Comme le dit si bien Georges : « C'est toujours dans le cœur d'un enfant qu'on trouve les racines d'une passion. »

PARTIE I

1940 -1961 — LA PRÉPARATION

Ti-Georges (la tendre enfance)

Benjamin d'une famille de quatre enfants, Georges Brossard naît le 11 février 1940 d'un père cultivateur et d'une mère qui était enseignante avant de prendre mari. Le terrain des Brossard s'étend sur plus de 200 acres le long du chemin de la Pinière, dans la paroisse de La Prairie. Fait intéressant, la maison dans laquelle grandit le petit Georges a été construite par son père à l'endroit même où se trouve aujourd'hui le centre d'entraînement des Canadiens de Montréal, au bord de l'autoroute 10, à Brossard. Ni la ville ni la route n'existent à l'époque… Pas de stationnement ni de commerces, mais des pommiers, des peupliers, des rosiers et des jardins fleuris, que les Brossard peuvent admirer, confortablement installés sur la galerie de bois qui borde leur demeure.

La ferme est un immense terrain de jeu et le lieu de toutes les découvertes pour le petit Georges. Sur leur parcelle de terre, outre la résidence familiale, se dressent deux garages, un hangar, une chambre à lait et une énorme grange abritant tous les animaux. On y trouve des stalles pour les vaches et les chevaux, ainsi que d'autres compartiments pour les cochons et le bœuf. Ce bâtiment, aux murs enduits de chaux d'un blanc éclatant qui contraste avec le rouge écarlate des portes et des volets des fenêtres, représente le cœur de la ferme. Il est aussi un sujet d'orgueil et de fierté pour ses propriétaires.

« C'était la grange la plus moderne et la plus grande sur le chemin de la Pinière ! Pour les enfants, c'était comme notre deuxième demeure, entre autres parce que le chien y était admis, contrairement à la maison, apanage des êtres humains. Le bâtiment était tellement grand, c'était le lieu idéal pour jouer à la cachette pendant des heures ! »

Tel est le décor bucolique dans lequel le jeune Georges évolue. La campagne est propice aux découvertes et celles-ci imprégneront l'esprit du garçon. De la même manière, Ti-Georges sera marqué par les valeurs et le tempérament fort de ses parents, Lucienne et Georges-Henri. Les traits de sa personnalité, tantôt exubérante, tantôt philosophe, toujours passionnée, ont ainsi pris naissance au cours de sa tendre enfance, tout comme son affection pour les animaux réprouvés.

L'amour des insectes

Il faut être assez humble pour accepter de s'inspirer de plus petit que soi !

Ainsi, les insectes ont trouvé un mode de vie satisfaisant et ils y tiennent, ce qui, hélas, n'est pas le cas de la majorité des humains ! Pour eux, rien n'est plus important que la vie. Ils s'adaptent à toutes les conditions qui prévalent sur la planète, protègent les richesses naturelles et ne les épuisent pas, assurant ainsi aux générations futures des conditions propices au maintien et à la continuation de la vie.

Ils sont passés maîtres dans l'art d'organiser le travail, ils ramassent, utilisent et recyclent tous leurs déchets et ne gaspillent rien, ce que nous n'avons pas encore réussi à faire. Tous doivent travailler et contribuer de façon directe à la subsistance commune et pour le bien commun, loin du règne du chacun-pour-soi[1].

L'été de ses cinq ans, Georges accompagne régulièrement son père à la grange pour l'aider dans l'accomplissement de ses tâches quotidiennes. Aux abords du bâtiment se trouve un abreuvoir pour les animaux. Le garçon remarque, un bon matin, que des abeilles s'aventurant trop près de la cuve y tombent et se débattent dans l'eau, incapables d'en sortir. Georges-Henri décide alors de faire à son fils une démonstration étonnante : il tend un doigt aux insectes piégés. Ces derniers s'y agrippent, se sortent de l'eau, se sèchent les ailes, puis s'envolent, sans piquer la main de celui qui leur a évité la noyade. C'est ainsi que Georges apprend très tôt que rien ne justifie d'avoir peur des insectes, auxquels il commence à s'attacher.

---

1. Georges Brossard, « Inspirons-nous des insectes », *Entreprendre*, vol. 17, n° 3, 2003, p. 15-16. Cet extrait a été reproduit aux termes d'une licence accordée par COPIBEC.

L'automne suivant, alors qu'il commence à fréquenter la petite école n° 4 de La Prairie, le jeune garçon fait une autre découverte qui changera sa vie. Dans une armoire de l'établissement sont conservés deux spécimens de sciences naturelles : un papillon et un morceau d'amiante. L'insecte inspire Georges à la seconde où il l'aperçoit. « D'où vient-il ? », demande-t-il au professeur, malheureusement incapable de répondre. Le jeune écolier devra se débrouiller seul pour satisfaire sa grande curiosité. Étonnamment, il mettra plus de 30 ans avant d'en faire lui-même la capture et d'appendre le nom de cette merveille : un papillon lune (*Actias luna*).

Ce trésor, un papillon de nuit nord-américain aux ailes émeraude et aux antennes plumeuses, (photo p. 308) est une révélation pour l'écolier, qui réalise que la beauté d'un papillon peut être immortalisée. L'intérêt développé est puissant, Georges ne peut se limiter au seul spécimen de son école et doit trouver d'autres bestioles ! Cette nouvelle passion se transforme vite en obsession ; Ti-Georges devient « chasseur d'insectes », et ne se contentera pas d'un maigre butin !

Pour l'apprenti entomologiste, le gros lot se trouve dans le joli parterre de pivoines de sa mère, qui attirent par leur parfum des dizaines de magnifiques monarques (photo p. 311). Alors que ceux-ci virevoltent au-dessus des fleurs, Georges les attrape à l'aide d'un filet rudimentaire, confectionné avec les rideaux de la cuisine.

À sept ou huit ans, le jeune garçon savoure une nouvelle trouvaille. Prenant délicatement un papillon et le portant à son nez, il réalise que celui-ci dégage une odeur… très agréable. Ce n'est que beaucoup plus tard qu'il apprendra que les fragrances émanant des papillons sont en fait les phéromones transportées par le vent pour attirer le sexe opposé.

« Encore aujourd'hui, à chacune de mes chasses, je porte à mon nez les papillons capturés, pour le doux souvenir, et le plaisir de sentir ces créatures que j'adore. »

Ti-Georges capture ainsi plusieurs papillons qu'il conserve précieusement dans des boîtes. Mais rapidement, il veut diversifier sa collection, attraper d'autres types d'insectes. À l'âge d'environ huit ans, l'intrépide garçon part à la chasse aux bourdons avec son frère Benoît, de trois ans son aîné.

« En tombant sur des gros nids qui devaient abriter plus d'une cinquantaine de spécimens, nous avons décidé d'asperger le repaire d'eau afin d'en faire sortir les taons[2]. Belle idée ! Certes, plusieurs d'entre eux se sont fait prendre, mais nous aussi, victimes des piqûres de bourdons qui sortaient en furie de leur nid ! C'est en fuyant puis en tombant que j'ai découvert un drôle de phénomène... Pour semer les bourdons, il suffisait de se baisser ! Ceux-ci continuaient leur chemin et nous perdaient de vue ! »

Le jeune chasseur met toute son énergie dans ce nouveau passe-temps, et sa collection d'insectes atteint rapidement un nombre étonnant.

« C'était facile de trouver des insectes, il y en avait partout ! Je n'avais qu'à secouer les plantes pour observer plusieurs espèces qui se nourrissaient des fleurs ou des tiges. En soulevant les roches ou en vérifiant sous les tas de feuilles mortes, je trouvais de beaux coléoptères qui venaient s'ajouter à ma collection. Je fréquentais aussi les mares, ruisseaux et marais où je trouvais des insectes aquatiques, mais aussi des libellules et des éphémères. Et c'est sans compter les araignées qui avaient élu domicile dans la grange ou les environs ! »

À neuf ans, Georges obtient la permission d'utiliser le deuxième étage d'un des garages, qui lui servira d'atelier, de laboratoire et d'entrepôt pour ses petits trésors. Il a déjà ramassé plus d'une centaine d'arthropodes : des papillons (les plus beaux), des taons (les plus dangereux à capturer), des libellules, des araignées, des hannetons, des cigales...

---

2.   Expression québécoise populaire pour désigner les bourdons, qui sont de la famille des apidés et qui produisent un peu de miel.

« Les libellules étaient excessivement difficiles à attraper. J'avais beau ne faire aucun bruit, elles s'envolaient dès que j'approchais avec mon filet ! J'ai réalisé qu'elles avaient de très bons yeux et que le meilleur moyen de s'en approcher était de se cacher derrière elles !

Pour les barbeaux – c'est ainsi qu'on appelait les hannetons –, il suffisait d'attendre le soir pour en recueillir en quantité ! Je les gardais dans mes mains, pour le plaisir de les sentir bouger ! »

Les espèces sont regroupées selon leurs particularités : les libellules et les demoiselles (les odonates), au long corps et aux ailes transparentes, avec de grands yeux globuleux, sont placées côte à côte.

« Pour distinguer ces insectes, en tous points semblables, il suffisait de les observer au repos. La libellule a les ailes ouvertes, alors que la demoiselle a les siennes fermées. »

Le jeune naturaliste dispose ensemble, sur une planche de cèdre, des grillons, des sauterelles, des criquets et des cigales. Il place les coccinelles avec les scarabées, à cause de leurs ailes qui ressemblent plutôt à une carapace, pendant que les guêpes, les abeilles et les bourdons sont étalés l'un à côté de l'autre. Il a aussi un grand nombre de mille-pattes et d'araignées.

Mais Georges a surtout… des papillons. Leur diversité et leurs couleurs impressionnent le jeune collectionneur, qui se fait un plaisir de les étendre sur des planches de cèdre qu'il conserve dans sa chambre, pour pouvoir admirer leur beauté. Il compte et répertorie tout ce qu'il a ramassé, passant de longues heures devant sa collection. Plus il observe ses trésors, plus il est fasciné et intrigué. La curiosité s'intensifie, avec un sentiment d'appartenance ou d'affiliation avec cet embranchement sous-estimé du règne animal.

« Mes frères, Benoît et Henri, et ma sœur, Monique, étaient plus vieux et plus grands que moi. Alors, ils s'intéressaient aux gros animaux : les veaux, les vaches, les porcs, les chevaux… Moi, j'étais le plus jeune et je m'identifiais à ces animaux de la ferme qu'on tenait pour négligeables : les insectes ! Je me disais : ce n'est pas parce qu'on est petit qu'on est n'importe quoi, qu'on n'est pas capable, qu'on n'a pas une importance quelconque ! Je m'identifiais aux insectes parce que, malgré leur petite taille, ils étaient utiles, travaillants, forts et rapides ! »

Georges découvre la splendeur de ces petites bêtes mal aimées et méconnues, impressionné par leur diversité et par leur nombre. Il veut partager ses découvertes et sa joie, ne peut pas garder pour lui seul ses trouvailles. L'été de ses neuf ans, il décide d'exposer sa collection. Les insectes dont les ailes sont trop abîmées sont mis de côté, et les autres sont regroupés selon l'ordre auquel ils appartiennent. Ils sont ensuite minutieusement épinglés sur des planches. Le nouveau collectionneur prend aussi la peine de les identifier, à l'aide des quelques ouvrages de référence (parfois bien minces !) qu'il arrive à trouver.

« Quelle belle collection ! Je n'en revenais pas de pouvoir admirer et inspecter le résultat de mes chasses ! Je les disposais de façon à faire des agencements de couleurs, des dégradations, et mon cœur palpitait d'émotion à la fin de ces longues séances de travail et de contemplation. »

Après plusieurs semaines de travail acharné, sa première exposition est prête. Le jeune naturaliste n'est pas peu fier. Il convie ses parents et sa famille à venir voir le résultat dans son laboratoire, au deuxième étage du garage. Malheureusement, à l'exception de Benoît, personne ne fait acte de présence (il faut dire que l'endroit est difficilement accessible pour les adultes, qui doivent passer par le trou du plafond pour y accéder).

Georges persévère néanmoins et passe les étés suivants à chasser insectes et araignées, bonifiant sa collection. Il fait aussi d'autres expositions, qui attirent les enfants du voisinage, et il finit même par exiger des droits d'entrée.

« Pour visiter mon insectarium, il fallait payer cinq sous. Les garçons seulement, parce que les filles étaient admises gratuitement ! Malheureusement, il n'y en avait jamais… Mais le concept était né, les bars n'ont rien inventé ! »

Georges est fasciné par ce que les insectes apportent à l'environnement, et les anecdotes se multiplient lors de ces étés riches en découvertes.

« Papa était apiculteur à ses heures, nous avions donc plusieurs ruches sur le terrain. Celles-ci m'intriguaient, parce que je voyais le va-et-vient des abeilles, leur travail incessant. Un jour, j'ai emprunté la balance de maman pour peser une ruche, en répétant l'expérience le lendemain, puis le surlendemain. Quelle surprise de constater qu'elle s'alourdissait de trois kilos à chaque fois, qu'elle devenait plus lourde à cause du miel, de la cire et du pollen ! Je découvrais que les abeilles avaient un rôle de producteur ! Plus tard, je me suis mis à observer les fourmis qui transportaient des feuilles et brindilles qui semblaient beaucoup plus lourdes qu'elles. Et à chaque nuit, elles sortaient de la terre une quantité incroyable de sable blanc, que papa utilisait pour faire du ciment. Pour moi, elles étaient capables de déplacer des montagnes ! »

Un jour d'été, alors qu'il a 10 ou 11 ans, Georges découvre que les bousiers jouent aussi un rôle très important. En allant chercher les vaches dans le pré, le jeune garçon remarque que l'énorme tas d'excréments, croisé la veille près d'un buisson, est considérablement plus petit et plus sec. Le surlendemain, tout a disparu. Mais que s'est-il donc passé ? Les matières fécales ne peuvent tout de même pas s'évaporer ! Il investigue, et réalise que certains insectes semblent s'alimenter à même les excréments des vaches ! C'est la découverte d'une curiosité scientifique : la coprophagie…

Cette passion pour les insectes, Georges la partagera avec le monde entier quelques décennies plus tard.

Étrangement, les racines de son élan missionnaire remontent à un événement malheureux de son enfance : il trouve un jour sa collection complètement ravagée ! Les coupables sont… les fourmis et des araignées (eh oui !), venues s'approvisionner à même l'exposition. Mais cette mésaventure, au lieu d'entraîner l'apitoiement de l'entomologiste en herbe, le mène à une révélation.

« Quand j'ai aperçu ma collection détruite, comme dans un éclair, j'ai su qu'un jour je serais un grand collectionneur, j'ai vu mon insectarium ! Je me suis vu debout en train d'expliquer le monde des insectes ! »

Mais l'heure est encore aux plaisirs innocents de l'enfance pour le garçon qui raffole des insectes, et qui s'intéresse aussi au gibier, aux poissons, aux oiseaux…

L'importance de la nature
La vie en campagne

Le fait de vivre en campagne crée chez le jeune Georges un sentiment d'appartenance très fort. Ses parents lui font tôt remarquer l'importance de respecter la nature, mais aussi de savoir en retirer les bienfaits.

Ainsi, alors qu'ils sont encore jeunes, les enfants Brossard sont initiés à la chasse, à la pêche et aux autres bonheurs liés à la générosité de la nature. La chasse est une affaire de famille. Le père et les oncles sont tous très habiles, les histoires et anecdotes réfèrent souvent à des incidents ou à des moments particuliers liés à cette activité. Chaque automne, Georges part dès l'orée du jour et jusqu'à tard le soir, avec son père et ses oncles, dans l'espoir de ramener l'ultime trophée, un chevreuil ! Celui qui réussit l'exploit devient le héros du moment, celui qui récolte les félicitations et les encouragements des autres chasseurs envieux.

Outre les cervidés, la bernache est aussi prisée. Les chasseurs invétérés considèrent la capture de cet oiseau comme un passage obligé de l'enfance à l'âge adulte. Lorsqu'un jeune garçon réussit l'exploit, il monte d'un cran dans l'estime de ses aînés. Évidemment, la manipulation d'une carabine par un enfant en choquerait plus d'un aujourd'hui, mais à cette époque, ces armes sont vues comme des outils nécessaires. Autres temps, autres mœurs… Pour les petits Brossard, la chasse est à la fois un jeu et un défi. Cette activité fait partie de la vie, elle est loisir et source de plaisir, de valorisation. Tout comme la pêche.

Dans les années 40, les premiers viaducs sur le boulevard Taschereau sont érigés, et les travaux de construction, non loin de la maison, laissent des tranchées remplies d'eau, le long desquelles Georges et son frère Benoît peuvent marcher pendant des heures… et taquiner le poisson. Avec leur canne à pêche de fortune, les deux frères partagent une nouvelle passion.

> « On était tellement excités de voir les poissons mordre à l'appât ! On revenait tout fiers à la maison, avec des belles barbottes dans nos seaux. »

À huit ou neuf ans, Georges décide de bloquer le fossé qui sert à drainer le terrain familial afin de créer un petit bassin. Des poissons vivants (carpes et perchaudes), capturés quelques kilomètres plus loin, y sont déposés. L'eau de son aquarium de fortune, claire comme de l'eau de roche, permet au garçon de contempler ses poissons pendant des heures, bienheureux. Georges en prend soin et les nourrit avec les vers et les insectes qu'il trouve. Quand l'hiver approche, l'âme en peine, le pêcheur libère ses poissons en les amenant dans un seau jusqu'à « la grande décharge », principal plan d'eau des environs et lieu d'origine des poissons en question.

Georges est fasciné par tous les éléments de la nature : les insectes, les poissons, mais aussi les oiseaux… C'est un garçon espiègle, débordant d'imagination…

Fable des temps modernes :
Le novice et l'épervier

*L'épervier voyant au loin une proie trépassée
amorça sa descente sous le regard d'un chasseur
Le plus malin des deux prédateurs*

d'un leurre posé, fit de l'autre son trophée
C'est son ambition qui le perdit
car l'oiseau capturé devint un défi
pour le chasseur, devenu dompteur

Ignare des choses de l'apprivoisement
le dresseur y dévoua énergies et temps
N'obéissant qu'à son instinct
l'animal, domestiqué il le devint
à tout le moins, le fit-il croire
au jeune novice gonflé d'espoir

Puis vint le temps de libérer l'oiseau
qui, au lieu de revenir au poing de l'apprenti fauconnier
quitta vers les cieux plus hauts
sans toutefois se retenir de narguer
celui qui avait cru le domestiquer

Ainsi, alors qu'il n'a pas encore 10 ans, Georges se met en tête de capturer un oiseau de proie. Pour arriver à ses fins, il utilise comme leurre la carcasse d'une oie, abandonnée par un renard sur le terrain de la ferme. En quelques heures, ô joie, un épervier mord à l'appât... et se prend la patte dans le piège dissimulé en dessous.

« J'étais tellement content de voir l'oiseau, j'ai couru vers lui sans réfléchir ! À deux pieds de l'animal, j'ai bien réalisé qu'il était furieux ! Sans trop savoir quoi faire, j'ai enlevé mon chandail et l'ai lancé sur sa tête pour l'empêcher de m'attaquer avec son grand bec ! Il se débattait, mais j'ai finalement réussi à l'immobiliser pour le montrer, tout fier, aux membres de ma famille. »

Georges décide d'apprivoiser l'épervier. Avec la permission de ses parents, l'oiseau est installé dans le poulailler inutilisé. Le logis trouvé, il faut maintenant nourrir l'animal ! Heureusement, le jeune garçon a un plan, qu'il met à exécution tous les dimanches après la messe. Pendant que son père (alors maire de la paroisse de La Prairie) s'occupe de régler les problèmes politiques sur le perron de l'église, Benoît et lui en profitent pour attraper quelques pigeons nichant autour de l'édifice, qu'ils cachent dans leur veste. De retour à la maison, Georges donne les pigeons à son épervier, qui s'en régale. Il s'improvise bientôt fauconnier et réussit à attraper d'autres rapaces, se dévouant à leur enseignement. Le garçon veut dresser les oiseaux de proie pour qu'ils aident à la chasse au gibier, mais il doit d'abord leur apprendre à revenir au poing. Seulement, les bases n'y sont pas. Lorsqu'il enlève les attaches de l'animal, celui-ci reprend sa liberté pour ne jamais revenir.

Les éperviers qu'il tente d'apprivoiser, les insectes qu'il collectionne… pour Georges, la nature est l'hôte des plus précieuses découvertes, la créatrice de phénomènes d'une grande beauté.

« Tout jeune, j'avais une incroyable admiration pour la nature, qui était pour moi la mère de ce qu'il y avait de plus beau sur la terre. Bien sûr, je chassais, mais les proies étaient traitées avec respect ! »

Le jeune chasseur se transformera bientôt, avant même que la mode ne soit à l'écologie, en un ardent défenseur de l'environnement.

La beauté naît du regard de l'homme. Mais le regard de l'homme naît de la nature[3].

Des graines de générosité

« Maman était douce, émotive et surtout remplie d'amour. Elle était toujours prête à apporter de l'aide aux pauvres, des soins aux malades. C'est elle qui nous a appris la bonté. Maman nous semait des graines de générosité dans le cœur. »

3.   Hubert Reeves, *L'espace prend la forme de mon regard*, Les Éditions L'Essentiel, 1995.

La charité est omniprésente chez les Brossard, même quand les moyens sont limités. À Noël, les enfants reçoivent chacun deux cadeaux, un qui leur est destiné, l'autre qui doit être remis aux pauvres. Lucienne veut inculquer à ses enfants l'importance du partage, la valeur de l'altruisme.

Il y a aussi le «quêteux», un homme sans âge qui cogne aux portes des fermes en fin de journée pour un plat chaud. Même si son allure laisse à désirer, les Brossard le reçoivent chaque fois qu'il se présente et partagent avec lui leur repas. Parfois, la discussion va bon train, il est tard, et l'homme quémande un toit pour dormir. Le quêteux devient alors le propriétaire officieux du grand banc dans la cuisine, qui devient son lit pour la nuit. Les histoires rocambolesques du mendiant resteront longtemps dans l'imaginaire du petit Georges, semant en lui un intérêt naissant pour l'art de raconter. C'est aussi un visage différent, qui révèle au garçon les possibilités infinies de la vie au-delà des frontières de la ferme familiale et de son petit patelin. Ces frontières qu'il rêve de traverser…

À plus d'un égard, les parents des petits Brossard font preuve d'ouverture. Dans les années 40, il est possible d'embaucher des orphelins pour prêter main-forte sur la ferme. Cette mesure vise à les sortir de l'institution, tout en aidant les cultivateurs. Georges-Henri et Lucienne accueillent certains de ces adolescents, convaincus de l'importance de bien traiter ces jeunes qui ont eu une enfance troublée. Ainsi, le petit Georges est éveillé très tôt à la misère d'autrui, ce qui lui donnera le goût non seulement d'aider à son tour, mais aussi de changer les choses. Comme ses parents, il voudra prendre la défense des malheureux, se faire leur avocat !

Georges a un faible pour les êtres vulnérables et mal aimés, ceux que les autres trouvent répugnants. D'ailleurs, son plus fidèle compagnon est Prince, un chien errant adopté par la famille alors que le garçon a cinq ou six ans : «C'était un semblant de Labrador, haut sur pattes, que mon père avait trouvé sur le chemin de fer à Saint-Hubert, tout sale et galeux… » Le côté amoché de la bête lui plaît immédiatement ; Georges prend le cabot sous son aile…

« J'aimais tellement cet animal. C'était incroyable ce qu'il faisait pour moi ! Papa construisait déjà des attelages pour les chevaux, alors il en a fait un pour Prince ; un chariot avec un harnais de cuir et de bois qui me permettait de me rendre à l'école par le moyen de transport le plus rapide et le plus original des alentours ! Au début, Prince venait me porter à l'école puis attendait la fin de la classe. Après un certain temps, il venait me porter le matin, retournait à la maison, puis revenait me chercher tous les jours à midi pile ! Des fois, il se trompait et venait me chercher le samedi ! »

La discipline, la rigueur et le travail acharné

« Papa avait un caractère fort et une énergie peu commune. C'est de lui que vient mon souci du rendement. Papa disait toujours : "Essayer n'est pas suffisant, c'est la réussite qui importe !" »

Monsieur Brossard, véritable bourreau de travail, imprègne ses enfants de sa philosophie…

L'exploitation de la ferme est loin d'être de tout repos, et l'ensemble de la famille doit contribuer à son bon fonctionnement. Les heures sont longues et les efforts physiques nombreux. Georges-Henri donne l'exemple et ses enfants n'ont d'autre choix que de suivre, même le petit dernier, qui aimerait bien un peu plus de liberté pour jouer, courir dans les champs et chercher des insectes…

Après quelques années à vivre des produits de la terre, il devient évident pour Georges-Henri que ce ne sera jamais très payant. Il ne cherche pas la richesse, mais envie tout de même ses frères, qui sont des professionnels et s'en portent très bien. Les parents de Georges se promettent d'ailleurs d'envoyer leurs garçons au collège et de leur donner ainsi toutes les chances d'avoir une véritable profession. Pour ce faire, ils ne reculent devant rien, multiplient les efforts et les boulots. De l'élevage de dindes à la cueillette de fraises, toutes les façons sont bonnes pour ramasser de l'argent (honnêtement, évidemment). En plus d'être cultivateur et maire de la paroisse de La Prairie (depuis 1944), Georges-Henri est aussi mécanicien. Il répare dans son garage les vieilles machines que lui apportent les fermiers du voisinage. Il arrive à étirer leur durée de vie, mais réalise que les agriculteurs du coin finiront par avoir besoin d'équipements neufs. Vers 1945, il devient donc agent pour Cockshutt, une entreprise canadienne spécialisée dans la machinerie agricole. Voilà une responsabilité supplémentaire qui engendre un maigre profit, mais telle est la philosophie de Georges-Henri : il faut travailler d'arrache-pied sans jamais se plaindre, et rentabiliser chaque instant.

Toutes les machines Cockshutt (moissonneuse-batteuse, houe, faucheuse, charrue, etc.) sont livrées en pièces détachées à la maison familiale. Avant d'en faire le commerce, le paternel et ses enfants doivent donc assembler ces gigantesques casse-têtes sur le terrain de la ferme. Il arrive même que Georges soit laissé seul avec ses frères pour monter les équipements. L'entomologiste dira plus tard, sourire en coin :

> « Une fois la machine montée, il restait parfois des vis et des boulons au sol. Plutôt que de recommencer l'assemblage, on se dépêchait de les lancer à bout de bras dans le champ ! À l'heure de l'inspection, papa n'y voyait souvent que du feu… »

Heureusement, parce que Georges-Henri est un homme qui ne tolère aucune indiscipline. Lorsque les enfants se font prendre à faire un mauvais coup, ils sont sévèrement punis et presque toujours de la même façon : on les envoie se coucher sans avoir soupé.

> « Comme j'étais turbulent, il m'arrivait souvent d'être dans ma chambre à 6 heures du soir. Ma mère prenait la défense de son garçon hyperactif, justifiant mon tempérament par cet événement fortuit survenu peu avant ma naissance, en 1939. Alors qu'elle était enceinte de moi, la foudre avait frappé la vieille grange, qui avait pris feu et avait entièrement brûlé. Terrorisée, maman avait été témoin du triste spectacle et demeura persuadée que cet événement foudroyant avait eu un impact sur sa grossesse, faisant de moi un être nerveux !

« Mais, mon père étant moins prompt à l'attendrissement, je me retrouvais donc souvent seul dans ma chambre, en punition. Je me suis mis à lire… Le peu de livres que nous avions à la maison, je les ai tous lus, incluant le dictionnaire ! Je ne comprenais pas grand-chose à ces bouquins d'adultes, mais les heures de confinement m'ont tout de même permis d'améliorer mes connaissances et mon vocabulaire. Et puis, pour adoucir ma punition, ma sœur Monique, qui avait pitié, m'apportait en cachette, une fois l'heure du souper largement dépassée, un club sandwich dont elle seule avait le secret, et que je dévorais ! »

Si Georges-Henri se montre dur, c'est que la vie l'est aussi et qu'il veut y préparer ses enfants. Plus tard, le jeune Georges fera sienne la vision de son père. Comme lui, il multipliera les emplois et aura peu de tolérance pour la paresse et l'inaction.

En plus de la rigueur au travail, Georges-Henri transmettra bien d'autres valeurs à ses fils, notamment l'importance de ne pas gaspiller. Georges se souviendra toujours d'une leçon chèrement apprise, alors qu'il devait avoir six ans.

« Un jour, papa est arrivé avec deux bouteilles de boisson gazeuse. C'était habituellement interdit à la maison, alors, évidemment, les bouteilles m'intéressaient énormément et j'ai demandé si je pouvais les avoir. Papa m'a répondu que je pouvais les acheter pour deux dollars. J'ai payé les bouteilles en utilisant les "pourboires" durement gagnés en faisant "le chien" pour mes oncles qui chassaient. Rapidement, mon frère Benoît s'est mis à se moquer de moi à cause du prix payé pour les obtenir, du vrai vol ! Je me disais : "Il peut bien rire, c'est quand même moi l'heureux propriétaire." Mais, en m'amusant avec les bouteilles, j'en ai accroché une par accident, qui est tombée et s'est vidée de son contenu sur le plancher du salon, où il était interdit de jouer. Quel drame ! Maman est arrivée sur le fait, m'a disputé et m'a fait éponger le liquide payé au prix fort, alors que Benoît se payait ma gueule de plus belle. Même papa s'y est mis, me faisant la morale sur le plaisir bien éphémère retiré de l'achat des bouteilles, qu'il m'avait lui-même vendues ! »

À partir de ce moment, Georges se jure de ne plus jamais gaspiller, de ne plus se faire prendre à ce jeu : « Il faut acheter ce dont on a besoin plutôt que ce dont on a envie, voilà ce que papa essayait de nous montrer. » En guise de souvenir (et sans doute parce qu'il est déjà collectionneur compulsif), Georges garde la bouteille intacte et en sera encore propriétaire en 2014 !

Ainsi, dès son jeune âge, Georges conserve précieusement les objets qui revêtent pour lui une signification importante. C'est la collecte, avant que ne se développe la collection…

> « Cette bouteille n'est pas qu'une bouteille, c'est le souvenir d'un apprentissage important ! C'est comme ce vieux coffre en cèdre dans mon sous-sol, c'est la démonstration d'une réussite, ma récompense à la fin du primaire parce que je n'avais jamais manqué une seule journée d'école. »

Pour les leçons judicieusement prodiguées, Georges voue une admiration et une reconnaissance sans bornes à son père, son inspiration et son meilleur exemple de rigueur et de réussite.

> « C'est parce que je voulais que papa soit fier que j'ai fait de grands accomplissements ! La fierté de mes parents était un moteur puissant. Je voulais tellement être à la hauteur ! J'aurais aimé qu'ils soient encore vivants à l'ouverture de l'Insectarium. Mon père a fondé une ville, moi j'ai fondé un musée international ! »

Benoît, fidèle complice

Alors que les parents de Georges font figure de modèles, son frère Benoît est son compagnon de tous les jours, pour les bons comme pour les mauvais coups. Deux garçons espiègles qui aiment bien jouer des tours, lesquels n'amusent pas toujours ceux qui les entourent…

Dès l'âge de huit ans, lorsqu'il n'est pas à l'école, Georges est pompiste de service au garage de son père, situé sur le terrain familial. Quand les clients se font rares et que les heures sont longues, les enfants cherchent à se divertir.

> « Nous avions un bon voisin, Freddy, qui, la plupart du temps, était la victime de nos mauvais tours, que ce soit en trébuchant sur un câble que nous avions tendu au milieu de son chemin, ou en recevant un projectile sur son pare-brise lorsque nous chassions les mouettes. Le pauvre homme fulminait…
>
> « J'ai au moins pu me rattraper plus tard. Quand j'étais notaire, alors que Freddy était mon client, je lui ai dit, au moment d'acquitter la facture : "Mon cher Freddy, pour tous les coups que je t'ai faits, je t'en prie, accepte aujourd'hui que je corrige la situation en t'offrant gratuitement mes services pour cette transaction !" »

Georges et Benoît partent ensemble à l'aventure et aux découvertes. Le plus vieux initie son jeune frère à la chasse et à la pêche. Ce sont également deux petits collectionneurs qui ramassent tout ce qui leur tombe sous la main : bestioles, suçons, roches… Benoît montre à son frère la boxe et l'haltérophilie, lutte avec lui pour le plaisir du sport sans se douter que cela sera très utile à Georges quelques années plus tard, alors qu'il devra se défendre et se battre avec plus grand que lui. Bons gymnastes, les deux frères font mille et une périlleuses acrobaties. Très jeune, Georges peut parcourir près de 50 mètres sur les mains, sans jamais mettre les pieds à terre. Et 60 ans plus tard, il sera encore en mesure de se suspendre la tête en bas par les orteils, comme une chauve-souris, le corps droit comme une barre !

Initiation à la politique, ou le pouvoir des mots

Enfant, Georges a déjà soif de voir des gens. Il voudrait tant avoir une vie sociale et des fréquentations nombreuses et variées ! Mais la ferme est isolée, et rares sont les nouveaux visages. Il rêve de vivre en ville, là où il pourrait converser et s'amuser avec d'autres garçons que ses cousins !

Quelques sorties lui permettent de côtoyer ce monde qu'il brûle de découvrir. Ainsi, en 1948, son père l'emmène à La Prairie pour assister à un discours de Maurice Duplessis, alors en pleine campagne électorale.

« C'est en écoutant cet homme que j'ai découvert que parler était un art. J'avais l'impression de participer à un moment historique, j'étais fasciné par les élans dramatiques, profondément impressionné par les réactions et l'envoûtement de la foule. Je me suis faufilé entre les gens en train d'applaudir à tout rompre, jusqu'au premier rang, pour voir cet homme qui m'apparaissait tel un géant, capable de remuer les gens, les âmes, les cœurs. À la fin d'une envolée qui m'avait particulièrement touché, je me suis levé en criant "Bravo!" très fort. À ma grande surprise, tous les gens derrière moi se sont levés et ont redoublé d'ardeur. Je n'entendais qu'acclamations et applaudissements. Alors, Maurice Duplessis m'a pointé du doigt en s'écriant : "Vous voyez, même un enfant peut comprendre cela!" Quelle fierté! Le premier ministre m'avait remarqué! »

Cette rencontre est déterminante pour le jeune Georges, qui cherchera dorénavant à s'imposer et à attirer l'attention. Il décide de devenir orateur, mais ne le dit à personne. Afin d'être aussi habile et convaincant que ceux qui l'inspirent (l'oncle Guy, un conteur sans pareil, et maintenant Duplessis), il s'exerce dans les champs, avec pour seul public des vaches Holstein à l'air hébété.

« Je n'aurais pas pu trouver un meilleur public! Alors que je discourais, debout sur un baril vide, les vaches avançaient! Elles étaient curieuses, arrêtaient de brouter et me regardaient aller! J'y mettais toute l'intensité dont j'étais capable pour captiver cet auditoire pourtant d'une nature récalcitrante! Je passais des heures à parler ainsi, inspiré par la beauté des lieux et comblé par cette nouvelle passion. »

Du haut de ses quatre pieds, le garçon découvre le pouvoir des mots et sa propre habileté à les utiliser. Ce sera sa façon de se faire valoir. Georges se met à imiter son oncle Guy, qui capte l'attention de tous par ses histoires, ses grimaces, ses intonations et ses gestes. Cet homme sait émerveiller, émouvoir, faire rire et faire pleurer. Georges veut faire la même chose. Avide de communiquer, il parlerait à quiconque voudrait bien l'écouter (sauf le public bovin, qui ne lui suffit plus)!

L'occasion rêvée de pratiquer l'art oratoire se présente à lui, lorsqu'il est en 6e et en 7e année à la petite école no 4 de La Prairie. Son professeur lui offre de prendre un peu de temps pour enseigner le catéchisme aux plus jeunes. Tant qu'à laisser le garçon parler, aussi bien lui donner un sujet! Georges accepte avec entrain, sans se douter que ces deux années d'éducation consacrées à enseigner plus qu'à apprendre allaient lui coûter cher au moment d'entrer au collège.

Car Georges a maintenant «la chance» (c'est ce que lui disent ses parents) d'aller étudier au prestigieux Collège Saint-Laurent, à Montréal. À 12 ans, vêtu de son plus bel habit et sous le regard attendri de sa mère, le jeune campagnard entame le cours classique, abandonnant la nature pour devenir pensionnaire dans la grande ville. Ses espoirs sont grands, l'avenir lui appartient! Malheureusement, les déceptions seront grandes aussi.

«C'est dans le creuset de la souffrance et de l'enfance que se façonne l'homme.»

Il est triste le jour où Georges abandonne sa passion «insectueuse», sa famille et sa campagne pour aller au collège. Il doit renoncer à la chasse aux insectes, ne sachant pas encore qu'il ne renouera avec ce plaisir que bien des années plus tard, presque par hasard, sur une plage thaïlandaise. Mais l'heure est à l'éducation, le petit campagnard doit s'instruire s'il veut exercer une bonne profession.

La campagne arrive en ville : Éléments latins

Au renommé Collège Saint-Laurent, il y a pour 1 000 élèves près de 50 professeurs, lesquels sont presque tous des religieux possédant un doctorat. Les années d'enseignement sont divisées ainsi :

1re année : éléments latins ;

2e année : syntaxe ;

3e année : méthode ;

4e année : versification ;

5e année : belles-lettres ;

6e année : rhétorique ;

7e et 8e année : philosophie I et II.

Chaque année porte le nom de la notion de base à acquérir par l'élève, à laquelle se greffent des matières comme l'enseignement religieux et les mathématiques. Ainsi, en éléments latins, les collégiens apprennent les rudiments de la langue française et latine, en étudiant la grammaire.

Georges est dans un environnement complètement différent de celui auquel il est habitué. Après avoir travaillé physiquement tout l'été, il se retrouve dans un milieu d'intellectuels. La plupart des élèves viennent de la ville et suivent un chemin déjà bien tracé. Ils sont habitués à cet univers plus cérébral, ont déjà les bases et les connaissances nécessaires pour suivre des cours de ce niveau. Pour celui qui vient de la campagne, l'intégration est plus difficile.

> « Les autres garçons se moquaient de moi parce que ma maison n'avait pas de numéro. J'habitais sur un rang, quelle honte ! J'en suis venu à être gêné de mes origines, moi qui adorais pourtant ma campagne ! »

Dès le premier jour, à son arrivée dans l'immense salle de récréation, Georges se fait apostropher par plus grand et plus gros que lui, se fait traiter de « navot[4] ». Irascible, il ne se laisse pas faire et en vient aux poings. La situation se répète à quelques occasions, le nouveau venu réagit agressivement aux provocations et aux moqueries.

> « Heureusement que j'avais souvent lutté avec mon frère Benoît, ça m'a permis de devenir un combattant redoutable ! »

Par ces nombreuses bagarres, Georges finit par acquérir le respect des autres pensionnaires, s'attirant aussi la méfiance des surveillants, qui l'ont désormais à l'œil. Mais l'adolescent réussit à les amadouer en prenant sous son aile les élèves qui sont victimes d'intimidation.

> « C'était toujours les plus vulnérables, ceux qui présentaient une différence, qui se faisaient harceler. Moi, je n'étais plus une victime, mais je comprenais leur souffrance et leur crainte, je me sentais responsable de leur protection et ç'a toujours été ainsi depuis ! »

---

4. Nouveau.

Reconnu pour sa sensibilité à la misère des autres, le jeune étudiant a cependant de piètres résultats scolaires.

« G. Brossard, 33ᵉ sur 33… J'ai entendu ça souvent ! »

Le garçon de la campagne mettra du temps à rattraper son retard ; ses camarades ont bénéficié d'un enseignement primaire de qualité supérieure pendant que lui se retrouvait dans des classes où se mêlaient les élèves de tous les niveaux. Mais, question de ne pas être en reste et un peu fin finaud, Georges se plaît à dire : « Le premier de classe ne saura jamais le plaisir qu'a eu le cancre à regarder par la fenêtre. »

Pour Georges, l'internat est pénible. Habitué à la liberté et aux grands espaces, le fait d'être éloigné de sa famille et confiné dans un bâtiment le rend malheureux. L'atmosphère de son enfance lui manque, il rêve à ses congés et à ses vacances. Chaque fois qu'il en a l'occasion, c'est vers la maison qu'il se dirige, le milieu de vie si précieux qui l'a vu grandir. Et au retour d'un congé, lors de cette première année au collège, il ne peut résister à la tentation de rapporter un bout de sa campagne…

« J'avais ramené à l'école des oiseaux de proie blessés dont je voulais m'occuper. J'avais même convaincu un des frères d'être de manigance avec moi, en hébergeant les faucons dans une des tours du collège ! Nous allions ensemble à la chasse aux pigeons, qu'on dissimulait sous sa soutane pour nourrir nos invités inusités ! »

Syntaxe

En deuxième année du cours classique, les élèves doivent apprendre la syntaxe française, latine et grecque. Voilà des matières bien intéressantes, mais le jeune Georges, alors âgé de 13 ans, a la tête ailleurs. Il pense à Jeannine, rencontrée durant l'été. Joliment rondelette et aux yeux doux, elle faisait l'envie de Georges et de ses deux cousins, mais c'est avec lui qu'elle a accepté de sortir. Il l'a embrassée pour la première fois juste avant de repartir pour le pensionnat et profite, depuis, de chaque congé pour aller voir sa belle amie.

Cependant, les cours reprennent vite le dessus, Georges doit se concentrer s'il veut réussir. Il redouble d'efforts et parvient à passer son année de justesse, non sans avoir essuyé quelques sueurs froides.

Puis viennent les vacances estivales, le moment tant attendu du retour à la maison, où il revoit Jeannine… et rencontre la grande Denise, lors d'un party chez un voisin. Élancée, féline, sauvagement belle, Denise a des airs de délinquante, ce qui n'est pas sans déplaire à Georges. Après quelques manœuvres hardies, il arrive à danser avec elle, puis se fait surprendre par l'audace de la demoiselle : « C'est elle qui approche ses lèvres pour m'embrasser ! » Le jeune garçon est bouleversé. D'autant plus qu'il devra la quitter pour le collège et ne la reverra plus avant de longs mois.

C'est au cours de l'été de ses 14 ans que Georges vit un événement des plus marquants. L'adolescent turbulent et énergique ressent soudainement l'appel… de Dieu !

« J'étais seul sur le chemin de la Pinière et j'ai ressenti une présence, comme si un être spirituel tentait de m'indiquer un autre chemin à prendre. J'ai ressenti l'intensité d'un amour divin. J'étais ébranlé, pantelant, j'avais l'impression d'être en parfaite union avec l'absolu, comme en extase. Dieu me faisait l'honneur de me choisir pour être son représentant sur terre, j'allais devenir prêtre ! Un missionnaire ou un enseignant ; j'avais même déjà des ambitions pour une fonction importante dans la hiérarchie ecclésiastique, commençant à rêver au costume rouge du cardinal ou mauve de l'évêque… »

Ainsi, tout comme son frère Henri, plus âgé de dix ans, Georges veut devenir prêtre. Mais ce ne sera pas nécessairement aussi facile que pour l'aîné, l'adolescent réalisera bien assez tôt les contradictions de sa personnalité, l'incompatibilité entre sa vocation future et ses envies du moment.

« C'était bien beau cet appel divin, me dévouer à Dieu, mais j'avais un gros problème : j'aimais aussi les filles… »

Méthode

À 14 ans, Georges entame sa troisième année au collège. Après avoir étudié la fonction des mots et les propositions, la construction de paragraphes est ajoutée au programme scolaire.

Le jeune Georges, qui jongle encore entre Dieu et les filles, doit, bien malgré lui, se remettre à ses études et tenter de comprendre les matières qui lui sont enseignées.

Il a aussi besoin de dépenser son énergie débordante. Se développe alors une nouvelle passion pour les sports : hockey, baseball, softball, handball, basketball, football, rugby, tennis, natation, ping-pong, culture physique, quilles et gymnastique ! Il les pratique tous de manière effrénée et avec la même fougue.

« Je voulais absolument être le meilleur ! Mais j'arrivais toujours en deuxième position au concours de l'athlète de l'année, parce que l'autre gars accumulait des points bonis en étant arbitre le midi. »

Le sport lui permet de passer à travers les périodes difficiles, de créer une franche camaraderie avec certains de ses condisciples. Quinze à vingt heures d'exercices intenses par semaine le rendent en forme physiquement, plus qu'il ne le sera jamais par la suite.

« J'étais peut-être le cancre de la classe, mais lorsqu'il s'agissait de sauter par-dessus des barils en patin ou de donner des spectacles de gymnastique, j'épatais la galerie. »

Après deux années et quelques mois passés dans la crainte constante d'échouer, Georges redouble finalement sa troisième année au collège.

C'est un mal pour un bien, ce recalage lui permettra d'augmenter un peu ses notes, mais aussi de faire la rencontre de Guy Latraverse – aujourd'hui un personnage marquant de la culture et du monde du spectacle québécois – avec qui il se lie d'amitié. Ils deviennent les deux «gérants de la cabane des sports», c'est-à-dire les responsables du local et du matériel sportif. Ils ont aussi des ambitions «politiques»: Guy est élu président de la classe, et Georges est le vice-président. L'un vient du Saguenay et l'autre de La Prairie, c'est la revanche des campagnards…

Versification

L'année de versification est celle où les étudiants concentrent leurs efforts, entre autres, sur la technique de l'art poétique. Pour Georges, poète à ses heures, ce thème est fort intéressant. L'humour de l'adolescent influence son travail: un de ses premiers écrits a comme titre *Peu importe les larmes que l'on pleure, l'on finit toujours par se moucher…*

En 1956, au début de l'année scolaire, alors que Georges est âgé de 16 ans, il rencontre le père Deschenaux, l'orienteur du collège. Toujours dans l'incertitude d'être à sa place parmi ceux qu'il côtoie, il se présente donc craintif et sans espoir devant cet homme qui doit l'aiguiller… Surprise! Les résultats le démontrent, le père annonce à Georges qu'il a sans aucun doute les capacités intellectuelles pour aller loin.

«Je n'en revenais pas, moi qui étais si souvent le dernier… Je n'avais plus aucune excuse pour ne pas réussir!»

C'est un baume réparateur, un espoir pour l'avenir, Georges a enfin l'impression qu'il peut véritablement envisager une carrière religieuse. Certes, il ne sera jamais le meilleur en sciences (la physique, la chimie et les mathématiques le font souffrir), mais ses aptitudes en littérature et en philosophie en feront, espère-t-il, un prêtre tout à fait respectable. Le père Deschenaux, en lui révélant ce dont il est capable, améliore l'estime personnelle de Georges, qui lui en sera éternellement reconnaissant.

Peu après cet épisode encourageant, l'adolescent prend la résolution de se faire un journal personnel. À partir du 25 janvier 1957 et jusqu'au 29 novembre 1964 (dernière année d'université), il remplira 34 cahiers, tous numérotés et conservés. L'écriture, dans ses périodes de contradictions et d'émotions vives, devient essentielle pour lui, « parce que je suis trop sensible pour laisser écouler ma jeunesse sans en souligner les beaux jours ». Georges note ce qu'il fait, ses états d'âme, ses désirs et même ses scores aux quilles ! Il en a beaucoup à dire et à écrire, se donne mille et une résolutions. Parmi celles-ci : ne pas boire, ne pas fumer, ne pas sacrer… qui reviennent immanquablement à toutes les 10 pages, correspondant environ au même nombre de jours.

> « J'étais plein de bonne volonté, mais je ne tenais jamais très long-
> temps ! »

Malgré les rechutes, Georges demeure pertinemment convaincu de son avenir religieux, dont il ne parle cependant à personne. Ses amis auraient probablement peine à l'imaginer prêtre, eux qui le surnomment « la broue[5] » en raison de son caractère et de son accoutrement. L'uniforme en place au collège est le même pour tous, mais Georges détonne avec… ses bas blancs ! L'habillement suit le tempérament, il affirme avec éclat son unicité !

L'été de ses 17 ans, Georges a une nouvelle flamme : la belle Suzanne, qui chante comme un ange et avec qui il partage de beaux moments. Il profite aussi de ses moments de liberté pour faire plusieurs sports et activités ; il monte même pour la première fois dans un avion, piloté par son frère, le 18 août 1957.

> « L'expérience a été assez pénible. Après quelques minutes dans les
> airs, je me suis mis à suffoquer, j'avais mal au cœur et je me deman-
> dais bien quel plaisir Benoît pouvait trouver à voler ainsi dans les
> airs. J'ai changé d'idée par la suite. Voler est devenu une autre de
> mes passions. »

---

5. De la locution verbale « péter de la broue » : se vanter, essayer d'en imposer.

Malgré les apartés estivaux avec les filles et son frère Benoît, l'époque du collège n'est pas particulièrement heureuse pour Georges. Les cours sont ardus, les examens difficiles et l'étude intense. Les journées de ces adolescents sont passablement occupées. Ils travaillent fort à l'école, se démènent dans les sports et se couchent souvent tard, alors que chaque matin, l'impitoyable cloche les réveille à six heures…

De plus, Georges vit d'intenses tiraillements et s'interroge continuellement. Il pense aux torts que lui cause Suzanne, qu'il fréquente lors des congés : « Combien de jeunes gens ont refusé de suivre la voie que Dieu leur avait tracée seulement parce qu'ils s'étaient amourachés d'une fille ? » Il remet en question l'amour, sa signification et son implication.

Cette période, quoique ingrate, lui permet d'emmagasiner des forces, physiquement, psychologiquement et intellectuellement. L'adolescent s'encourage en se disant que le chemin à parcourir au collège est moins long que ce qui a déjà été fait…

Belles-lettres

À 17 ans, Georges et ses collègues étudiants s'initient aux œuvres littéraires des grands auteurs. Il est de nouveau élu vice-président de sa classe, non pas grâce à ses résultats scolaires, mais en raison de sa renommée et de ses talents de communicateur (à son grand bonheur).

> « Je voulais être différent, me faire remarquer. Et comme ce n'était pas avec mes réussites scolaires que je pouvais me faire valoir, il fallait que ce soit autre chose… Au début de l'année scolaire, j'ai appris à deux heures d'avis que j'allais être le maître de cérémonie d'un pow-wow organisé le soir même devant 300 élèves. J'ai adoré l'expérience, je ne pouvais plus m'arrêter de parler ! »

À partir de ce moment, Georges sera toujours le premier à lever la main en classe, se fâchant même le jour où un professeur veut limiter son temps de parole à 15 minutes ! Le collégien bavard redécouvre l'art oratoire, renouant avec un plaisir de son enfance. C'est lorsqu'il communique qu'il est heureux.

« Je m'imaginais déjà missionnaire, sous un arbre, en train de prêcher avec ferveur, de promouvoir des messages inspirants ! »

Début décembre 1957, alors qu'il joue aux cartes avec ses camarades, Georges voit s'approcher un homme en soutane. Levant les yeux, il reconnaît Henri, son frère aîné. Celui-ci fait partie de la Mission du Pont-Viau, qui a loué l'aréna du collège pour l'après-midi. Cette rencontre, même brève, fait le bonheur de Georges. Son frère, malgré la différence d'âge et la distance qui les sépare, suscite en lui une admiration profonde, il est l'exemple même de ce que l'avenir peut lui apporter.

En 1958, alors que Georges, âgé de 18 ans, travaille d'arrache-pied à conquérir les belles-lettres, le sujet de discussion à la maison est la ville que veut fonder Georges-Henri. Celui-ci, séparatiste et indépendant de nature, a réuni les 3 400 citoyens de la Corporation de la paroisse de La Prairie, un territoire adjacent à la municipalité du même nom, pour les convaincre de fonder leur propre ville. « Aucune raison, dit-il, de payer des taxes sans rien avoir en retour, autant être maîtres chez nous ! » La nouvelle municipalité, fondée le 14 février 1958, est nommée Brossard, en l'honneur de son fondateur, mais aussi de tous les ancêtres Brossard qui ont été, depuis 400 ans, des pionniers dans la région.

« À l'époque, les gens voulaient l'appeler Forgetville, en l'honneur de monseigneur Anastase Forget, premier évêque du diocèse de Saint-Jean. Heureusement, Duplessis est arrivé en disant : "Voyons, on ne peut pas faire ça, les gens vont dire '*forget* ville', la ville qui oublie ! On va l'appeler Brossard !" »

L'inauguration de l'hôtel de ville est l'occasion de dévoiler une sculpture de l'artiste Armand Vaillancourt, intitulée *Hommage à la classe ouvrière*, symbole de la gloire du travail et de la vigueur d'une communauté par l'effort, valeurs que prône Georges-Henri. Après avoir été maire de la paroisse de La Prairie pendant 14 ans, il sera le maire de Brossard, jusqu'en 1967.

C'est aussi à cette époque que Georges ressent le besoin de s'engager envers sa communauté. Comme sa mère, il a l'âme généreuse. Il s'investit donc dans la Société de Saint-Vincent-de-Paul, qui lutte contre la pauvreté. Le jeune homme aime le contact avec les gens, et il est heureux de savoir qu'il peut aider et faire une différence. Il trouve aussi le temps et l'énergie de mettre sur pied, avec un autre étudiant, une organisation collégiale où l'on discute de la notion d'humanisme par le biais de concours d'art oratoire.

« Bien sûr, il faut être charitable, généreux, mais il faut aussi réfléchir à des solutions, et c'était le but de notre organisation. Comme le dit le proverbe : donne à un homme un poisson et tu le nourriras pour un jour, apprends-lui à pêcher et tu le nourriras pour la vie. Mais il ne suffisait pas d'en parler, il fallait faire quelque chose… Inspiré par l'abbé Pierre, qui avait fondé le mouvement Emmaüs, j'ai fondé les Chantiers de Saint-Laurent ! Nous étions une dizaine d'étudiants à aller visiter les familles défavorisées et à passer notre samedi à peinturer, rénover et réparer tout ce qui nous tombait sous la main ! »

C'est le début d'un engouement pour les organisations humanitaires et les causes sociales, qui convient bien à son choix de carrière. Pour satisfaire ses ambitions, Georges doit cependant mener une lutte de tous les jours : messe, confesse et communion font partie des rituels hebdomadaires qui lui coûtent. L'aspirant religieux est d'abord plein de bonne volonté, puis perd intérêt, oublie de prier, manque de temps… À ses compagnons d'étude, il ne dit toujours rien de ses défis et de ses pieuses intentions. Ainsi, avec André-Gilles, Sarrazin et Pierre Lalande, il joue les durs et fait le fou. Ensemble, les trois jeunes hommes fument comme des cheminées sur la galerie de la salle des loisirs du collège.

« Un jour, on se cherchait un endroit tranquille pour fumer. Alors, nous sommes montés dans le jubé pour nous introduire dans l'orgue, immense, doté de 700 tuyaux. À plat ventre, dans nos blazers du dimanche, on a savouré notre petit péché. Nous sommes sortis en rampant et avons aperçu, en levant les yeux… un frère qui nous regardait avec suspicion, se demandant bien ce qu'on faisait là ! J'ai répondu avec conviction que c'était une curiosité mécanique qui nous y avait amenés, que nous cherchions à comprendre le fonctionnement de tous ces tuyaux ! Il nous a laissés partir en fronçant les sourcils ; on l'avait échappé belle ! »

À peine quelques semaines plus tard, pendant qu'est célébrée la messe, Georges se cherche encore un coin tranquille pour fumer. Il se retrouve dans le confessionnal, à la place du confesseur, et tire le rideau avant d'en allumer une. Un confrère passe par là et, voyant que la place du pénitent est libre et que le rideau du confesseur bouge, il entre et s'agenouille.

« Quand mon ami est entré, j'ai caché ma cigarette, ouvert le carreau et dit "Allez, mon fils…" Puis il s'est mis à parler à toute vitesse… "Bénissez-moi, mon père, parce que j'ai péché, j'ai…" J'ai crié : "Arrête, c'est Georges !" Je ne voulais absolument pas connaître ses péchés ! »

Georges ne compte plus les situations cocasses, les pitreries et les autres tours qu'il ne peut s'empêcher de jouer, malgré ses visées religieuses. Combien de fois a-t-il déposé un gobelet d'eau sur le dessus de la porte du surveillant, pour le plaisir de voir le pauvre homme se faire éclabousser ?

« Je trouvais le temps terriblement long. Ces petites plaisanteries m'ont permis de passer à travers mes années de collège. »

L'année des belles-lettres se termine sur la peau des fesses, avec une moyenne de 66 %, le minimum requis pour pouvoir passer à l'étape suivante. Après avoir travaillé comme un moine, Georges croit mériter mieux, mais l'important est de ne pas être recalé.

Une fois de plus, les vacances estivales passent trop vite. L'été est l'occasion de retrouver les amis de la campagne, sortir avec quelques filles et faire des voyages d'avion avec Benoît ; Georges apprécie maintenant l'adrénaline que procure le vol. Nous sommes en 1958, le jeune homme prend également plaisir à participer avec son père aux assemblées politiques en vue des élections municipales dans la ville nouvellement créée, en plus de travailler à la ferme ou au garage, à réparer des pneus crevés, graisser des voitures, servir de l'essence… « Et mes parents qui appelaient ça des vacances ! »

Rhétorique

Nouvelle année scolaire, pendant laquelle les étudiants doivent apprendre l'art de convaincre par la parole. Voilà qui devrait convenir au futur conférencier, qui croit d'ailleurs que ce sera sa meilleure année.

Georges organise avec son ami Guy Latraverse le parti des Étudiants démocrates. Après avoir été respectivement vice-président et président de la classe, les mêmes postes sont visés, mais, cette fois, pour le collège en entier. Les deux candidats travaillent fort pour leur élection, utilisent même le talent de pilote de Benoît pour distribuer, des airs, les tracts de leur campagne. Ce qui leur permettra de gagner avec beaucoup d'éclat.

Pendant son année de rhétorique, Georges commence à donner des cours d'éducation physique à la palestre, enseignant les rudiments de multiples sports aux plus jeunes, plusieurs heures par semaine. Il est aussi reporter sportif pour une petite radio étudiante clandestine…

« Nous étions quelques amis ensemble, et nous avions caché un poste émetteur dans le grenier du collège. De là, on animait des émissions en se transformant un peu la voix, pour ne pas se faire prendre par les frères, qui n'avaient pas approuvé notre initiative. Nos voix résonnaient à toutes les semaines dans la salle d'étude, pendant que les surveillants se demandaient bien qui avait trafiqué l'*intercom*… Ils ont mis plusieurs semaines à nous trouver ! »

Georges donne l'impression de s'amuser aux camarades qui l'entourent, mais il continue de se poser mille et une questions sur ses ambitions religieuses. Les jours et les mois filent, le jeune homme appréhende quelque peu les cours de théologie qui l'attendent, dans moins de trois ans. Plus que jamais, il veut devenir prêtre, mais il accepte difficilement toutes les privations que cela implique. Sa vie est un tiraillement, le garçon regarde avec envie ses frères, qui semblent plus stables et plus heureux. Chanceux, Henri sera bientôt prêtre, tandis que Benoît se fiance avec la blonde Anita, formant avec elle le plus adorable des couples. Quant à Georges, son introspection est sans fin: peut-il abandonner l'amour humain et se suffire de l'amour divin? Il fréquente depuis quelques mois Lucette, qui a pris dans son cœur la place de Suzanne et qui occupe ses pensées, même lorsqu'il est de retour au collège.

Pour le rassurer dans sa voie, le père Jourdain prête au jeune homme tourmenté le livre de bord qu'il avait écrit alors qu'il était missionnaire au Cambodge. Cette lecture bouleverse l'aspirant religieux.

> « Au lieu de parler de la religion et du Christ, ce livre racontait la jungle, les gens, les paysages et le climat. C'est à ce moment-là que j'ai eu pour la première fois l'envie de voyager dans des lieux plus exotiques ! »

Georges est inspiré et se reconnaît enfin. Il sera un missionnaire excentrique !

Encouragé, il prend de nouvelles résolutions pour le carême du printemps 1959, bien décidé à les appliquer :

1. Pas de restaurant l'avant-midi (la gourmandise est un bien vilain défaut).
2. Lever au son de la cloche (la paresse l'est aussi).
3. Un chapelet par jour (il faudra bien s'y habituer).
4. Deux visites par semaine à la chapelle (la moindre des choses pour un futur prêtre !)...

Pendant ce temps, les résultats scolaires s'améliorent. Il semble que la persévérance de Georges soit enfin récompensée, il obtient la première position en « auteurs latins » et la deuxième en mathématiques, quoique certains résultats ne soient pas seulement le produit de ses efforts…

> « Lors d'un examen de math, ne sachant absolument pas comment répondre à une formule, j'ai jeté un coup d'œil sur le papier du voisin : $x = 2$! J'ai copié la solution, mais, évidemment, sans pouvoir l'expliquer. Lorsque j'ai remis l'épreuve, le professeur m'a demandé comment j'étais arrivé à ce résultat. J'ai bredouillé : "C'est facile, je vais vous le montrer, c'est sûr que je le sais !" Et c'est à ce moment que la cloche a sonné ! J'ai été littéralement sauvé par la cloche ! »

À quelques reprises, Georges anticipe les questions qui seront posées, et se retrouve avec des théorèmes de mathématiques entièrement écrits dans ses manches de chemise.

> « Ces tricheries collégiales me permettaient de souffler un peu ; petits péchés dont je ne pouvais même pas me confesser ! »

Les examens précèdent le congé pascal. Avant de partir pour le domicile familial, Georges se voit féliciter par le supérieur pour son engagement social, ce qui lui fait grandement plaisir et le rend fier. Voilà qui commence bien les vacances de Pâques, au cours desquelles sont célébrées les fiançailles de sa sœur Monique. Georges est accompagné de Lucette, qu'il fréquente depuis plus d'un an. Il lui écrit de longues lettres lorsqu'il est au collège, et, lors des congés, la belle est responsable de certains de ses écarts de conduite. Lorsqu'une faute est commise, Georges s'empresse d'aller s'en confesser au prêtre, la plupart du temps indulgent.

> « Après le congé de la fête des Mères, j'ai confessé les baisers passionnés échangés avec Lucette. À ma grande surprise, le prêtre

m'a refusé l'absolution ! Selon lui, ce n'était pas du tout dans l'ordre de ma vocation future et je devais absolument cesser ! »

Puis reviennent les vacances estivales. La proximité avec Lucette amène Georges à reporter à plus tard les vœux de pureté et de chasteté.

Philosophie I et II

Georges a complété les six premières années de son cours classique. Les collégiens ont réussi cette première longue étape et résident maintenant dans un joli pavillon bien à eux. En 7ᵉ et 8ᵉ année, on ajoute aux matières déjà enseignées l'étude de la philosophie et des sciences pures.

L'année s'annonce bonne même si les cours sont ardus et qu'au début, la philosophie est pour lui un concept bien abstrait.

Quelques semaines après la rentrée, alors que Georges est âgé de 19 ans, il a la chance de rencontrer un deuxième orienteur, un homme de Montréal qui passe une journée complète avec lui.

« Après les tests et l'entrevue, l'orienteur m'a dit que je pouvais être un excellent vendeur. Je savais convaincre et j'étais têtu, il était tout indiqué de me diriger vers la vente, peu importe le produit à vendre. Des aspirateurs, des réfrigérateurs, du chocolat… des idées, des missions, des projets… »

Cette rencontre est déterminante pour Georges, qui comprend dès lors qu'il pourrait accomplir de grandes choses.

Mais les défis demeurent importants, car, malgré son travail acharné, il termine sa première année de philosophie avec une moyenne pitoyable.

À l'été 1960, alors qu'il a 20 ans, Georges est chef du camp du collège, le Valderi. Il a sous sa responsabilité 96 campeurs et six moniteurs. Cette expérience lui apporte beaucoup, lui fait prendre conscience de ses aptitudes de meneur et de son envie d'amener les gens plus loin, de leur faire découvrir l'éventail de leurs possibilités.

De retour à l'école, en septembre 1960, l'étudiant entame sa dernière année de collège, celle où il devra faire un choix de carrière. Il dit au revoir à son frère Henri, qui part comme missionnaire aux Philippines, où il restera pendant sept ans. Le benjamin admire tant son aîné ! Comment arrive-t-il ainsi à tout abandonner, à être aussi indifférent à l'amour des filles ? A-t-il goûté aux baisers passionnés ? Est-il conscient des plaisirs auxquels il renonce ? Que son frère soit capable de cette dévotion est un signe que Georges peut aussi y arriver. Henri « le Magnifique » encourage son jeune frère lorsque celui-ci lui avoue ses ambitions ecclésiastiques, juste avant le départ pour la grande mission. C'est la première fois que Georges confie son secret à un proche. Le soutien sincère et indéfectible et les encouragements d'Henri valent leur pesant d'or. L'année de ses 21 ans sera significative, il le sent. Ce sera la fin du cours classique et le début de sa vocation. Quel soulagement de quitter enfin ce milieu qui l'a autant fait trimer ! Mais ce ne sera pas si simple…

À son grand malheur, un peu avant la fin de l'année scolaire, Georges est appelé au bureau du père Richer, son professeur de chimie.

> « Le père m'a annoncé qu'il me fallait plus de 125 % dans mon examen final pour passer mon année et obtenir mon diplôme collégial ! Au moment de l'examen, jouant le tout pour le tout, j'ai écrit sur ma copie : "Cher père Richer, toute ma vie, je me souviendrai de la qualité de votre amitié à mon égard, et de votre indulgence, me favorisant l'accès à un monde que je pense bien mériter, malgré une carence en chimie." »

La stratégie fonctionne. Lorsque son bulletin arrive, il a 66 % en chimie, la note de passage !

Après neuf ans de durs labeurs, un des pères du collège lui dit avec admiration : « Si je ne vous avais pas connu, jamais je n'aurais espéré qu'un garçon comme vous termine son cours classique. Vous aviez tout ce qu'il fallait pour réussir, mais vous aviez aussi tout ce qu'il fallait pour ne pas réussir ! Vous avez enduré, vous avez persévéré ! » Lorsque Georges reçoit son diplôme, il ressent une immense fierté d'y être enfin parvenu, d'avoir réussi à passer à travers ces pénibles années au cours desquelles les défis ont été nombreux et les échecs, souvent cuisants.

« Je faisais maintenant partie de cette classe privilégiée qui avait accès à l'université et aux études supérieures. Puis, lors du dévoilement des professions du Collège Saint-Laurent, coup de théâtre, mes amis et ma famille ont appris l'avenir que je me réservais ! J'ai eu droit à une ovation debout, un mélange de doutes et d'admiration régnait dans la salle… »

Noviciat
Religion, quand tu nous tiens

On peut haïr le péché et aimer le pécheur[6].

Le 4 août 1961, alors qu'il est âgé de 21 ans et qu'il s'apprête à entrer comme novice au monastère des Pères de Sainte-Croix, Georges est envahi par la tristesse. Il réalise tout ce qu'il laisse derrière lui, sa famille, ses amis, sa liberté, et appréhende ce qui l'attend. Il est si difficile de rester toujours sur le droit chemin et de ne ressentir aucune envie face à la beauté des jeunes filles. Mais, par la force du Très-Haut, Georges espère remplir les conditions requises pour la vie religieuse. Il veut être généreux, souhaite répondre à Dieu.

> « J'étais à contre courant. Alors que le Québec venait de commencer sa Révolution tranquille et que, peu à peu, les Canadiens français délaissaient la pratique religieuse, j'entreprenais une carrière ecclésiastique… »

Le monastère est un imposant manoir de plusieurs étages situé sur le bord de la rivière des Prairies, à Sainte-Geneviève-de-Pierrefonds. L'environnement entourant le bâtiment (qui deviendra plus tard le Collège Gérald-Godin) est magnifique, le terrain est grand, le paysage, serein. Ici réside une microcommunauté de 17 jeunes novices désireux d'offrir leur vie à Dieu.

> « Dès la première conférence du noviciat, les consignes nous ont été données. D'abord, le silence était requis pour apprendre le langage spirituel. Moi qui avais peine à arrêter de parler et qui essayais d'attirer l'attention de mes camarades à tout prix, voilà une première

---

6. Proverbe français.

règle qui me causait problèmes ! Ensuite, il fallait vivre le moment présent sans penser au passé ni à l'avenir, qui ne pouvaient qu'être sources de distractions. Mais j'avais un passé, et j'aimais rêver à l'avenir, j'avais des ambitions ! J'entendais ces consignes, mais j'avais déjà bien du mal à espérer les respecter… »

Georges a une énergie dont il ne sait que faire, des envies dont il ne sait que penser. Il doit s'adapter à la vie calme et au travail très lent du noviciat, ce qui est pratiquement contre nature pour un jeune homme toujours pressé, habitué à un rythme de vie effréné. Cette vocation religieuse lui apparaît comme une montagne à escalader : le trajet vers le sommet est encore long, et il se retourne souvent pour contempler ce qu'il laisse derrière… Prières et offices religieux sont interminables, Georges est distrait, ses pensées s'envolent vers des cieux moins pieux, mais plus divertissants.

« Le père maître nous avait dit de commencer par l'extérieur, c'est-à-dire d'être présent physiquement, et que le reste viendrait par surcroît… Je me rassurais donc en me disant que j'étais bien là où je devais être, même si mes pensées s'égaraient rapidement. »

Alors que, peu de temps auparavant, Georges sortait et s'amusait le samedi, il doit désormais occuper ses soirées en se promenant avec ses confrères, en chantant et en écoutant la lecture spirituelle. Bien que cette fade routine le rende fier à cause du sacrifice qu'il fait, le novice préférerait être ailleurs et faire autre chose.

Le 16 août 1961, après une retraite de deux semaines, une cérémonie officielle est organisée devant parents et amis.

« Je me pavanais avec ma soutane, mon collet romain et mon ceinturon. J'étais fébrile et heureux d'avoir traversé cette première étape, brève mais difficile ! »

Le bonheur est cependant de courte durée. De retour dans la quotidien-
neté monacale, Georges a vite envie de tout laisser tomber. Peu après
la cérémonie, il se fait apostropher par le père maître, qui lui reproche
de manquer souvent au silence. Il se fait gronder devant tout le monde,
est régulièrement mis à l'écart, en punition. Ainsi isolé, Georges s'en-
nuie à mourir, compte les minutes et se demande comment il arrivera
à passer le temps.

Trois semaines plus tard, l'impatient jeune homme commence à perdre
le nord.

> « J'avais de la difficulté à être sérieux, à me concentrer. Petit à petit,
> je commençais à avoir des doutes, j'étais incertain d'être à ma place,
> je pensais à mes amis et à ma famille, tellement loin de cet environ-
> nement austère et froid. J'étais de plus en plus malheureux. »

Alors qu'il est actif et sportif, habitué d'accomplir mille et une tâches,
ses nouveaux camarades ne sont pas férus de sports. Et, outre les prières
et réflexions, rien n'est demandé aux novices, ni étude ni travail. Georges
se retrouve souvent seul à lancer le ballon contre le mur du manoir.

> « Pour m'occuper et m'amuser, j'ai décidé de me venger de cet
> homme qui passait la tondeuse dans le sanctuaire à chaque semaine,
> en plein pendant notre méditation. J'ai rempli la poubelle d'eau et
> je la lui ai versée sur la tête alors qu'il passait juste sous notre
> fenêtre… Après quoi, je suis retourné méditer avec mes collègues,
> tout souriant ! »

Georges demande à pouvoir occuper son temps autrement, ce que le
père maître lui accorde en lui donnant la tâche… de nettoyer les toi-
lettes. Elles sont vieilles et sales, dans un état pitoyable. Qu'à cela ne
tienne, il décide de transformer complètement l'endroit en le peignant
et en y faisant un sérieux ménage. Deux semaines plus tard, les salles
de bain sont transformées et reluisantes, l'odeur qui y règne n'est plus
la même. L'énergique blanc-bec a donc besoin d'une autre occupation.

Le père l'envoie au jardin, qui ne mérite nullement cette appellation étant donné l'état dans lequel il se trouve. Voilà un beau défi! Georges prend ce nouveau projet en main, clôture le jardin, puis entraîne ses compagnons à prendre pelles et pics pour que cet espace vert devienne respectable et digne de son nom.

Grâce à son efficacité, Georges est ensuite affecté au garage, dans lequel il fait aussi des miracles. L'espace devient ordonné comme jamais, les voitures sont lavées et cirées, pour le plus grand bonheur de leurs utilisateurs. Il installe même des clous sur les murs afin d'y accrocher les outils, préalablement peints pour en camoufler la rouille. Ce n'est plus uniquement un hangar où l'on gare les véhicules, c'est une pièce hyper ordonnée, organisée, dans laquelle on peut facilement tout trouver.

Après le rangement du garage, c'est la fabrication de cierges. Comme la communauté monastique consomme des bougies en grande quantité, la production est faite sur place. C'est même là que l'oratoire Saint-Joseph s'approvisionne en lampions. Les novices doivent passer de deux à trois heures par jour à travailler sur l'unique chaîne de montage, et ce, dans le silence le plus complet. Georges devient responsable de la manufacture. Il prend quelques jours pour analyser le tout, puis rencontre le père maître avec un plan et plusieurs recommandations.

« Le travail fait dans la manufacture n'était pas efficace, certains jeunes se tournaient les pouces. J'ai recommandé d'ajouter une deuxième chaîne de montage, afin d'occuper tous les jeunes et de créer entre eux un sain esprit de compétition. Il fallait aussi ne plus exiger le silence, c'était beaucoup trop dangereux pour les brûlures et les blessures! À ma grande surprise, les frères ont acquiescé à toutes mes demandes. Quel bonheur d'annoncer à mes compagnons qu'ils pouvaient désormais parler en travaillant! »

La prise en charge de la manufacture par Georges sera profitable à la congrégation, la quantité de cierges produits dépassant largement les besoins de la communauté. Ce n'est plus de la production, mais de la surproduction, ils auront des cierges à revendre pendant un bon bout de temps après le passage remarqué du jeune Brossard. L'ambitieux novice, reconnu pour son efficacité, devient le leader naturel du groupe, celui que ses pairs viennent voir pour son aide ou ses conseils.

Georges occupe ainsi son temps par différents travaux. Quelques semaines après l'entrée au noviciat, son frère Benoît vient lui rendre visite avec la belle Anita. Le couple s'y est rendu en avion, amerrissant sur la rivière des Prairies. Benoît, fier de son frère (même s'il doute de la vocation véritable de son cadet), vient divertir la confrérie en jouant quelques parties de tennis avec la plus jolie des partenaires, en culottes un peu courtes pour les circonstances… Georges se le fait reprocher le soir même : ses invités n'avaient pas d'affaire au monastère !

Puis, en octobre 1961, tombe le couperet, l'évidence est officialisée. Le père maître fait venir Georges à son bureau pour lui dire de s'en aller. Malgré l'inéluctabilité de ce renvoi, le fier novice est dévasté. C'est la fin d'un rêve, il a raté sa vocation. Cette fois, la persévérance n'a pas porté ses fruits. Ce n'est pas tellement la honte qui l'envahit, mais un sentiment de désespoir et d'incertitude quant à ses propres capacités et aptitudes, et la rage d'avoir échoué.

Mais, ainsi soit-il, il sort du noviciat, piteux, et va s'acheter un paquet de cigarettes avant d'appeler sa maman…

PARTIE II
1961-1978 — OBJECTIF LIBERTÉ

Absque argento omnia vana
Sans argent, tout effort est vain

Extrait du discours de Georges Brossard adressé aux membres de la Chambre des notaires du Québec à l'Insectarium de Montréal, le 24 avril 1990, quelques semaines après son ouverture, pour les remercier de leur contribution :

« Imaginez-vous qu'un jour, mon père m'avait amené dans une séance politique, à l'époque des grands discours électoraux. L'orateur était nul autre que maître Jean-Bernard Coupal, l'ex-secrétaire de la Chambre des notaires, je devrais dire le secrétaire perpétuel… Quelle prestance, quel art oratoire, quel dynamisme je voyais chez cet homme ! Le soir, lorsque je suis revenu à la maison, j'ai dit : "Papa, si c'est ça un notaire, eh bien, moi, je veux être notaire !" […] Eh bien, je tiens à vous dire, à vous tous, notaires, merci pour l'amitié, la sympathie et la compréhension que vous avez manifestées à mon égard. Comme vous pouvez vous en douter, moi, Brossard de Brossard, je suis encore fier d'être notaire, fier d'avoir pratiqué cette profession pendant plusieurs années et fier d'appartenir à cette grande famille systématique de la Chambre et de l'Ordre des notaires ! »

Vocation manquée
La douleur de l'échec

Après une vie religieuse d'à peine quelques semaines, l'univers laïque est un monde qui s'ouvre de nouveau à Georges, cette fois, sans le poids d'une destinée vouée à Dieu, sans les contraintes liées aux vœux.

Maintenant que son idéal n'est plus possible, il doit réfléchir à ce qu'il fera de sa vie. Quelle sera sa nouvelle profession? Les choix sont nombreux, il pourrait être ingénieur, architecte, notaire, avocat, professeur… Alors que Georges-Henri lui conseille le notariat, Georges préfère le métier d'avocat. Une contrainte logistique le convainc cependant de suivre la suggestion du paternel: il n'y a pas de palais de justice sur la Rive-Sud. L'avocat aurait chaque jour à traverser le pont pour se présenter en cour. Pire que tout, l'absence de stationnement à Montréal (déjà dans les années 60!) le décourage. Donc, le notariat, ce sera.

À l'automne 1961, Georges s'inscrit en droit à l'Université de Montréal, malgré deux mois de retard.

La matière est intéressante, mais le cœur n'y est pas. Sa vocation ratée lui cause amertume et chagrin, il n'arrive pas à se concentrer sur ses études, retourne souvent au domicile familial pour bouder, manquant ainsi plusieurs heures de cours. Ses notes reflètent son état d'esprit…

Parallèlement aux études, Georges décide de consacrer ses énergies à s'occuper de ceux qui sont dans le besoin. Si sa vocation est foutue, ses valeurs demeurent; il considère avoir l'obligation morale d'aider son prochain. Or, la communauté de Notre-Dame-du-Sacré-Cœur, qui vient d'être annexée à la ville de Brossard, compte 600 familles dont plus du tiers bénéficie de l'aide sociale. Il doit faire quelque chose pour elles.

Ainsi, après avoir fondé au collège les Chantiers de Saint-Laurent, Georges met sur pied, avec l'aide de son cousin Roger, les Chantiers de la ville de Brossard, un comptoir familial visant à offrir gratuitement des provisions, des remèdes et des vêtements aux plus démunis. Ceux-ci ont aussi accès à du bois, de l'huile et du charbon pour chauffer leur maison, en plus de pouvoir bénéficier des services de divers professionnels (menuisiers, coiffeuses, plombiers, électriciens…).

« Nous avions ramassé un peu d'argent en organisant des parties de cartes. Ensuite, nous avions sollicité l'aide de jeunes qui commençaient dans le métier et qui n'étaient pas tellement occupés. En l'espace de quelques heures, nous transformions le logement d'une famille défavorisée en réparant, nettoyant, peinturant… Et si le père de famille pouvait aider, on l'embarquait avec nous! »

Grâce à cet organisme, Georges commence à réaliser l'importance de mettre à contribution les gens pour qu'ils se sentent concernés et valorisés. Aider les gens, c'est bien. Les aider à s'aider, c'est mieux. Comme l'a dit John Rockefeller[7] : « La charité est injurieuse à moins qu'elle n'aide le destinataire à s'en affranchir. » C'est une opinion que partage Georges, qui écrit à quelques reprises dans les sections d'opinion des journaux locaux, réitérant l'importance de responsabiliser les gens, ceux qui ont besoin d'aide tout comme ceux qui peuvent contribuer. Pour lui, les dons systématiques ne sont pas la solution, qui passe plutôt par le travail. C'est en aidant les pauvres à se trouver un emploi et à contribuer à la société que ceux-ci s'émanciperont de leur situation.

> « Quelques mois après la création des Chantiers, nous avons eu la visite des représentants du service de bien-être social de Saint-Jean-d'Iberville, curieux de connaître notre approche, qui avait contribué à abaisser le taux de chômage affiché par la ville de Brossard. »

Malgré son âme généreuse, les convictions religieuses de Georges ne sont plus ce qu'elles étaient, sa spiritualité en a pris pour son rhume. Il a l'impression que la religion fait peu pour enrayer la misère.

> « Le Noël suivant la fondation des Chantiers, je me suis retrouvé seul puisque mes parents étaient en Floride. J'ai reçu l'appel d'une dame qui n'avait plus d'huile pour se chauffer. J'ai fait ce qu'il fallait faire, et en la quittant, lorsqu'elle m'a demandé ce qu'elle pouvait faire pour me remercier, j'ai répondu : "Priez pour moi, madame, parce que moi, je ne prie plus." »

---

7.   Entrepreneur et philanthrope américain.

C'est la fin d'un chapitre de sa vie ; une page est définitivement tournée, le temps des prières est terminé.

L'heure est venue de se faire plaisir, Georges veut satisfaire une nouvelle passion… les bagnoles ! Les petits boulots cumulés lui ont permis d'avoir en sa possession une Chevrolet 55 convertible et une Chevrolet 59, mais il raffole par-dessus tout des corvettes, qu'il rêve de pouvoir se payer. Il aime conduire et admirer le paysage, la vitesse et la liberté qu'offrent les *road trips*. Après les sacrifices, la réclusion et les déceptions, il prend son pied, profite de la vie et de sa jeunesse, fait quelques sorties avec des filles et multiplie les expéditions avec son frère et ses cousins, tout ça, en plus des études et du travail…

En 1962, après une première année de notariat à l'Université de Montréal, Georges passe l'été à travailler à son compte comme peintre. Il fait alors ses premiers pas comme entrepreneur, mais aussi comme investisseur. Travaillant inlassablement, le jeune homme commence en effet à accumuler des sous pour acquérir des terrains à Brossard.

> « Je voulais acheter une terre qui coûtait 2 000 dollars, mais il me manquait 400 dollars. J'ai donc été voir mon père pour solliciter un prêt, ce qu'il a accepté volontiers. Quelques années plus tard, j'ai vendu ledit terrain pour trois fois le prix, soit 6 000 dollars. Je suis retourné voir mon père pour lui rembourser les 400 dollars prêtés. Celui-ci a catégoriquement refusé ! Il avait investi le cinquième du montant, et devait donc récolter le cinquième du profit. Je lui devais 2 000 dollars ! Une autre de ses leçons… »

Georges-Henri est un homme de principes, peu importe ceux qui en bénéficient ou en font les frais. Malgré l'admiration de Georges pour les enseignements de son père, il en ressortira un peu amer, bien décidé à appliquer ces préceptes avec un peu plus de latitude.

Pour en revenir à l'été 1962, l'intensité du jeune entrepreneur lui permet d'abattre beaucoup de travail, les toits et les murs de toutes les granges et maisons des alentours sont rafraîchis grâce à lui.

« C'est pendant que je peinturais le toit d'une grange d'un voisin que j'ai réalisé que je gaspillais mon talent. Je n'allais tout de même pas faire ça toute ma vie ! »

Georges ne sait trop ce que l'avenir lui réserve, mais il sent la nécessité d'avoir un titre professionnel qui lui apportera la notoriété tout en lui donnant un droit de parole. Ainsi, même si le notariat ne le rend pas très enthousiaste, il s'inscrit pour une deuxième année en droit à l'Université de Montréal. À sa grande surprise, il est refusé ! Quelque chose à voir avec le peu d'intérêt démontré et les trop nombreuses absences lors de sa première année… Pour celui qui s'imaginait notaire, ce refus est une provocation à laquelle il répond avec pugnacité.

« L'affront agit comme la piqûre d'une abeille ou d'une guêpe. Sur le coup ça fait mal, très mal même. Il y a enflure, mais la victime en tire un profit, car elle prend de l'expérience, devient plus prudente, apprend à résister au venin injecté. »

Georges réalise que le notariat l'intéresse plus qu'il ne le croyait initialement.

« Alors que j'accompagnais mon père à l'ouverture d'un nouveau centre commercial à Brossard, j'ai rencontré Gaston Descôteaux, un professeur en droit civil à l'Université d'Ottawa. Il cherchait des étudiants et je cherchais ma voie. Ce fut une rencontre très importante dans ma vie. »

Ainsi, Georges décide de s'inscrire en notariat à l'Université d'Ottawa, qui a aussi l'avantage d'être loin de la maison familiale et de le sortir de son environnement. Alors qu'il était auparavant peu emballé par le métier de notaire, Georges entrevoit maintenant toutes les possibilités qui s'offrent à lui par la pratique d'une profession aussi noble.

Université d'Ottawa
Berceau d'une nouvelle passion

Ainsi, de nouvelles aventures attendent Georges, qui se trouve un appartement au troisième étage d'une vieille maison de chambres, non loin de l'université ontarienne. Doutant d'avoir fait le bon choix de carrière, il voit néanmoins le notariat comme un pont vers un avenir prometteur. Par ailleurs, cette profession joint ses idéaux chrétiens et professionnels : en tant qu'officier public, il sera présent dans la vie des gens dans les moments importants et pourra s'assurer que les droits de chacun seront respectés.

> « Je voyais le notariat comme une vocation de service qui allait me permettre d'aider des pauvres ou des gens mal pris. J'allais avoir une position d'autorité et un droit de parole qui allaient me donner l'occasion d'intervenir. »

Le début des cours se déroule bien, les professeurs sont accueillants et des plus compétents, les méthodes sont claires. Alors que l'Université de Montréal accueillait 600 nouveaux futurs notaires, l'Université d'Ottawa en reçoit seulement 35, que se partagent six ou sept professeurs. Étudiants et professeurs apprennent à se connaître rapidement, formant une petite communauté solidaire. Il émane de ce groupe un esprit de camaraderie et de performance qui pousse Georges à orienter toute son énergie et sa passion dans l'apprentissage et le perfectionnement.

> « Je me suis plongé corps et âme dans mes études. Le matin, j'avais des cours. L'après-midi, pendant que les autres étudiants jouaient aux cartes ou travaillaient, j'étudiais : six heures par jour, c'est-à-dire trois heures de mémorisation et trois heures de lecture. Mais c'était tellement plus facile que la physique et la chimie, dont je ne m'ennuyais absolument pas ! »

Même s'il travaille assidûment, le futur notaire se questionne continuellement. Son introspection, qu'il fait notamment par le biais de son journal de bord, l'amène à vouloir s'engager socialement, comme il l'a fait dans son patelin.

À la recherche d'une cause à défendre, Georges découvre MUNDO[8], un organisme universitaire à but non lucratif qui finance des projets d'aide humanitaire aux quatre coins du monde. Mais, au-delà du financement, les bénévoles organisent des voyages et se déplacent pour aider des gens. Pour l'ancien novice, il s'agit d'une suite logique. Il ne tient pas le rôle du missionnaire, mais participe activement à l'organisation des projets et à l'administration de cette organisation, dont il devient rapidement le président.

> « L'organisme existait depuis un moment déjà, mais il y avait eu très peu de missions (sinon aucune) au cours des cinq dernières années. Je me suis mis à recruter des membres et, au bout de la première année, nous étions 65. La moitié allait s'engager pour un an ou deux, et partir pour l'Asie, le Mexique ou l'Afrique du Sud. »

Parmi les missionnaires, plusieurs infirmières, dont la belle Danielle pour laquelle Georges éprouve une grande attirance. Mais elle part en mission dans la région de la Baie-James, pour en revenir plusieurs mois plus tard, fiancée à un autre… L'universitaire est triste, mais s'en remet rapidement, il a plein de projets en tête. Georges crée avec d'autres étudiants l'organisme SUCO[9], qui vise à financer les activités de MUNDO.

Pour Georges, c'est l'occasion de s'impliquer autant qu'il l'entend. Il est entouré de gens engagés, qui s'unissent pour faire bouger des choses. Par cet environnement stimulant, il comprend la richesse de la communauté et ce qu'elle peut apporter.

> « J'avais même convaincu mes confrères étudiants de mettre sur pied les Chantiers d'Ottawa. Le comptoir a fonctionné quelque temps, mais nous avons dû l'abandonner, par manque de pauvres ! »

---

8.   Mouvement universitaire national pour le développement outre-mer.

9.   Service universitaire canadien outre-mer.

Ces activités parascolaires comblent l'étudiant, tout comme cet entrain qu'il développe pour les connaissances notariales. Georges en vient à raffoler du droit, à vouloir en apprendre plus que les strictes exigences universitaires. Il étudie constamment et avec passion, se retrouve avec des résultats scolaires dont il n'aurait osé rêver quelques mois auparavant.

> « Je mémorisais tout, je me suis même attaqué aux 2 615 articles du Code civil ! J'épatais mes pairs et mes professeurs en récitant sur demande l'article à partir de son numéro. Ce qui s'est avéré fort pratique dans ma vie professionnelle ; nul besoin de chercher dans le code, je le connaissais sur le bout de mes doigts ! »

À la fin de cette première année chargée, Georges termine deuxième au classement général de sa classe et premier en droit civil. Quel changement et quel bonheur !

Pendant l'été, Georges travaille de nouveau très fort comme peintre, gérant sa petite entreprise pour qu'elle soit lucrative. Chaque jour, il commence tôt, peint des murs et des murs… Le soir, lorsqu'il serait l'heure de s'arrêter, il lui arrive de continuer. Son énergie est inépuisable.

De retour à l'université l'automne suivant, Georges est réélu président de MUNDO et y consacre encore beaucoup de son temps. Il se découvre aussi une passion pour les courses automobiles, devient pilote de l'équipe du journal de l'Université d'Ottawa, *La Rotonde* (*Fulcrum* en anglais) :

BROSSARD ET TAILLEFER REMPORTENT LES HONNEURS[10]

Au volant d'une puissante cylindrée Corvette de type Sting Ray (sic) et développant 365 chevaux-vapeur, les deux *rallyistes* de réputation international qui représentaient *La Rotonde* et le *Fulcrum* terminaient le parcours en un temps record pour se mériter (sic) la victoire.

10. François G. Robichaud, *La Rotonde*, 1963.

En effet Georges Brossard (DC II), pilote, et Raymond Taillefer (Sc. soc.), qui remplissait la tâche de fidèle navigateur, démontrèrent beaucoup de savoir-faire en conduisant leur bolide portant le numéro 12 sur le parcours long de 75 milles et comportant quatre points de contrôle. Ils ont contribué un total de 10 points (sic) au grand total (sic) de 30 points qu'accumulaient les représentants de l'Université d'Ottawa.

Président d'organisme, pilote de course, Georges détonne par son caractère et ses extravagances.

« Au retour d'un congé, toujours au volant de ma Corvette, j'ai écopé d'une contravention à cause d'un silencieux trop bruyant. J'ai décidé de contester, et je me suis présenté en cour accompagné de tous mes confrères de la Faculté de droit, qui remplissaient la salle d'audience. Je me suis adressé ainsi au juge : *Mister the judge, my English is not so great, but today, I will talk to you with my heart ! I was driving my brand new Corvette when I got the ticket. But it's not me you should sue, it's General Motors ! They put this muffler on my car*[11] ! Et le juge m'a donné raison en souriant, puisqu'il s'agissait effectivement d'une pièce originale, aucunement modifiée ! »

Georges parle fort et prend de la place. Nul besoin de se contenir, l'étudiant peut enfin laisser libre cours à ses envies et à sa personnalité, clamer son originalité. Pourquoi s'habiller comme les autres si lui préfère les bas blancs et les vestons à carreaux ? Pourquoi agir comme la majorité ? Mieux vaut affirmer son unicité.

Alors que Georges a 21 ans, ses aspirations contrastent aussi avec celles de ses confrères. Il a de grandes visées, veut devenir riche ! Il en éprouve bien malgré lui une certaine culpabilité. C'est que la morale catholique influence les perceptions des Canadiens français, qui se disent « nés pour un petit pain »… Georges veut se défaire de cet héritage et prouver

---

11. Monsieur le juge, mon anglais n'est pas parfait, mais je vais vous parler aujourd'hui avec mon cœur. Je conduisais ma nouvelle Corvette lorsque j'ai eu cette contravention. Ce n'est pas moi que vous devriez poursuivre, c'est General Motors ! Ce sont eux qui ont posé ce silencieux sur ma voiture !

l'aberration de cette croyance. Pour y arriver, il prend de nouvelles résolutions. Ainsi, il doit :

A. Lire plus d'histoire et de poésie pour développer ses connaissances et talents oratoires ;

B. Écrire plus souvent ;

C. Consigner dans un livre ses impressions de la politique municipale, provinciale et fédérale ;

D. Rencontrer des gens.

Ces résolutions sont certainement plus faciles à respecter que celles de l'époque de son adolescence. Le jeune homme s'impose néanmoins une discipline de fer, il veut parvenir à ses fins.

« À 21 ans, je me demandais ce qui faisait le succès ou l'insuccès, ce qui permettait de terminer premier, et ce qui allait me permettre à moi d'y arriver. Il ne suffisait pas d'être doué, il fallait surtout être laborieux et ambitieux ! Le travail ne me faisait pas peur, je voulais à tout prix réussir… »

Pour Georges, les études méritent toute son attention. Alors que ses deux cousins, Roger et Jean-Guy, annoncent leur mariage prochain, il voit cet engagement comme une entrave à leurs réalisations professionnelles, le sacrifice d'innombrables accomplissements. Lui est bien décidé à ne pas suivre leur exemple, il apprécie son indépendance et ses quelques fréquentations, n'a aucunement envie de s'engager dans une histoire matrimoniale qui mettrait un frein aux nombreux projets qu'il a en tête. Il est jeune et le monde s'offre à lui.

Puis vient l'été, une autre année se termine, et de vraies vacances peuvent enfin être envisagées. Bien sûr, il pourrait continuer la peinture, mais Georges a soif d'évasion, il voudrait partir et apprendre l'anglais, s'exposer à la vie et s'ouvrir au monde.

« Au début de l'été, j'ai rencontré un homme qui s'en allait vers
l'Europe en bateau, prêt à m'embarquer avec lui. Voilà ce que je
voulais faire ! Prendre un été sabbatique et aller parfaire mes connaissances culturelles dans le pays de mes ancêtres… Mon seul problème
est qu'il me manquait 500 dollars pour y arriver. J'ai demandé un
prêt à mon frère et à mon père, qui ont catégoriquement refusé.
C'était pour eux une folie que de vouloir aller perdre son été à faire
le touriste plutôt que de travailler ! »

L'espoir de partir à l'aventure aura été de courte durée, mais le voyageur
déçu aura amplement l'occasion de se rattraper ; il sera appelé, des
années plus tard, à découvrir des destinations dont il n'aurait jamais
osé rêver.

Ravalant son amertume, Georges se cherche un boulot et obtient celui
de surveillant à la piscine municipale. Cet emploi lui permet de recou-
vrer son enthousiasme en enseignant la natation à presque tous les
résidents de la municipalité. Le maire Brossard requiert aussi l'aide de
son fils pour l'aider à préparer les prochaines élections, ce qui emballe
Georges. Au cours de l'été, le futur maître a aussi quelques occasions
de satisfaire sa passion pour l'art oratoire. En effet, le parti Crédit social[12]
l'engage pour faire des discours de 15 minutes servant à introduire le
chef, Réal Caouette, empochant par le fait même un généreux salaire
de 50 dollars par allocution. Réalisant qu'il peut enflammer les foules,
Georges outrepasse à maintes reprises les 15 minutes imposées…

De retour à Ottawa pour sa troisième année d'université, Georges sollicite les différents bureaux de notaires de la région pour y travailler
bénévolement et ainsi acquérir de l'expérience. L'étudiant trouve preneur dans un bureau de notaire de Gatineau, un poste de clerc qui lui
permettra de parfaire ses connaissances pendant ses deux dernières
années d'université. En copiant et photocopiant tous les actes de notariat qui passent entre ses mains, il se constitue une banque de modèles
qu'il pourra par la suite utiliser ou auxquels il pourra se référer.

---

12. Parti politique conservateur populiste qui a fait une percée au Québec de 1962 à 1972.

Le jeune Brossard doit en parallèle préparer sa thèse universitaire, qu'il souhaite faire sur l'article 428 du Code civil du Québec, qui traite… de la propriété des abeilles. Les autorités du collège tournent en dérision le choix d'un tel sujet, qui ne fait d'ailleurs plus partie du Code aujourd'hui. Pourtant, Georges y tient, par amour de la nature et en hommage à son père, apiculteur à ses heures. Il consacre plusieurs heures à l'étude de cet article, mais se laisse finalement convaincre de choisir un sujet de thèse plus sérieux.

En plus de ses études et de son travail bénévole, il occupe, au cours de ses années universitaires, différents postes de direction pour l'AGEUO[13], il est toujours président des organismes à but non lucratif MUNDO et SUCO, en plus d'être vice-président de la Faculté de droit. Comme si ce n'était pas assez, il devient en outre membre du mérite de l'ordre étudiant. Le jeune homme est infatigable, cumule les activités et les projets.

Dis-moi de quoi tu t'occupes, je te dirai ce que tu deviendras[14].

Lorsqu'il termine ses études, le nouveau diplômé considère avoir eu une excellente formation qui a fait de lui bien plus qu'un notaire, mais un être doté d'une culture et d'une pensée juridique. Le professorat l'intéresse profondément, mais cela impliquerait un prolongement de ses études à Ottawa, alors que Georges souhaite revenir auprès de ses proches. Il est aussi sollicité par de grands bureaux de notaires, mais le nouveau maître préfère conserver son indépendance. En 1966, il quitte donc l'Université d'Ottawa pour monter aussitôt sa propre affaire…

Notaire *or not to be*

« J'ai besoin de dire à mes confrères notaires que l'on doit être fier de notre profession. Elle permet d'être humain et charitable. J'ai pris des clients dans mes bras, je les ai aidés et, en plus, j'ai fait fortune. C'est le notariat qui m'a mis au monde. »

---

13. Association générale des étudiants de l'Université d'Ottawa.

14. Johann Wolfgang Von Goethe, *Maximes et réflexions*, 1833.

Lors d'une cérémonie émouvante le 25 mai 1966, Georges est asser-menté à Montréal devant ses parents, fiers et émus. Pendant un certain temps, Lucienne et Georges-Henri avaient eu peur pour l'avenir de leur garçon. C'est donc avec soulagement qu'ils accueillent ce dénouement. Sans compter que leur fils ne perd pas de temps. Il ouvre son propre bureau le lendemain, au 2205, chemin de la Pinière, sur le terrain même qui l'a vu grandir. Georges devient ainsi le premier notaire à s'établir à Brossard.

Pour l'aider à monter son entreprise, son père a fait construire un magnifique immeuble de trois étages, juste à côté de la maison familiale. Georges y installe son cabinet et utilise l'étage supérieur comme appar-tement. Maître Brossard est ravi de ne pas être trop loin du bercail, ce qui lui permet de bénéficier des conseils paternels et des bons plats de sa mère.

En outre, l'immeuble est assez grand pour permettre au notaire de louer des espaces de bureau à d'autres professionnels. Agent immobilier, agent d'assurance, comptables et avocats se retrouvent sous un même toit, permettant aux clients de disposer de plusieurs services à la fois. Le bâtiment devient donc aussi une source de revenus.

Le nouveau notaire adore sa profession et l'honnêteté qui lui est asso-ciée. En effet, il a un devoir d'impartialité, doit représenter également les deux parties, contrairement à l'avocat, qui, corps et âme, agit au nom de son seul client. Georges a par conséquent bonne conscience et se reconnaît entièrement dans son mandat.

À force de travail acharné, le notaire Brossard prend du galon. Il est considéré comme le notaire « tough » du coin, celui qui n'a peur de rien ni de personne, qui s'assure hors de tout doute que le droit sera respecté, peu importe le client, qu'il s'agisse d'une pauvre vieille dame ou d'un riche entrepreneur. Il se fait aussi remarquer pour son accoutrement peu orthodoxe. Maître Brossard, fils de garagiste, n'aime pas les cra-vates ! Selon lui, elles indisposent les clients et donnent un air hautain. Il s'habille à la boutique Le Château, privilégie les nouvelles tendances aux tenues plus classiques. Ses chemises largement déboutonnées sont agencées à des pantalons à pattes d'éléphant, des incontournables de l'époque.

Peu après l'ouverture de son bureau, Georges commence à embaucher des étudiantes en secrétariat juridique. En assurant lui-même une partie de leur formation, il comble son désir d'enseigner tout en augmentant l'efficience de sa petite entreprise. La boîte roule bientôt à fond, telle une ruche où les abeilles s'occupent activement et assidûment. Georges gère jusqu'à 100 dossiers de front, ses affaires prospèrent rapidement, les coffres se remplissent. Toute l'équipe s'emploie à bien servir les clients, c'est-à-dire professionnellement et soigneusement. Ceux qui n'ont pas ce souci se font montrer la porte, Georges ne les tolère d'aucune façon.

> « À une certaine époque, j'avais 15 secrétaires qui travaillaient pour moi, chacune avec sa spécialité. Madame Caron s'occupait de la comptabilité, madame Charbonneau se chargeait des successions, un travail important et qui rapportait considérablement ! C'était le modèle de l'efficacité de mon père mis au service de mon bureau de notaire. Ça n'a pas pris de temps que je roulais sur l'or ! »

Malgré l'intensité du travail, l'atmosphère au bureau est agréable, le patron trouve important de bien traiter ses employés. Les sorties et activités entre collègues ne sont pas rares, que ce soit au restaurant, à la cabane à sucre ou même chez Georges, qui invite souvent son équipe à venir partager un repas avec lui, d'abord à Brossard, puis à Saint-Bruno-de-Montarville, lorsqu'un événement pour le moins cocasse poussera le notaire à déménager ses pénates. En effet, vers la fin des années 60, alors que Georges est en train de pêcher sur un des lacs privés du mont Saint-Bruno, regorgeant d'achigans, il se fait apostropher vivement par un des propriétaires…

> « Il s'est écrié à ma vue : *"Get out ! This is a private property*[15] *!"* Insulté, j'ai décidé sur-le-champ d'acheter une des maisons du lac ! En consultant le registre, j'ai appris que la famille Birks était propriétaire de la montagne et de ses lacs depuis plus de 100 ans, et

---

15. Sors d'ici, c'est une propriété privée !

que leurs héritiers possédaient les prestigieuses demeures, toutes plus belles et plus grandes les unes que les autres. Dans le village de Saint-Bruno, on prétendait que l'une des occupantes, en froid avec les autres membres de sa famille, pourrait être prête à vendre. Je me suis présenté à sa porte et lui ai offert d'acheter sa demeure sans même la visiter, "puisqu'une maison tenue par une aussi digne et élégante dame ne pouvait être autrement que chic et bien entre-tenue"! Sa résidence n'était pas à vendre, mais la surprise et le prix offert l'ont convaincue de me la laisser. Et c'est encore la maison dans laquelle j'habite aujourd'hui!»

À 29 ans, Georges est l'heureux propriétaire d'une magnifique résidence sise dans la forêt du mont Saint-Bruno. Il se fait un malin plaisir d'aller saluer son nouveau voisin (celui-là même qui l'avait expulsé quelques mois plus tôt): «*How are you? I am your new neighbour*[16]!»

Comment ne pas tomber amoureux fou de cette grande demeure, accueillante et lumineuse? L'emplacement est idéal et la forêt abrite quelques maisons seulement, qui bordent toutes un des cinq lacs. Celle de Georges a vue sur le lac Seigneurial. C'est la campagne proche de la grande ville de Montréal, la possibilité de vivre dans une nature presque sauvage sans être trop éloigné du monde. Sur le grand terrain de Georges trônent des chênes centenaires, ces arbres qu'il aime tant pour leur force, leur longévité et leur noblesse. Une petite route sinueuse mène à la demeure, située sur une pente surplombant le lac. L'environnement peuplé de cerfs, de marmottes, d'écureuils et de tamias lui rappelle son enfance.

Outre les qualités du domaine, il y a la signification symbolique de l'achat par un Canadien français d'une résidence cossue dans un milieu jusque-là uniquement anglophone. L'achat représente un petit coup d'éclat, une victoire et une satisfaction toute personnelle. Signe des temps, la montagne abritera plus tard plusieurs autres francophones.

Georges ressent néanmoins un malaise, celui de vivre dans une de ces maisons qui sont à la portée d'une minorité. Il se sait privilégié, mais

---

16. Comment allez-vous? Je suis votre nouveau voisin!

ne veut surtout pas que l'endroit qu'il habite soit source de jalousie à son égard. Conséquemment, il invite ses parents à venir habiter avec lui, sur la montagne. Ravi, son père se fait alors construire une habitation mitoyenne de celle de son fils. Georges-Henri et Lucienne y sont six mois par année, passant l'hiver en Floride à fuir la neige et le froid comme tant d'autres *snowbirds*.

« La cohabitation avec mes parents était heureuse et harmonieuse… Sauf cette fois, vers le milieu des années 70, où maman trouvait que son fils excentrique exagérait en laissant son léopard se promener dans la grande maison, donc dans les appartements de mes parents si la porte était ouverte ! Comme elle avait peur, j'ai cédé à sa demande et revendu l'animal… »

C'est donc dans cette demeure qu'il reçoit ses employés à quelques reprises. Les secrétaires, bien sûr, mais aussi les clercs qu'il a engagés, des futurs notaires qui font leur stage chez lui. Ces jeunes gens ne demandent qu'à apprendre, Georges le sait pour l'avoir vécu. En retour, ces stagiaires abattent de la besogne, permettant à l'employeur de traiter davantage de dossiers.

Dans son travail, le notaire aime par-dessus tout les contacts humains.

« Je trouvais extraordinaire non seulement d'avoir une grande équipe, mais que les gens se livrent et comptent sur moi. J'étais curieux, je voulais les connaître, savoir qui ils étaient, ce qu'ils faisaient. J'avais un petit livre noir dans lequel je notais les noms et professions de mes clients. Avec le temps, je suis devenu un distributeur de contrats… Je recommandais tel plombier ou tel électricien à ceux qui étaient nouvellement propriétaires. Mais je recommandais seulement les gens qui travaillaient bien ! »

Ainsi, Georges s'attire des clients loyaux ; il en a près de 10 000 dès le début des années 70.

« Mon plus grand plaisir était de voir quelqu'un devenir propriétaire ! D'autant plus qu'à cette époque, le crédit n'était pas facilement accessible. C'est souvent le notaire qui trouvait le prêteur
hypothécaire. Et comme j'avais de bonnes relations avec les banques,
je leur confiais mes clients, qui, eux, m'en étaient éternellement
reconnaissants ! »

Maître Brossard est à la tête d'un bureau qui roule rondement. Ses
clients viennent d'aussi loin que les États-Unis ou l'Europe, attirés par
les terrains à vendre sur la Rive-Sud de Montréal. Le notaire se met en
mode séduction lorsque des étrangers viennent à Brossard pour une
transaction, il baragouine une cinquantaine de mots en grec et en portugais pour s'assurer qu'on reviendra le voir à tout coup. En plus du
service aux individus, il s'occupe des transactions commerciales. Les
gens d'affaires adorent ce jeune notaire fougueux qui arrive sur sa moto
chromée pour soumettre ses documents au Bureau d'enregistrement !

De plus, la composition de la ville de Brossard change considérablement
dans les années 70. La municipalité étant en pleine expansion, les actes
de vente sont nombreux, les terrains des agriculteurs sont vendus puis
divisés en lots, qui sont revendus à de nouvelles fins. Aux revenus géné-
rés par le bureau du notaire Brossard s'ajoutent d'autres acquisitions,
principalement dans l'immobilier. Les investissements rapportent beaucoup d'argent pour l'infatigable travailleur qui dépense peu. Vestiges
des leçons apprises dans sa jeunesse, Georges est économe.

Les années passent, l'entreprise va bon train, les actes signés se multiplient, Georges fait des profits faramineux. Fin vingtaine, il est déjà
millionnaire. N'avait-il pas l'ambition, quelques années plus tôt, de
devenir riche ?

Le notaire missionnaire

Le travail prend toute la place dans la vie de Georges. Il adore son
boulot, et ce qui l'allume particulièrement, c'est lorsqu'il aide des gens.
Le notaire se voit comme un missionnaire, décide même un jour de
servir gratuitement les personnes âgées. Il offre gracieusement ses services à ceux qui n'ont pas les moyens de le payer, se taille une réputation

de généreux conseiller. Ses rares temps libres sont utilisés pour donner bénévolement des cours de préparation au mariage ou des conférences sur la succession et la planification. Il arrive qu'on le consulte sans que ce soit nécessairement relié au droit civil.

> « J'ai déjà appelé le chef de police de la ville de Brossard pour qu'il intervienne auprès d'une jeune femme battue par son mari, venue me voir à mon bureau parce qu'elle avait entendu dire que j'aidais les gens dans le besoin ! »

Des décennies plus tard, lors des fêtes de Noël 2013, Georges recevra une carte renfermant un témoignage de gratitude d'un ancien client sollicitant encore l'aide du notaire retraité, même après autant d'années.

Ainsi, dans les années 60 et 70, le futur entomologiste se fait un point d'honneur de servir tous ceux qui se présentent à son bureau. Les servir, mais aussi les convaincre d'investir dans l'immobilier… Georges veut que chacun devienne propriétaire. Il tente d'améliorer la situation de tous ceux qui se trouvent sur son chemin et déploie toute son énergie pour leur permettre d'acheter une maison, en prodiguant quelques conseils et en en facilitant l'achat. Comme ce jour où sa meilleure secrétaire arrive en pleurs au bureau…

> « La pauvre femme, locataire, venait de perdre son logis, victime d'un propriétaire sans scrupule ! Qu'à cela ne tienne, nous avons quitté le bureau ensemble pour aller visiter des maisons, et je n'allais pas la laisser aller tant qu'elle n'en trouverait pas une à son goût ! »

Georges lui avance même de l'argent pour l'achat de sa résidence. Il la considère comme un membre précieux de sa famille agrandie, qui comprend ceux et celles qui travaillent avec lui. Le patron prend soin de ses employés, qui, en retour, lui sont fidèles et dévoués. Pour remercier Pauline de ses 10 années de loyaux services, il lui offre un voyage d'un mois en Europe. À Sylvie, désireuse de faire son cours de notariat, il propose de payer ses études. Son excentricité de l'époque, elle est aussi dans ces gestes spontanés.

On pourrait croire que l'homme d'affaires ne vit que pour son travail, ses clients et ses employés… Or, il ne manque pas de s'offrir aussi des vacances. Tous les étés, Georges s'envole dans son hydravion vers la pourvoirie des Brossard, en Abitibi. Il va rejoindre Benoît, et les deux frères font comme dans leur jeune temps, ils passent leurs journées à pêcher et à chasser, loin de la jungle urbaine. Ils ont découvert, dans la vingtaine, la beauté du Nord et de ses terres sauvages. Les deux pilotes partent à l'aventure et arrêtent sur un lac puis un autre, en pêchant directement sur les flotteurs de l'avion. Lorsque ça mord, les frères Brossard établissent un camp. Ils joignent la passion de la pêche à celle de l'aviation, alors que Georges cartographie depuis le ciel les lacs et rivières de la région. Il note ce qu'il voit, décrit les attraits des coins qu'il découvre, inscrit les meilleurs endroits pour taquiner le poisson, les prises records, bref, il détaille différents aspects de la nature et de la pêche…

La pêche au doré

À mon avis, le doré est un poisson de très grande qualité, et ce, non seulement sur le plan culinaire, mais sur le plan sportif. Il faut voir certains jours avec quelle férocité ce poisson se jette sur vos appâts et vous livre un combat digne d'appréciation! Personnellement, je ne pêche pas le doré, je le chasse!

Rivière Choquette

La rivière Choquette, avec ses rapides, constitue un endroit des plus pittoresques et se révèle une rivière idéale pour les amateurs de canotage.

Le guide de pêche

J'écris ces lignes en hommage à tous ces guides de pêche qui, inlassablement, jour après jour, promènent leurs clients un peu partout et qui souvent sont les vrais responsables d'une belle pêche! À mon avis, l'on ne s'improvise pas du jour au lendemain guide de pêche. C'est un métier difficile qui demande beaucoup de renoncement et de pratique. Pour moi, le vrai guide est celui qui, d'abord

et avant tout, sait motiver son client et développe chez lui le goût
de la réussite, même lorsque ça ne mord pas.

Georges s'improvise lui-même guide à quelques reprises. Il est particulièrement heureux lorsqu'il revient au camp avec ses clients comblés
par les pêches miraculeuses. L'Abitibi est l'endroit parfait pour le res-
sourcement et la réflexion, une pause méritée pour le notaire qui vit
autrement à 100 milles à l'heure.

Outre la pêche, la chasse et l'aviation, Georges a d'autres dadas. De
retour en ville, c'est toujours dans une Corvette de l'année qu'il se promène, depuis qu'il en a les moyens. Il adore cette voiture qui, selon lui,
« patine comme une Formule 1, le cul à terre ». Il vend les modèles précédents à ses employés, si bien que le bureau de maître Brossard se fait
remarquer par son stationnement rempli de corvettes. Ces bolides
représentent une autre de ses passions et, comme toutes ses passions,
elle est intense. Il ne se contentera pas d'en avoir seulement quelques-
unes.

« J'ai acheté ma première Corvette usagée en 1963. Après ça, je les
achetais toujours neuves, et j'avais convaincu certains concession-
naires de me faire un bon prix, en jurant que j'allais en acheter bien
d'autres. Ceux qui m'ont cru ont été largement récompensés, j'ai
eu pas moins de 40 corvettes dans ma vie ! »

Drôle de voiture pour un notaire, mais Georges aime bien ressortir du
lot, ses voitures comme ses goûts vestimentaires sont une autre démonstration de son originalité.

Les amours d'un homme occupé

Après la douce Jeannine, la grande Denise, la belle Suzanne et la jolie Lucette, qui ont égayé l'adolescence du pensionnaire, puis Danielle et Hélène, qui ont successivement occupé le cœur de l'universitaire, le notaire a quelques rendez-vous galants, mais aucune relation sérieuse. Il aimerait bien être en couple, mais ne peut envisager de fonder une famille; sa carrière prend trop de place. Il est heureux d'être libre, de pouvoir se défoncer au travail sans ressentir aucune culpabilité envers qui que ce soit. Plus tard sûrement viendra la vie matrimoniale… Georges n'a pas encore trouvé l'amour, sans doute parce qu'il a peu de temps et d'énergie à y consacrer.

« Je travaillais six jours par semaine, dix heures par jour. Après les longues heures de travail, je jouais aux cartes avec des amis et collègues. Il nous arrivait souvent de jouer au 500[17] jusqu'au milieu de la nuit. Lorsque j'arrivais finalement chez moi, j'étais crevé ! »

Georges voudrait être un amoureux passionné tout en gardant son indépendance… Pas facile, dans ces circonstances, de trouver la perle rare. La seule fille qu'il connaît et qui partage sa vision de la vie et de l'amour est Suzanne, l'hygiéniste dentaire qu'il a rencontrée quelques années plus tôt…

---

17. Jeu de cartes qui se joue à quatre, par équipes de deux.

« Vers 1968, alors que je me promenais dans les champs de La Prairie, je suis tombé sur une jeune et jolie maman célibataire qui profitait de la nature pour s'aérer l'esprit. Nous avons parlé un peu, et nous sommes rapidement devenus amis, une camaraderie facilitée par la proximité, puisqu'elle travaillait juste à côté de mon bureau… »

Leur amitié traverse les années. Georges et Suzanne se voient régulièrement et réalisent à quel point ils se ressemblent: fonceurs, indépendants, autonomes, passionnés d'aventure et originaux…

« Comme j'étais souvent seul pendant les vacances de Noël, j'avais pris l'habitude de partir avec mon camion pour aller remorquer les gens pris dans la neige ou dans les fossés. Le soir du 24 décembre, j'errais sur la route jusqu'à ce que je tombe immanquablement sur un couple ou une famille bien en peine, que je secourais gratuitement. J'étais seul au volant de mon camion pendant quelques années jusqu'à ce que Suzanne se joigne à moi pour rendre service aux conducteurs déroutés. Elle trouvait que c'était une drôle de façon de réveillonner ! »

Avec le temps, ils deviennent de véritables complices, formant un couple platonique… du moins, jusqu'au début des années 70.

« Je voulais rencontrer quelqu'un, j'ai donc demandé à Suzanne de me présenter une de ses amies. Ça faisait maintenant quelques années qu'on se côtoyait et qu'on s'appréciait, elle devait me connaître assez bien pour me présenter la bonne personne. Mais quand j'ai vu l'amie en question arriver, elle était plus grande et plus costaude que moi, pas du tout mon genre ! C'est là que j'ai réalisé que Suzanne était peut-être plus intéressée qu'elle ne le laissait paraître ! »

Message reçu: les deux amis deviennent finalement amoureux. Bien sûr, qui d'autre qu'elle ? En voilà une avec tout un caractère et qui saura très certainement lui tenir tête ! C'est avec elle qu'il développera désormais ses plus grands projets. C'est aussi elle qui le convaincra de faire son premier voyage outre-mer : ils partent ensemble pour la Grèce alors que Georges est déjà trentenaire.

Avec Georges, ça mord !
Incursion en politique…

Malgré un travail accaparant et une toute nouvelle vie amoureuse, Georges décide en 1974 d'être candidat pour le Parti conservateur dans le comté de La Prairie. Il travaille déjà de longues heures au bureau, mais qu'importe, il a des idées à partager, il veut contribuer.

Dans son programme électoral, dont le slogan est « Avec Georges, ça mord ! », il s'engage à être un député présent, créateur, énergique et efficace. Un dépliant expose les enjeux importants de l'époque, parmi lesquels l'accessibilité du service des postes (il est intolérable que les villes de Delson, Sainte-Catherine et Saint-Constant ne puissent bénéficier de ce service !) et la prévention des inondations de la rivière Châteauguay. Mais l'enjeu qui, sans contredit, lui tient le plus à cœur, c'est l'accès au fleuve Saint-Laurent…

> « Le fleuve, c'était le dénominateur commun pour les dix villes du comté. Je voulais mettre sur pied un projet pour rendre celui-ci accessible à la population, qui en avait été privée 15 ans plus tôt par la canalisation de la voie maritime. »

Amateur de nature et de plein air, Georges souhaite corriger cette situation. Il élabore un plan qui vise la dépollution des eaux et l'accès aux rives. Il rencontre plusieurs personnes, dont le chef Poking Fire de la réserve indienne de Kahnawake (qui se trouve dans son comté).

> « Avec lui, j'ai discuté de fleuve, de rivières, de bêtes et d'hommes. Il était indigné par la disparition de plusieurs poissons. Quelqu'un

avait brisé son fleuve, et personne ne faisait rien pour le reconstruire. Pour la voie maritime, on avait dépensé 70 millions ; pour la dépollution et l'aménagement des berges, rien. Poking Fire était triste de voir les gouvernements s'occuper des choses et non des êtres ! »

L'idée de dépollution et d'accès aux berges soulève les passions. Avant même que l'élection ait lieu, certains groupes de pression offrent spontanément leur aide à Georges tandis que des citoyens se mobilisent et participent à des corvées de nettoyage sur les rives, dans l'espoir de récupérer leur fleuve…

Encore aujourd'hui, 40 ans plus tard, n'ayant toujours pas été en mesure de mener son plan à terme, Georges multiplie les appels pour convaincre les autorités des bienfaits de redonner à la population son accès au fleuve.

> « La jetée de la voie maritime… voilà un bout de terre qu'on pourrait utiliser plutôt que de le laisser dépérir. Pourquoi ne pas l'aménager, en faire un endroit où les citadins pourraient aller courir, se reposer ou même camper ? À faible coût, on pourrait donner aux gens un endroit d'où ils pourraient admirer leur fleuve ! »

Malgré une campagne électorale vigoureuse, Georges perd ses élections de 1974. Cet intermède politique lui permet tout de même d'augmenter sa notoriété, et son *business* notarial en tirera de nombreux profits.

> « J'étais déçu de cette défaite politique, mais je croyais que ce n'était que partie remise. J'espérais avoir un jour une autre occasion, je me voyais député, et même ministre ! Les ministères de la Jeunesse, de l'Éducation et de l'Environnement m'intéressaient. Je voulais contribuer à la société, à son évolution. Ce sera un de mes plus grands regrets, de n'avoir pas pu poser des gestes politiques qui auraient pu aider. »

En 1978, à seulement 38 ans et après 13 ans de pratique notariale, Georges décide de prendre sa retraite. Le notaire Brossard s'est assez défoncé à l'ouvrage. Considérant avoir tout fait et tout vu dans le cadre de cette profession, il est temps pour lui de passer à autre chose, pendant qu'il est encore jeune, riche et qu'il a la vie devant lui.

Le décès de sa mère, en 1977, et les modifications qui allaient être apportées à l'ancien Code civil (qu'il connaissait par cœur et avait tant utilisé !) facilitent aussi sa décision.

« Et j'avais entendu tellement de clients me dire qu'ils avaient hâte de prendre leur retraite, à 55 ans, ou même à 65 ans ! Moi, je ne voulais pas attendre, je voulais avoir du temps maintenant ! »

Georges Brossard réunit donc ses employés pour leur annoncer qu'il quitte la profession et vend sa pratique. L'ambiance est à la fois triste et solennelle. Le notaire pleure en prononçant son discours d'adieu : « Vous allez voir que je vais faire quelque chose, vous allez voir que je vais devenir quelqu'un ! Regardez-moi bien aller ! » Pour ses employés, c'est une fin émouvante autant qu'énigmatique.

Georges ne sait pas encore ce que sera sa vie, mais il a la profonde impression que quelque chose de grand l'attend. Il doit faire le saut, sacrifier cette belle profession pour quelque chose de plus utile et plus important. C'est un risque calculé, il a l'intime conviction de sa réussite.

Gardons toujours en nous cette certitude que pour faire des choses excellentes, il n'est pas nécessaire d'attendre d'être devenu des gens excellents. Sans doute, faudrait-il attendre très et trop long-temps[18].

---

18. L'abbé Pierre.

PARTIE III
1978-2000 — L'ACCOMPLISSEMENT

Jeune rentier cherche nouvelle passion

Pour faire un trait sur les années passées, le nouveau retraité offre à un ami ses 35 habits de notaire, c'est-à-dire toutes les chemises, foulards et vestons que le prestige et le sérieux de sa profession l'ont amené à porter de façon quotidienne pendant les 13 dernières années. Se défaire enfin de cette garde-robe est particulièrement jouissif, l'habit étant pour lui symbole de conformisme (quoique les siens étaient les moins conventionnels, puisqu'il choisissait les vêtements les plus scintillants et avait remplacé la traditionnelle cravate par des foulards au tissu soyeux). Qu'importe, il peut maintenant s'habiller comme il l'entend, tel un excentrique ou un vagabond, libre de toute convention.

Mais changer d'accoutrement n'est pas suffisant, Georges ressent le besoin de se réinventer.

« Je ne pouvais pas simplement descendre la rivière et me laisser aller ! Au contraire, il me fallait aller à contre-courant pour pouvoir voir venir ! J'étais plein de volonté et je refusais de m'astreindre à la continuité, même si mon entourage ne comprenait pas trop cette retraite anticipée, même si mon père tentait par tous les moyens de me convaincre de conserver ma pratique et de continuer cette profession si noble et si enrichissante à tous points de vue ! Papa, si professionnel et pragmatique, comprenait difficilement ce changement de cap, qu'il voyait comme une autre excentricité de son petit dernier. Pourquoi abandonner, disait-il, lorsqu'on est au sommet de son art ? Mais, rien à faire, ni les remarques ni les arguments ne m'ont fait changer d'idée, c'était le moment ou jamais, alors que j'étais jeune, en santé, riche et sans attaches ! »

Bien sûr, Georges fréquente Suzanne depuis un certain temps, mais ni enfant ni mariage ne les lient. Ce sont des êtres libres, deux intrépides, indépendants et fonceurs de caractère. C'est le moment rêvé pour commencer une nouvelle aventure, un nouveau pan de vie.

Sa nouvelle devise pourrait être *carpe diem*[19]. Il désire non seulement une vie satisfaisante, excitante et passionnée, mais elle doit aussi être productive ! Il s'accorde tout de même six mois de détente qui lui permettront de réfléchir à ce que deviendra sa vie, sachant déjà qu'il a le goût d'explorer, de rencontrer des gens, de vivre à fond, de parcourir le monde et de faire le fou. Cette retraite active lui permettra de piloter, rénover, voyager, étudier… Après la rigueur notariale, voici le temps venu d'ouvrir son esprit et sa vie à autre chose.

En 1978, le Québec bouillonne culturellement et politiquement. René Lévesque est le premier ministre, au pouvoir depuis deux ans. Pour Georges, les possibilités sont infinies. Selon lui, la personnalité d'un homme se façonne au fil des années, à travers ses choix et ses activités. Les décisions à venir changeront le cours de sa propre existence.

Ce ne sera cependant pas simple. Georges espère donner l'exemple et inspirer les générations futures, rien de moins ! L'ancien notaire se sent une responsabilité envers les jeunes, mandataire d'une mission encore inconnue. Il se lève chaque matin avec l'envie de partager et de transmettre cette passion pour la vie, cette énergie qui l'anime.

Ainsi donc commence sa nouvelle vie, sans plan précis, sinon de trouver sa voie.

Au cours de sa carrière notariale, Georges avait uniquement voyagé en Grèce. L'année de sa retraite, il se reprend, visitant avec Suzanne la France et les îles des Caraïbes, dont la Martinique, la Guadeloupe, Saint-Vincent, Trinidad, Tobago, Sainte-Croix, Dominique et San Juan, ainsi que deux états américains : l'Arizona et le Nevada.

---

19. Saisir le moment présent.

Les nouveaux retraités ne veulent pas uniquement se déplacer, ils veulent découvrir et apprendre : les données démographiques, les cultures, les religions, les capitales, les fleuves, les chaînes de montagnes….

La chasse aux trésors

Va vers la fourmi, paresseux ; considère ses voies, et deviens sage[20].

Thaïlande
Berceau d'une passion retrouvée

Georges et Suzanne partent pour la grande aventure le 20 janvier 1979 avec, dans leur poche, un aller simple pour le monde. Le couple fait un premier arrêt sur l'île de Maui à Hawaii, avant d'enchaîner les vols vers Guam, les Philippines, l'Indonésie puis l'Inde, cherchant à en avoir plein la vue. Ils multiplient les activités, cherchent l'émerveillement par tous les moyens. En Inde, ils rencontrent mère Teresa et lavent avec elle les mourants. Se promenant dans les rues des différentes villes qu'ils visitent, Georges apprend aux enfants à jongler. Suzanne voit son compagnon de vie se transformer, devient un témoin privilégié des grandes ambitions qui l'animent. Elle écrit dans son carnet de voyage :

> *Mon homme aux mille fantaisies. [...] Je suis fière de lui parce qu'il sait laisser sa marque et toucher les gens [...] Mais que de réflexions, de questions et de tortures s'impose-t-il. C'est le tourment qui gruge son esprit. [...] Il a une lourde tâche et un grand devoir à accomplir et il le sait. Et je le considère assez équipé en courage et en force pour arriver à des fins positives.*

En mars 1979, Georges et Suzanne se trouvent à Phuket, en Thaïlande, sur la plage Ao Sane, qui signifie «la plage au soleil». L'endroit est superbe, les gens, accueillants. L'industrie du tourisme est, à l'époque, embryonnaire dans la péninsule indochinoise. C'est la destination parfaite pour repenser sa vie et sa façon de penser. Georges et Suzanne doivent apprivoiser le temps qui s'écoule plus lentement et qui permet de réfléchir longuement.

---

20. *Sainte Bible*, Proverbes, 6:6.

Puis, par un après-midi ensoleillé, un événement en apparence banal changera de façons draconienne le cours de son existence… Un papillon immense, aux ailes colorées de rouge et de noir, tourne autour de Georges et se dépose sur son épaule. Ce papilionidé diurne, plus précisément un *Papilio memnon* (photo p. 308), lui remémore soudain l'époque lointaine où il s'adonnait à la collection de bestioles. Il se souvient d'un rêve, celui de bâtir un temple aux insectes… Dans son petit bungalow thaïlandais, Georges confectionne alors un filet et décide de renouer avec sa première passion : la chasse aux papillons. L'activité lui a bien manqué ; la dernière collecte digne de ce nom doit remonter à plus de 20 ans ! Et le voilà qui n'a rien perdu de ses habiletés, alors qu'il se lance avec Suzanne dans une poursuite effrénée de ces perles à six pattes, redécouvrant la beauté et le charme des lépidoptères.

> « Mon intérêt pour les sciences naturelles a toujours été présent. Je cherchais quoi faire de ma vie, ce sont les insectes qui m'ont montré le chemin ! J'allais devenir entomologiste ! Je lisais tout ce que je pouvais sur le sujet, mais, surtout, j'allais joindre la pratique au théorique. Je savais déjà que j'allais moi-même recueillir tous mes insectes, peu importe le pays, peu importe les conditions… »

Pas de demi-mesure pour ce premier voyage entomologique, Georges et Suzanne atterrissent à Montréal en avril 1979 avec plus de 7 000 spécimens, maladroitement aplatis entre les pages d'un dictionnaire – leur technique de conservation n'étant pas tout à fait au point.

Ce qui lance quelqu'un dans la voie de la collection est un mécanisme subtil dont on ne décèle et ne comprend le fonctionnement que trop tard pour lui échapper. […] Au début de l'aventure, les premiers spécimens capturés par le collectionneur l'induiront à chercher des livres, car il faut trouver leur nom ; en retour, chaque livre lui révélera l'existence d'espèces dont il était jusque-là ignorant […][21].

Le voyage en Thaïlande est le premier d'une série au cours de laquelle les deux aventuriers améliorent leurs connaissances ainsi que leurs

---

21. Jacques de Tonnancour, « Sens et non-sens de la collection », *Quatre-temps*, vol. 16, nº 1, printemps 1992, p. 20-21.

techniques de chasse et de conservation. Ils s'équipent alors de tout le matériel nécessaire : filets, cyanure, seringue, alcool et récipients. Le poison (cyanure) est injecté dans l'animal pour le tuer rapidement, et sans l'endommager. Ensuite, pour transporter les lépidoptères, Georges et Suzanne utilisent des papillotes. D'autres arthropodes, comme les araignées, les éphémères, les pucerons et les chenilles, sont conservés dans des fioles contenant de l'alcool à friction, pour éviter que leur corps, en séchant, se déforme. De retour dans le sous-sol de leur résidence, le couple procédera à l'épinglage (en piquant le thorax de l'insecte avec une aiguille entomologique) et à l'étalage (qui vise à déployer et fixer certaines parties du corps, comme les ailes et les pattes). Une fois encadré, l'insecte conservera sa forme et ses couleurs sans que d'autres manipulations soient nécessaires. Ne restera ensuite qu'à les étiqueter.

En voyage, Georges et Suzanne emportent les livres qui permettent d'identifier leurs prises et transforment leurs chambres d'hôtel ou de motel en véritables laboratoires, qu'ils remplissent de papilionidés vivants capturés en cours de journée.

> « C'était magnifique d'être entourés ainsi ! Mais ça faisait hurler les femmes de ménage, qu'on devait payer pour ne pas qu'elles viennent faire leur travail ! »

Asie, Afrique, Amérique du Sud, les chasses amènent Georges à parcourir tous les continents, à toutes saisons. Cette nouvelle passion lui apporte énormément, tout en étant exigeante. Comme il ne veut pas revenir bredouille, il sue, souffre et s'essouffle, bonifiant sans cesse sa collection. Un seul voyage en Asie du Sud-Est lui permet de revenir avec de multiples spécimens : des *Papilio polytes* (papillon asiatique qu'on surnomme aussi « voilier mormon »), des *Idea leuconoe* (aussi appelés « grand planeur », parce qu'il peut planer durant des heures), des *Delias belladonna* et des *Ancema ctesia* (papillons vivant dans les régions plus montagneuses) ainsi que des scarabées thaïlandais. En Indonésie, le chasseur capture des *Papilio palinurus* (dont les ailes sont émeraude) et des *Attacus atlas* (papillon nocturne dont l'envergure d'ailes est de 20 à 30 centimètres !). L'ancien notaire commence à entrevoir les prémices de son temple, la concrétisation de son rêve.

Quelle que soit sa destination, Georges intrigue, surprend et décontenance. Il devient vite à l'aise, parle fort et gesticule beaucoup ; les gens sont curieux, s'approchent de lui et de sa collection. Les enfants l'abordent aussi, malgré son ton bourru et son air parfois sévère. Et, devant de jeunes visages ébahis, il se transforme, fait des tours d'acrobatie et la danse du papillon, usant de tous les stratagèmes pour présenter les insectes aux petits. À cette époque, Georges ne parle que français et baragouine l'anglais, mais peu importe la langue de son public, il maîtrise l'art de communiquer…

Le 15 novembre 1979, Georges et Suzanne quittent le Québec pour un voyage de plusieurs semaines, pendant lequel ils visiteront la Thaïlande (encore !), mais aussi Singapour, Hong Kong, Taïwan, le Japon, la Malaisie, l'Australie, la Nouvelle-Zélande, la Calédonie et Tahiti. Ils reviennent en avril 1980 avec des valises remplies de papillons (attacidés, sphingidés et papilionidés), mais aussi d'autres arthropodes qui suscitent pour le couple d'entomologistes amateurs un intérêt grandissant : buprestes (coléoptères aux élytres souvent colorés), arachnides (scorpions et mygales, photo p. 308), insectes-branches et insectes-feuilles (phasmes et phyllies), qui se fondent dans le paysage tellement leur camouflage est ingénieux (photos p. 312).

« C'est lors de mon premier voyage au Pérou, en août 1980, que j'ai capturé un *Megasoma acteon* (photo ci-dessous), un énorme scarabée-rhinocéros. À peine descendu de l'avion, je marchais sur le tarmac de l'aéroport et j'ai aperçu une masse noirâtre sur un tronc d'arbre, que j'ai rapidement attrapé. Cet insecte est un des plus grands du genre *Megasoma*. Il mesurait près de 12 centimètres et a été exposé à l'Insectarium pendant 15 ans ! »

Megasoma acteon

Photo : © Insectarium de Montréal
(Jacques de Tonnancour)

Voyages et tourments

À Tahiti, en mars 1980, alors que Georges vient d'avoir 40 ans, il demande à sa compagne : « Qu'est-ce qui va t'avoir manqué dans ta vie si on continue ainsi ? » Elle répond « la famille », rêvant de transmettre ses valeurs et sa passion aux enfants qu'elle aurait avec lui…

Suzanne partage avec Georges cette passion pour les voyages et la collection. Cependant, elle aimerait bien avoir d'autres enfants, elle qui est déjà maman. Mais Georges n'est pas certain de partager ce désir. Il ne croit pas avoir la patience et la rigueur de son père ; il a peur de souffrir de la comparaison.

Malgré tout, après réflexion, il déclare : « Je suis prêt ! Mais je ne peux pas te garantir que je serai un bon père… C'est un risque à prendre. » Suzanne accepte, il faut maintenant laisser le temps et la nature faire les choses.

Peu de temps après, le 13 novembre 1980, Georges part seul pour l'Asie avec comme objectif de visiter la Corée, la Malaisie, le Japon, Singapour et la Thaïlande. Il prévoit terminer son périple au Brésil et en Haïti, puis revenir au pays en mars 1981, « en même temps que les canards », selon son habitude.

Or, Suzanne avait raison, malgré l'excitation que procurent les expéditions et l'enrichissement de la collection, son homme est tourmenté. Son esprit est souvent préoccupé par autre chose que la chasse aux insectes, sa remise en question est constante, son regard sur les autres, souvent sévère. Le grand voyageur devient dépressif ; il donne l'impression de charrier sa misère d'un pays à un autre, se sent désœuvré, inutile et voué à rien. Il cumule quelques insectes asiatiques, mais son moral est bien bas et les récoltes, bien en deçà de ses espérances.

Pendant ces semaines en Asie, le chasseur rêve de sa prochaine expédition au Brésil, terre de prédilection pour les papillons, et profite de ses temps libres pour apprendre l'espagnol, croyant à tort qu'il s'agit de la langue qui est parlée dans ce pays.

Georges arrive enfin à Rio le 4 mars 1981, après un vol interminable de 34 heures et plusieurs arrêts (Hong Kong, Taiwan, Alaska, New York,

Porto Rico, Sao Paulo). Toutefois, son expédition de rêve tourne vite au cauchemar, intensifiant son abattement déjà grand. D'abord, il apprend que les Brésiliens parlent en fait… le portugais. Puis, fidèle à son habitude et malgré la barrière de la langue, Georges procède, dès son arrivée, à la distribution des cadeaux qu'il a achetés pour ceux qui vont l'héberger. Malheureusement, il n'y a pas assez de place pour l'accueillir et il se retrouve dans une chambre d'un quartier dangereux de la grande ville de Rio, dont il n'ose pas tellement sortir.

Dans cette chambre un peu minable, Georges fera un bilan pour le moins noir de ce qu'il a accompli ; il se sent rejeté sur les plans sacerdotal, politique et littéraire (l'année précédente, il avait soumis à des éditeurs un court manuscrit sur la vie d'un doré assistant aux changements environnementaux dans son milieu ; un cri du cœur qui n'avait pas trouvé preneur).

Après une semaine de tourments à Rio, il prend un vol pour le nord du Brésil, là où il pourra chasser en toute liberté. À Natal, surnommée « la ville du soleil », il a beau chercher, il ne trouve rien, aucun papillon ne vole à l'horizon. Rien pour encourager le chasseur désespéré. Au moins, se rassure-t-il, c'est le printemps qui arrive au Québec.

À son retour au bercail, Georges apprend une grande nouvelle qui chassera (du moins pour un temps) son gros cafard. Suzanne lui annonce qu'il sera… papa !

Georges Brossard fils naît en novembre 1981. Le lendemain, le nouveau papa panique et fuit vers des lieux plus exotiques. Heureusement, il revient au bout d'une semaine et apprivoise tranquillement son nouveau rôle. Malgré la naissance de Junior, les deux parents restent très indépendants : Suzanne habite encore une petite maison au village alors que Georges vit dans la maison de la montagne, quand il n'est pas au bout du monde.

« Alors que mon fils était âgé de quelques semaines, j'ai décidé de l'emmener avec moi en Floride pour le présenter à son grand-père. Je me promenais dans l'aéroport de Miami avec, dans mes bras, le plus beau bébé du monde, juste assez potelé et tout de soie vêtu, quand un vieil homme a souri à mon garçon et a tapoté ses joues rebondies. Je lui ai offert de le prendre, ce qu'il a accepté avec plaisir. En me rendant mon fils, le vieillard, les larmes aux yeux, m'a dit qu'il n'avait jamais eu d'enfant parce que trop égoïste, et que, maintenant, il se retrouvait seul, vieux et affreusement triste. »

Un message pour Georges, la voix qui lui fait comprendre sa chance...

Les épisodes dépressifs vécus par Georges, tout comme la naissance de son fils, n'empêchent en rien sa collection de prendre de l'ampleur. Sa passion reprend bientôt le dessus, exigeant de lui temps et énergie.

Il profite de l'hiver 1982 pour s'envoler avec la famille vers la Floride. Dans l'État américain, il découvre d'étonnants hémiptères... Le *Umbonia crassicornis* (photo p. 309), de la famille des membracidés, semble porter sur son dos une voile colorée. Son corps vert, jaune et rouge épouse parfaitement l'environnement tropical.

Georges repart ensuite seul pour la Thaïlande, la Malaisie et Singapour. Il fait aussi un arrêt en Angleterre pour visiter le *British Museum* et rencontrer l'avocat Clive Farrell, fondateur de la première volière anglaise en 1979, la *London Butterfly House*, et reconnu pour avoir contribué à augmenter la population de papillons sur le territoire britannique en y dispersant des graines de plantes attirant les lépidoptères. Les deux hommes ont beaucoup de points en commun et se lient d'amitié ; Georges sera de retour en terre anglaise au printemps pour remettre à son nouvel ami un coléoptère de Malaisie bien vivant, le *Chalcosoma caucasus* (rapporté tout à fait légalement dans les bagages du voyageur). Après son séjour londonien, Georges s'envole vers l'Asie du Sud-Est.

« La Thaïlande est un magnifique pays où il est facile de chasser les insectes. La faune est riche et différente. J'ai rapporté de la province de Chiang Mai, située au nord du pays, d'incroyables trésors, dont de magnifiques *Eupatorus gracilicornis* [scarabées-rhinocéros], des *Heliocopris* [scarabées bousiers], des fulgores [hémiptères piqueurs-suceurs aux couleurs et aux formes étonnantes], des cétoines émeraude, des chrysomèles du genre *Sagra*, des phasmes [insectes-branches] incroyables, des xylocopes [abeilles charpentières] et de grands scorpions. »

Georges se retrouve peu après en Malaisie, dans les Cameron Highlands, une région riche en biodiversité.

« Je pouvais trouver en un seul endroit des *Trogonoptera brookiana* [papillons aux grandes ailes noir et vert], des *Chalcosoma caucasus* [gros coléoptères de la famille des scarabées, photo ci-dessous], des *Allotopus* [lucanes dont les mandibules des mâles, qui ressemblent aux bois des cerfs, atteignent des proportions spectaculaires], des *Phyllium* sp. [phasmes géants qui imitent à la perfection une feuille verte, photo p. 312], des mantes [photo p. 312], des papillons cobra et de nombreux autres insectes tout aussi fabuleux ! »

Chalcosoma caucasus

Photo : © Insectarium de Montréal
(Jacques de Tonnancour)

De la Malaisie, Georges se rend à Singapour, où il fait une précieuse découverte dans un lieu inusité.

« Les égouts de Singapour étaient une vraie mine d'or pour la collecte d'arthropodes ! Avec mes grosses bottes de pluie, je marchais dans les eaux noirâtres de ces canaux à ciel ouvert jusqu'aux tunnels où se réfugiaient des araignées, des scorpions et des punaises en quantité. Il suffisait de s'habituer aux odeurs pour cueillir les insectes… Les mares d'eau attiraient aussi les libellules et les demoiselles, que je capturais dans mes filets. Nul besoin de s'éloigner dans les champs, les égouts représentaient une véritable manne à insectes!»

Dans ce pays, Georges découvre aussi le *thieves market*[22], un marché singulier qui porte bien son nom: plusieurs kiosques sont érigés tard le soir, collés les uns sur les autres, recelant des objets hétéroclites dérobés à leur véritable propriétaire durant la journée. Même les victimes de vol s'y retrouvent pour récupérer leur bien (à prix très raisonnable, à tout le moins)!

Avec l'expérience et en questionnant les autres collectionneurs croisés sur son chemin, Georges réalise l'importance de bien choisir les saisons, selon les pays. Alors que deux ans plus tôt, en novembre, la quantité de papillons qui virevoltaient dans le ciel de la Thaïlande était faramineuse, en février, leur nombre est, au contraire, limité. Dans ce pays, c'est pendant la saison des pluies, qui débute en avril et se termine en novembre, que les chasses sont les plus fructueuses; la forêt se transforme en véritable jungle après les orages de la mi-avril, les feuilles des arbres se mettent à pousser et des centaines d'espèces de papillons sortent de leur cocon. L'Afrique est un terrain de chasse idéal aux mois de novembre et décembre (au début de la saison des pluies), alors que la saison sèche est beaucoup moins propice à la collecte d'insectes. Le continent australien, de son côté, fourmille d'insectes pendant l'hiver québécois. La chasse en Amérique du Sud offre quant à elle les meilleurs résultats de mai à août, pendant la saison des pluies, qui se manifeste sous forme d'orages en après-midi, mais qui laisse la voie libre au soleil le reste du temps.

« Le meilleur moment pour chasser était juste avant les grosses tempêtes. Je me souviens avoir vu en Amérique du Sud des milliers et des milliers d'insectes en même temps, avant un gros orage. »

Sa prochaine destination est justement l'Amérique tropicale. L'entomologiste compte bien y découvrir de beaux papillons.

---

22. Marché des voleurs.

Mexique
Les jardins fleuris

En avril 1982, Georges se trouve au Mexique avec Suzanne. Comme les plus jolis papillons fréquentent les domaines abondamment fleuris des Mexicains nantis, le couple doit user de stratégie. Suzanne se dirige d'abord seule vers la villa convoitée et demande la permission d'accéder aux jardins pour voir les papillons et en attraper quelques-uns.

« Bien sûr, les propriétaires étaient agréablement surpris de cette intrusion et acceptaient avec plaisir d'accueillir la belle étrangère, à qui ils offraient à boire. C'est à ce moment précis que Suzanne m'appelait et que j'arrivais tout sourire devant l'hôte, dont l'enthousiasme disparaissait d'un coup lorsque Suzanne me présentait d'un air suave : *Mi marido !* »

Mais l'Amérique tropicale ne regorge pas uniquement de papillons colorés. On y trouve aussi des *Euglossini* (des abeilles bleues ou vertes qu'on appelle aussi « abeilles à orchidées »), des mygales et des arachnides à l'air préhistorique appelés amblypyges (*Heterophrynus elaphus*).

« Pour attirer les abeilles, j'accrochais un morceau de tissu imbibé d'huile d'eucalyptus dans les buissons. Pour les mygales, il me fallait d'abord attraper un gros criquet ou une sauterelle, que j'attachais à un fil de pêche, comme appât. L'arachnide ne pouvait résister, et mordait à l'hameçon ! Pour les amblypyges, il suffisait de fouiller, puisqu'ils se cachent dans les cavernes et dans le tronc évidé de certains grands arbres. »

En mai 1982, de retour en sol québécois, Georges se met à dépérir et à maigrir. Soupçonnant un virus contracté à l'étranger, il s'empresse de consulter les meilleurs médecins et passe une batterie de tests, qui ne révèlent pourtant rien sur son mal.

« J'ai été malade comme un chien pendant 12 mois. Jusqu'à ce que je consulte le Dr Jones du *Tropical diseases Center* de New York, au printemps 1983. Il m'a guéri en trois jours, en me faisant prendre de la tétracycline et de l'acide folique. Je lui étais tellement reconnaissant ! J'ai eu beau l'inviter chez moi, lui offrir mille et une reconnaissances, il ne voulait rien. Quel homme professionnel ! »

La maladie a ralenti Georges, mais elle ne l'a pas arrêté ; l'année 1983 ressemble à la précédente. Après avoir exploré ses pays de prédilection (Thaïlande, Singapour, Malaisie…), l'aventurier se dirige vers le Pérou.

Amazonie
Deux mondes : l'entomologie et l'ornithologie

L'entomologie se pratique principalement le soir et la nuit, alors que le meilleur moment pour s'adonner à l'ornithologie est l'aube. Ainsi, les adeptes de ces deux sciences vivent dans deux mondes différents. Pourtant, ils se retrouvent souvent dans les mêmes coins de pays où la nature est encore vierge.

En avril 1983, Georges et Suzanne logent au *Explorama Lodge* dans l'Amazonie péruvienne. L'établissement, qui accueille principalement des ornithologues, comprend plusieurs petites cases collées les unes sur les autres dont les murs mitoyens ne montent pas jusqu'au plafond, laissant une ouverture d'une trentaine de centimètres donnant sur l'appartement voisin. Qu'importe, puisque nos deux aventuriers ne cherchent pas l'intimité, mais les insectes. Ils négocient donc sans tarder la location d'une pirogue pour explorer les cours d'eau amazoniens.

Voguant allègrement dans des eaux peuplées de caïmans, d'anacondas et de piranhas, Georges et Suzanne attrapent des libellules, mais aussi d'énormes mygales et d'autres arachnides qui se tissent un chemin entre les rives, à 10 pieds dans les airs. La chasse est bonne, les spécimens, impressionnants par leur taille, leur quantité et leur diversité.

De leur côté, les observateurs d'oiseaux sont aussi bienheureux, enchantés par la beauté des lieux et des oiseaux, par les couleurs vibrantes de cette faune. Ainsi, lorsque les uns reviennent de la chasse, les autres partent en observation ; entomologistes et ornithologues se croisent et se saluent poliment, conscients qu'un monde les sépare.

> « Ces observateurs d'oiseaux nous pardonnaient difficilement nos chasses, même si on leur expliquait que c'était pour des raisons de recherche et de pédagogie. Rien à faire, malgré nos bonnes intentions, nous étions vus comme des tueurs d'insectes ! »

Mais voilà qu'un bon matin, les observateurs d'oiseaux ont la mauvaise surprise d'être à court d'embarcations et sont contraints de solliciter un siège dans celle des entomologistes. Ces derniers acceptent de bonne grâce de voir 10 personnes envahir leur pirogue. Sur le cours sinueux de la rivière amazonienne, le partage de l'esquif se fait sans histoire, jusqu'à ce que Georges aperçoive une énorme mygale suspendue au-dessus de la rivière, une superbe bête à ajouter à sa collection ! Pour atteindre la précieuse araignée et la prendre dans son filet, il grimpe sur les épaules de Suzanne, habituée aux acrobaties de son conpagnon. Georges y arrive presque, mais la toile est solide. En donnant un coup, il fait tomber la bête dans le bateau… Les ornithologues, paniqués, se lancent à l'eau, sans considérer les dangers autrement plus grands qui s'y trouvent. Ne restent dans l'embarcation que Georges, Suzanne, le capitaine et la mygale. Les autres sont dans la rivière, terrorisés et réalisant un peu tard qu'ils n'ont pas échappé à la menace, bien au contraire. Il faut donc les ramener à bord, un à un, après avoir enfermé l'intruse dans un contenant…

Et les péripéties ne font que commencer pour l'entomologiste et sa compagne.

> « Le lendemain, Suzanne m'a réveillé en me tirant le bras. Un serpent s'était glissé à quelques pouces de son visage, et la fixait intensément ! En disant "bouge pas mon bel amour", je me suis mis à la recherche d'une arme quelconque. J'ai trouvé un long morceau de bambou que j'ai aussitôt utilisé comme bâton de baseball pour assommer le serpent. Mais le coup a été tellement efficace que la bête a été décapitée ; sa tête, projetée dans les airs, est allée choir sur

le lit de la voisine ornithologue, passant par la brèche dans le haut du mur… La pauvre s'est réveillée en hurlant de peur. Un autre drame causé par les deux Québécois! La communauté des observateurs nous regardait de plus en plus d'un mauvais œil! »

Ce n'est pas tout! Un peu plus tard, à l'extérieur, Georges balance au loin les restes du serpent, mais manque son coup… Le cadavre décapité accroche une branche d'arbre et finit par pendouiller de tout son long au-dessus de la table de banquet des amoureux des oiseaux! Il est temps que ce séjour amazonien se termine…

Peu après ce voyage mémorable au Pérou, Georges se rend au Panama, au Yucatan, en Zambie et en Afrique du Sud.

« Dans le petit village de Bambito, au Panama, j'ai trouvé mon premier scarabée d'or! En grimpant sur le volcan Chiriqui, j'ai pu attraper ce précieux bijou, que j'avais aperçu quelques heures auparavant en 20 exemplaires dans le frigidaire de mon ami restaurateur, et qui faisait mon envie. En plus d'avoir une valeur esthétique assez incroyable, ce petit insecte a une valeur financière tout à fait respectable, les collectionneurs déboursent facilement 2 000 dollars pour ajouter ce scarabée à leur collection! » (photo p. 309)

En plus de l'insecte doré, Georges trouve au même endroit le scarabée d'argent (*Chrysina* sp., photo p. 309) et de grands *Heterosternus*, des scarabées aux longs élytres colorés.

Georges rapporte de chaque voyage de nouveaux spécimens, et les découvertes se font parfois dans des emplacements pour le moins surprenants.

« En France, par exemple, le meilleur endroit pour trouver de beaux carabes, c'est le stationnement de la forêt de Fontainebleau. En effet, les jeunes amoureux s'y retrouvent pour profiter des bonnes choses de la vie, laissant après leur passage des bouteilles de vin vides, dans lesquelles s'emprisonnent les coléoptères gloutons. Il suffit alors de ramasser les bouteilles ! »

L'Afrique du Sud
L'infiniment petit et le gros

En octobre 1983, Georges part pour un voyage de cinq semaines en Afrique du Sud avec son frère Benoît. L'entomologiste amateur espère trouver des scorpions, alors que son aîné cherche les gros animaux, qu'il affectionne tant. C'est le « *big five* » des chasseurs qui l'intéresse : le lion, l'éléphant, le buffle, le léopard et le rhinocéros.

Au début de ce voyage dans le Bushveld[23], la végétation est rare. Georges et Benoît aperçoivent plusieurs zèbres morts de faim, conséquence de la sécheresse des derniers mois. Lorsqu'ils trouvent des insectes bien en chair malgré tout, cachés sous les roches, Georges en profite pour rappeler à son frère à quel point ceux-ci sont débrouillards et arrivent à s'adapter à tous les environnements. Il ne manque jamais une occasion de faire son plaidoyer sur la magnificence des insectes, ou de détourner les expéditions…

« Lorsque je faisais arrêter la jeep pour attraper un scarabée sur le bord de la route, c'est tout le safari qui était retardé… Benoît s'impatientait, mais j'avais mis tous les "locaux" de mon bord, en tentant de les convaincre de participer à mes chasses et d'ouvrir un insectarium dans leur pays ! »

Pour chasser les arachnides, Georges cherche les trous au sol. Si le trou est rond, cela signifie qu'une mygale y a fait son nid. S'il est ovale, c'est un scorpion. Il suffit donc de prendre une pelle et de creuser délicatement autour du trou pour trouver l'arachnide bien vivant. L'entomologiste se casse alors la tête à établir la classification complète de la bestiole trouvée (le phylum, la classe, l'ordre, la famille, le genre et l'es-

---

23. Région du nord-est de l'Afrique du Sud, où la savane est restée à l'état sauvage.

pèce), pendant que celle-ci tente de s'échapper et n'hésiterait pas à piquer… Mais Georges en a vu d'autres, il sait comment manipuler les bêtes venimeuses et a déjà eu sa dose de piqûres. Il est en quelque sorte immunisé…

Malgré la sécheresse et la température excessivement chaude, les hommes ont le bonheur de côtoyer une faune variée.

> « En Afrique du Sud, j'ai vu des girafes, des rhinocéros, des hippopotames, des gnous, des antilopes, des autruches… Mais rien ne m'impressionnait plus que les termitières ! C'était fabuleux de voir ces cathédrales construites par des insectes, visibles au loin dans la savane africaine ! Parmi les insectes que j'ai rapportés de ce continent, les grands goliaths, des scarabées pouvant mesurer jusqu'à 10 centimètres [photo ci-dessous], les étonnantes cétoines jaune et noir, les cicindèles géantes du genre *Manticora*, et de fantastiques petits ténébrions… »

Grand
Goliath

Photo : © René Limoges

C'est aussi en Afrique du Sud que Georges a sa plus grande frousse, le jour où il se trouve face à face avec un mamba noir, serpent extrêmement venimeux de trois mètres de long…

> « Dans le camp où j'habitais, le chien chargé de détecter la présence des serpents avait été retrouvé mort un matin, mordu. Le lendemain, en soulevant un baril vide à la recherche d'insectes, j'ai eu la surprise de tomber sur le coupable, un mamba noir qui s'est dressé

devant moi, prêt à m'attaquer! Je n'ai fait ni une ni deux, j'ai utilisé mon filet pour l'immobiliser puis j'ai injecté dans sa tête l'alcool à friction que contenait ma seringue. C'était bien la première fois que le dangereux reptile était capturé de cette façon!»

Plus tard, lorsque Georges quitte le camp pour aller chasser, il se retrouve de nouveau nez à nez avec un serpent. Cette fois, il s'agit d'un cobra cracheur, lequel peut causer la cécité en projetant son poison dans les yeux de sa victime.

> «C'est le pare-brise de la Jeep, que je venais de lever, qui m'a sauvé! Le serpent me visait en plein visage, et a craché son venin sur la vitre qui nous séparait!»

Évidemment, dans les multiples voyages, les dangers sont innombrables, la peur est omniprésente, mais, grâce à la chance ou à l'instinct, Georges s'en sort chaque fois indemne, ou presque.

> «Je ne compte plus les fois où j'ai frôlé la mort. Par exemple, j'ai déjà été poursuivi par un hippopotame, considéré comme le mammifère le plus dangereux et imprévisible d'Afrique! Je me trouvais entre l'hippopotame et la rivière lorsqu'il a décidé de me charger! J'ai couru à toute allure jusqu'à une clôture de barbelés, abandonnant même mon filet, qui me ralentissait. L'animal a foncé tête la première sur la clôture vacillante alors que je reprenais mon souffle de l'autre côté. Une heure plus tard, je suis retourné en rampant sur les lieux de l'attentat, je n'allais tout de même pas laisser mon filet là!
>
> «Dans certains pays d'Afrique et d'Amérique latine, je n'avais pas d'autres choix que de traîner une arme sur moi, à cause de la menace réelle des terroristes et des enlèvements. En Colombie, sur le terrain d'un aéroport où je chassais, deux hommes armés ont pointé leur fusil sur moi et paraissaient prêts à m'abattre. C'est en sortant le

Titaneus giganteus que je venais de capturer dans mon filet et les deux bières froides que je traînais dans mon sac que j'ai eu la vie sauve… Ils m'ont ramené au village en me faisant cependant promettre de ne plus revenir dans les parages. »

Toutefois, les périls les plus grands ne sont pas ceux que l'on croit…

« J'ai vu de près des rhinocéros, des lions, des serpents et des crocodiles… Mais les bêtes les plus redoutables sont en fait des êtres microscopiques, des acariens imperceptibles à l'œil nu. Ceux-là, subrepticement, mordent la peau et y pondent un œuf. J'ai déjà eu, en une seule nuit, près de 500 morsures, qui provoquent d'horribles démangeaisons et empêchent de dormir. Lorsque Suzanne m'accompagnait, elle subissait elle aussi mille et une morsures et piqûres. Nous ne faisions pas des voyages luxueux et confortables, mais des expéditions en pleine jungle à la merci des intempéries, dans des habitations parfois rustiques et miteuses, où les installations sanitaires étaient assez primaires. »

Si les conditions ne sont pas constamment périlleuses, la collecte, elle, est toujours harassante. Lors des expéditions de chasse, Georges, toujours vêtu de la même façon pour soutenir la chaleur (un pantalon en coton léger et une camisole), marche pieds nus ou dans ses éternelles sandales, de 10 à 20 kilomètres par jour, avant de revenir au camp, les épaules et les bras égratignés et piqués, le corps éreinté. Le vaillant chasseur doit ensuite s'occuper des spécimens recueillis, les faire sécher, les nettoyer puis les préparer pour les ramener à la maison.

Lorsque vient le temps de revenir au bercail, traverser les douanes avec des centaines de bestioles dans ses valises n'est pas de tout repos. Les insectes morts peuvent facilement être rapportés en toute légalité, mais ceux qui sont toujours vivants peuvent inspirer peur et méfiance ; les douaniers de certains pays en empêchent parfois le transport. Le plus pénible pour Georges n'est pas de se faire enlever ses insectes, c'est d'être pris deux heures aux douanes, alors que tous les employés, curieux, viennent inspecter et commenter ses prises.

> « Les autorités canadiennes ont décrété qu'il était interdit de rapporter des insectes vivants au pays. Ils n'ont par contre rien précisé concernant les arachnides… Les mygales et scorpions vivants peuvent donc être rapportés en toute légalité en sol canadien ! »

Au Québec, les parents, amis et anciens clients de Georges le regardent aller d'un air ahuri, déstabilisés de l'avoir vu quitter sa prestigieuse pratique notariale pour aller chasser des insectes dans les endroits les plus reculés de la planète. Mais l'entomologiste est bien décidé à continuer sa quête ; nul ne pourra l'arrêter…

Amérique du Sud
Les découvertes

En 1984, Georges ajoute à la liste des pays visités le Costa Rica, l'Équateur et la République dominicaine. En Amérique centrale, il découvre plusieurs taupins, ces coléoptères dont la particularité est de produire de la lumière à l'aide des deux ocelles situés sur leurs élytres.

> « La bioluminescence est un phénomène rare par lequel une lumière est émise par un animal. Elle est produite par une substance contenue dans le corps de l'insecte et qu'on nomme la luciférine. L'effet est assez spectaculaire et permet de lire un livre à la noirceur ! »

Les voyages se succèdent, Georges ne cesse de découvrir le monde et sa faune miniature.

> « Avec l'expérience et les voyages, j'ai réalisé que les insectes étaient infiniment plus nombreux le long de l'équateur, la ligne imaginaire qui sépare l'hémisphère Nord et l'hémisphère Sud. Il suffit de rester à mille milles de chaque côté de cette ligne pour trouver les espèces

les plus impressionnantes, particulièrement aux abords des grandes forêts tropicales. »

L'entomologiste fait aussi quelques précieuses collectes au Pérou, en février 1984, dont le *Dynastes hercules* (photo ci-dessous), ce grand scarabée fort prisé des collectionneurs, qu'on retrouve en Amérique tropicale. Le mâle peut atteindre une taille gigantesque et sa force est légendaire. Des études ont révélé qu'il est capable de soulever 850 fois son propre poids avec ses cornes !

Dynastes hercules

Photo : © Insectarium de Montréal
(Jacques de Tonnancour)

« J'ai déniché cet hercule dans la forêt chaude et humide du bassin amazonien, où on retrouve une diversité incroyable de plantes, d'oiseaux, de mammifères, de poissons, de reptiles, d'amphibiens et d'insectes au kilomètre carré. Une biomasse fabuleuse dans laquelle on retrouve les plus impressionnants insectes : des grands scarabées-rhinocéros, des papillons multicolores, des fourmis de grandes tailles (dont les *Dinoponera quadriceps*), des bousiers aux cornes et aux couleurs surprenantes, bref, le paradis des chasseurs d'insectes ! »

La forêt amazonienne est aussi l'endroit parfait pour trouver le *Titanus giganteus* (photo p. suivante), un immense longicorne de 15 centimètres de long, qu'on considérait autrefois comme un insecte très rare. Pendant plusieurs années, sa capture se faisait en trouvant des spécimens morts flottants sur l'Amazone ou dans l'estomac de gros poissons.

Georges trouve ses plus gros titans au Pérou et ramène dans sa grosse valise plusieurs de ces impressionnants longicornes, morts, bien sûr.

Titanus giganteus

Photo : © Insectarium de Montréal
(Jacques de Tonnancour)

Début 1985, Georges explore le Guatemala, le Honduras, le Belize, la Colombie, le Brésil et le Pérou.

Au Guatemala, Georges et Suzanne espèrent capturer des *Papilio multicaudatus*, des papillons jaune et noir normalement attirés par le sel que contient l'urine.

> « À tous les matins, je prenais quelques instants pour tendre mon piège… jusqu'à ce qu'une femme vienne me reprocher de me soulager ainsi et toujours à la même place ! »

Pendant le même voyage, le couple aura à rassurer les voisins de chambres d'hôtel, lorsque Suzanne s'écriera, tout heureuse : « Georges ! Il y a un beau scorpion dans ma douche ! »

Les deux Québécois passent, à certains moments, pour de bien drôles de « bibittes » auprès de ceux qui les regardent aller…

Pérou
Une illustre visite

Parfois, en chassant les insectes, on tombe sur autre chose…

Iquitos est une ville unique située dans le nord du Pérou, 4° au sud de l'équateur. Entourée par les rivières et la forêt amazonienne, cette cité n'est accessible que par voie aérienne ou fluviale, aucune route terrestre ne la relie au reste du monde.

Malgré tout, plus de 300 000 habitants y ont élu domicile au fil du temps. S'y sont installés des travailleurs et des investisseurs venus de différents horizons, attirés par les ressources naturelles des environs : l'hévéa[24], les bois précieux, la résine végétale (transformée en résine industrielle), l'or, l'huile végétale, le pétrole…

Iquitos est aussi l'endroit idéal pour la chasse aux lépidoptères. Le Pérou à lui seul est reconnu pour abriter 20 % de toutes les espèces de papillons : plus de 3 700 y ont été découvertes ! Le climat humide et la diversité des habitats ont créé différentes niches écologiques qui font du Pérou le pays où l'on trouve le plus de lépidoptères au monde. La région d'Iquitos fait rêver Georges, qui a grand espoir d'y recueillir de merveilleux spécimens. Ses attentes sont vite comblées, lorsqu'il attrape un morpho bleu (photo p. 310), qui, selon les tribus indigènes d'Amazonie, incarne les esprits maléfiques de la forêt.

> « À cause de leur vol particulier, la légende veut que ces papillons soient capables de perdre à tout jamais celui qui les suit dans la jungle… Ce qu'ils n'arrivaient évidemment pas à faire avec moi, puisque je les attrapais ! »

Le vol rapide du morpho et le battement saccadé de ses ailes lui permettent d'apparaître et de disparaître furtivement, lui valant le surnom de « diamant bleu de la forêt vierge ». Pour le chasseur d'insectes, sa capture n'est pas toujours facile et relève bien souvent d'un exploit physique : courir rapidement sur des pierres humides près des chutes tient parfois de l'acrobatie !

Alors que les entomologistes en herbe suivent tous les jours un guide qui les mène plus profondément dans la forêt amazonienne, Georges trouve tout près le terrain de chasse parfait, en n'allant pas plus loin que l'aéroport d'Iquitos. Au coucher du soleil, les lumières de la piste

---

24. Arbre à caoutchouc.

d'atterrissage donnent tout ce qu'il faut d'éclairage pour attraper les papillons et d'autres créatures volantes. Le chasseur d'insectes manie son filet avec aisance, son terrain de jeu est vaste.

À force de les côtoyer, Georges se lie d'amitié avec les employés de l'aéroport. Ceux-ci le regardent d'un air amusé, divertis par l'originalité de ce personnage qui apporte toujours avec lui son filet, qui gesticule et qui grimace sans réserve pour se faire comprendre et qui cherche à communiquer sa passion à de purs inconnus. Ils partagent chaque soir des moments précieux, alors que Georges étale ses trouvailles. Le chasseur d'insectes est comblé ; il a amassé plusieurs spécimens rares : des amblypyges, ces araignées qui se déplacent latéralement (comme des crabes), des *Blaberus giganteus*, ces énormes blattes qui peuvent atteindre jusqu'à neuf centimètres et qui se cachent dans le creux des arbres, et des arlequins de Cayenne (*Acrocinus longimanus*), ces coléoptères aux couleurs bariolées qui transportent sous leurs ailes des pseudo-scorpions vivants (minuscules arachnides ressemblant à des scorpions). Sans compter les héliconies et les *Agrias*, papillons rares aux ailes colorées, souvent teintées de rouge et de bleu.

Partant en fin d'après-midi et revenant à la brunante, Georges emprunte tous les jours le même chemin pour se rendre à l'aéroport. Celui-ci est habituellement peu fréquenté. Jusqu'au jour où le pape Jean-Paul II en personne débarque à Iquitos en ce mois de février 1985… Évidemment, tous les habitants veulent assister à son allocution, entendre son message de paix. Les routes autour d'Iquitos sont soudainement beaucoup plus achalandées, plusieurs milliers de fidèles marchent vers le lieu de rassemblement, à l'aéroport. Il fait chaud, mais l'atmosphère est à la fête, l'espoir, à son comble, les catholiques sont en extase !

« Je me rendais donc à l'aéroport. Fidèle à mon habitude, j'avançais d'un bon pas, dépassant plusieurs marcheurs. Jusqu'à ce que j'aperçoive cet homme qui n'en était presque plus un : un pauvre gueux handicapé, dans un pays trop pauvre pour le soigner et compenser les membres manquants ; il rampait avec peine en utilisant les deux moignons qui lui servaient d'avant-bras, se traînant le corps, comme un boulet. Ce qui ne semblait pas émouvoir les gens qui l'entouraient, le dépassaient, l'accrochaient aussi. Ce pauvre fidèle me faisait pitié… Je l'ai donc pris sur mon dos. L'homme était lourd à transporter et sentait l'urine, mais peu importe, je me suis soudainement vu investi d'une mission, convaincu que ce gueux méritait, encore plus que les autres, d'assister à cet événement pontifical. J'avançais péniblement, la rage au cœur, alors que me dépassaient allègrement les véhicules noirs et spacieux réservés aux dignitaires ecclésiastiques. Chaque fois qu'une limousine passait, je cognais à la vitre, quémandais un espace pour ce miséreux. "*Por favor*, prenez cet homme!" Au moins une dizaine de voitures de luxe m'ont doublé, pas une ne s'est arrêtée! Je maugréais en avançant. Ces gros prélats, confortablement installés, ne pouvaient-ils pas être miséricordieux, n'était-ce pas là leur devoir? L'adrénaline et la frustration m'ont permis d'arriver rapidement à destination. Mon terrain de chasse était envahi par la garde suisse pontificale, les membres du clergé endimanchés, et la population en émoi. J'ai avancé jusqu'aux premières rangées, face à la tribune, pour y déposer le paralytique, non sans subir le regard désapprobateur des gens en soutane!»

C'est un événement éprouvant pour Georges, qui pense à sa jeunesse, alors qu'il rêvait de porter le costume de ces religieux qu'il admirait tant. Mais la vie en a voulu autrement, et, après l'illustre visite, l'entomologiste reprend son filet pour terminer ce voyage en beauté. Il ramènera à la maison plusieurs beaux spécimens, dont les *Titanus giganteus* (photo p. 120) évoqués plus tôt, que l'entomologiste s'était bien promis d'attraper un jour et qu'il possède maintenant en plusieurs exemplaires.

Venezuela
L'abondance et la beauté

En 1986, Georges passe près de deux mois en Amérique du Sud avec son grand ami, Stéphane Le Tirant.

« J'avais rencontré Stéphane pour la première fois au début des années 80 dans une boutique de sciences naturelles de la rue Saint-Denis, à Montréal. Le jeune homme discutait passionnément de mon sujet de prédilection avec le commis. Je lui avais donc spontanément offert de venir chez moi voir ma collection d'insectes. Mais, devant mon franc-parler et mon accoutrement rose luisant, l'insolent s'était retourné en m'ignorant ! Une ou deux années plus tard, j'ai revu le même jeune homme, mais dans un tout autre contexte. Les médias commençaient à s'intéresser à ma collection, et Stéphane, qui travaillait pour une revue scientifique, devait m'interviewer lors d'une première expo à Montréal. Je lui ai donné une de mes meilleures entrevues, laquelle s'est terminée ainsi : "Te souviens-tu quand tu n'as pas daigné me répondre au magasin Nautilus, il y a quelques années ? Une chance qu'aujourd'hui, je n'ai pas fait la même chose !" »

Contre toute attente, c'est le début d'une belle collaboration et d'une amitié sincère entre les deux hommes, qui partagent les mêmes intérêts, le goût de l'aventure et le plaisir de la chasse. Georges est passionné de papillons, Stéphane, un féru de scarabées. Ils partiront ensemble à plusieurs reprises pour explorer, chasser et étudier le plus grand nombre possible d'arthropodes.

Ainsi, lors de ce premier voyage, Georges promet à son protégé de l'emmener là où il trouvera à profusion ses insectes préférés, les scarabées. Ils commencent leur périple au nord du pays, à la station de recherche Rancho Grande de l'Université centrale du Venezuela à Maracay, dans le parc national Henri Pittier. Ils y capturent des sphinx géants, des sauterelles, des phasmes, des cigales et une multitude de papillons.

Après quelques jours, Georges propose de partir vers le sud du pays. Ils louent une voiture qui leur permet de parcourir plus de 500 kilomètres à travers savane et désert pour atteindre de mystérieuses mines d'or. Stéphane regarde son ami aller, alors qu'il tente d'amadouer les gardes armés qui en guettent l'entrée. Georges est convaincant, les militaires les laissent passer. Une fois sur le site, ils ont le bonheur de trouver des centaines de coléoptères, attirés par les grosses lumières alimentées par des génératrices qui fonctionnent à plein régime. Ainsi, des *Dynastes hercules*, des *Megasoma acteon* et des *Agacephala bicuspis* (petit scarabée-rhinocéros vert) trouvent leur place dans les valises des deux fanatiques. Le jeune scientifique est comblé et se souviendra toute sa vie de ce moment particulier : « J'avais dans la main droite un *Dynastes hercules* bien vivant, dans l'autre main quelques rares *Dynastinae*, et je n'arrivais pas à attraper mon premier grand *Thysania* ! Nous en avions plein les mains… »

Au même endroit, les deux hommes ont la chance d'assister à une éclosion massive d'*Ascalapha odorata*, un papillon de nuit communément appelé « la sorcière noire », mais que les natifs de l'endroit nomment *Mariposa de la muerte* (papillon de la mort). La légende raconte que si ce papillon entre dans la maison d'un malade, celui-ci mourra. Ce soir-là, les entomologistes sont entourés de milliers de papillons de cette espèce. Heureusement, ils ne sont pas trop superstitieux… Les deux Québécois se font raconter bien d'autres légendes par les Vénézuéliens, dont celle du *Dynastes hercules*, ce gros scarabée qu'ils ont maintenant en grande quantité, qui pourrait, avec ses longues cornes en forme de pinces, « couper net une branche d'arbre, tel un sécateur ».

En plus des *Ascalapha*, le soir, Georges et Stéphane capturent des *Rothschildia* (papillon tropical de la famille des saturniidés et des *Thysania* géants (l'envergure des ailes de ces papillons peut atteindre 30 centimètres). Ils ont même la chance d'assister à leur grand ballet aérien sous les feux des projecteurs. En effet, les grands *Thysania*, attirés par les lumières, rivalisent d'adresse pour esquiver les chauves-souris qui veulent faire d'eux leur repas. Le spectacle de cette lutte entre lépidoptères et mammifères est fascinant pour les deux hommes.

Le jour venu, ce sont des morphos (d'un bleu électrisant), des *Heliconius* (aux couleurs de feu – le rouge et l'orangé) et des *Prepona* (aux contrastes éblouissants de noirs et de bleus), des papillons tous plus beaux les uns que les autres, qui font la joie des deux chasseurs d'insectes, qui cumulent les spécimens.

Avant de repartir pour Montréal, Georges veut faire une dernière surprise à son ami et l'emmène… dans une bijouterie. Stéphane est dubitatif, jusqu'à ce que son nouveau mentor lui montre quelques beaux bijoux, faits avec des cornes de scarabée-rhinocéros ! En effet, ces cornes représentent un signe de virilité et sont fièrement portées par les hommes du coin. Après leur passage, deux étrangers porteront aussi à leur cou de tels bijoux.

Ce voyage entomologique mémorable dans les tropiques est le premier d'une longue série pour le jeune Stéphane. Avec Georges, il parcourra le monde, de Singapour à la République dominicaine, en passant par la Malaisie et la Thaïlande, sans oublier les traversées du désert de l'Arizona et de la savane sud-africaine. Georges n'est plus le personnage excentrique et exubérant qu'il a d'abord connu, mais un excellent compagnon de voyage qui a du flair et qui anticipe souvent le résultat ou la finalité de leurs aventures. C'est un grand frère loyal que Stéphane décrira ainsi : « Georges a un instinct presque infaillible pour approcher les bonnes personnes. Ainsi, des individus qui, à première vue, ne m'inspiraient pas tellement confiance s'avéraient être des guides touristiques hors pair. »

Toujours en 1986, Georges découvre, avec Suzanne, les régions arides du Maroc, là où les coléoptères et les scorpions sont légion. On y trouve l'*Androctonus mauritanicus*, un scorpion brun foncé pouvant atteindre 10 centimètres de long, et le ténébrion, petit coléoptère pouvant survivre des mois sans boire ni manger. Décidément, la nature fait de bien belles choses…

En avril 1987, de retour en Amérique latine, Georges est dans un petit village vénézuélien situé en plein cœur de la savane, à 1 000 kilomètres de Caracas. Un matin, alors qu'il regarde par la fenêtre de sa chambre, un papillon se pose devant lui. L'animal, qui n'a plus d'antennes et a perdu une partie de ses ailes, est trop abîmé pour faire partie d'une collection.

> « Les papillons sont les plus beaux insectes, mais ce sont aussi les plus fragiles, à cause de leurs ailes. »

Georges choisit toujours avec soin ses arthropodes, mais, cette fois, le chasseur a pitié et décide de le ramener au Québec. Le vénérable « vieillard », un saturniidé, trouve aujourd'hui sa place dans un cadre de la maison, accompagné de ce mot écrit par l'entomologiste inspiré :

Je suis un vieillard lépidoptère…

Toute ma vie, je fus attaqué par de nombreux prédateurs, comme des oiseaux, des chauves-souris, des reptiles et autres… Je n'ai dû ma survie qu'en abandonnant à chacun d'eux une partie de mes précieuses ailes.

J'ai quand même copulé et pondu des centaines d'œufs pour la survie de mon espèce.

Fallait-il un jour qu'un malheureux collectionneur m'attrape, même si je présentais l'air pitoyable que j'affiche ici !

Ce n'est pas juste mais c'est ainsi.

Ce n'est pas drôle une vie de papillon. De ma naissance jusqu'à ma mort, finalement, je n'ai vécu que quarante-huit heures…

Georges rapporte du même voyage plusieurs arthropodes, dont des bousiers[25]…

« Pour attraper les bousiers, je suspendais des excréments (souvent les miens !) dans un morceau de coton fromagé[26], au-dessus d'un récipient dans lequel il y avait de l'eau savonnée. Les coléoptères coprophages, attirés par l'odeur, se retrouvaient prisonniers dans l'eau. Il fallait simplement laisser le piège toute une nuit et collecter les bousiers le lendemain. Plus les excréments étaient décomposés, plus la récolte était bonne ! »

La famille

Le Venezuela est un merveilleux endroit pour chasser, et c'est aussi le pays de prédilection de la petite famille Brossard. En 1983, Suzanne a donné naissance à un deuxième garçon, Guillaume. Les parents et leurs deux garçons se retrouvent en Amérique latine au moins une fois

---

25. Les bousiers sont des insectes coléoptères coprophages, c'est-à-dire qu'ils se nourrissent d'excréments.

26. Tissu à grosses mailles, utilisé comme filtre en cuisine.

par année. Là-bas, les enfants demeurent avec la gardienne pendant que les parents partent explorer la savane.

> « Ces enfants-là ont voyagé plus que plein d'adultes accomplis avant même de commencer l'école primaire ! Après, c'est devenu plus compliqué. Je ne pouvais plus les emmener avec moi comme avant, il fallait respecter le calendrier scolaire… »

Évidemment, les deux garçons apprennent aussi à chasser, et ils manieront le filet avec aisance dès leur plus jeune âge.

Au Venezuela, Georges et Suzanne chassent dans la savane, mais aussi dans les mines d'or que l'entomologiste a visitées l'année précédente et qu'il brûlait de faire découvrir à sa compagne. Les longicornes et les scarabées sont tellement nombreux qu'il y a un tapis d'arthropodes au sol, que les deux amoureux d'insectes ramassent à la pelle pour, plus tard, les montrer aux garçons. Les récoltes sont faramineuses, la petite famille est comblée, les enfants découvrent les merveilles de la nature.

Lorsqu'ils ne sont pas en voyage dans un pays chaud, les Brossard se rendent en Haute-Mauricie, à la pourvoirie César, où ils peuvent profiter de la beauté de la nature et de sa générosité. Ils s'y rendent en hydravion, puisque nulle route n'atteint cette contrée reculée. Des lacs entourés de forêts sauvages, la nature à l'état pur, dans un milieu qui est le leur. Bien sûr, la pêche est l'activité que Georges préfère ; il s'installe, comme il aime le faire, sur les ailes de son hydravion et lance sa ligne. C'est ainsi, en plein milieu d'un lac dans le nord du Québec, que Georges pêchera son « fameux » brochet de 25 livres, une capture qui restera longtemps dans la mémoire des Brossard…

> « Lorsqu'il a mordu, cet énorme poisson m'a fait la vie dure. Mais j'en avais vu d'autres ! Je me suis battu avec la ligne pour le remonter, mais c'était peine perdue… J'ai pris les grands moyens, j'ai déposé la canne à pêche et je me suis jeté à l'eau, pour aller moi-même et en main propre remonter la bête ! »

La famille est l'ancre de salut de Georges, et ses garçons sont sa grande fierté, quoiqu'ils le ralentissent un peu dans sa collecte. Ainsi, l'entomologiste amateur part souvent seul, sinon avec d'autres chasseurs…

La Mongolie – Voyage fraternel

Les voyages se poursuivent et, en 1987, Georges ajoute des arthropodes du Japon, du Venezuela et de Russie à sa collection. Au mois d'août, il est avec son frère Benoît pour une expédition dans la lointaine Mongolie. Alors que l'un espère trouver de nouveaux arthropodes rares, l'autre vise de plus gros trophées. Ils se rendent d'abord dans le désert de Gobi, une vaste région s'étendant du nord de la Chine au sud de la Mongolie. En soulevant roche après roche, Georges découvre deux scorpions qu'il ramènera avec lui en sol québécois.

Dans les territoires plus verdoyants et plus montagneux, il tombe sur des petites bêtes semblables à celles qu'il peut trouver chez lui, à Saint-Bruno, dont des sauterelles et des criquets. Faire tout ce voyage pour des arthropodes en tous points semblables à ceux qui vivent dans sa cour ! Les frères Brossard préfèrent en rire plutôt qu'en pleurer. Benoît capture d'ailleurs un *maral*, cervidé rare et endémique semblable au wapiti que l'on trouve en Amérique.

« Il est normal de trouver en Mongolie des espèces similaires au Québec, car ces régions partagent la même latitude et certains biotopes. L'évolution a permis à ces espèces de s'adapter aux particularités de leurs régions respectives. »

Savoir, c'est bien. Partager, c'est mieux. En se promenant, les deux frères filment les prises qu'ils font, tout en faisant la description des caractéristiques de leurs proies. Ainsi, des carabes du genre bombardier, qui manquaient justement à la collection de Georges, sont immortalisés par la caméra. Enthousiaste, il fait l'apologie de ces petits insectes noirs et ronds capables de projeter un liquide corrosif pour se protéger de leurs prédateurs.

Dans les hautes montagnes de Mongolie, les nuits sont glaciales et les jours, suffocants. L'altitude permet ce que Georges décrit comme l'extase des hauteurs, la sensation de respirer un air différent, d'être au sommet du monde. Après le désert et les montagnes, les deux hommes parcourent la steppe mongolienne, en espérant faire d'autres découvertes...

Parmi les trouvailles de Georges, de minuscules parasites...

« Trois sortes de poux s'attaquent à l'homme : le *Pediculus humanus capitis*, le pou de tête, le *Pediculus humanus corporis*, le pou de corps, et le *Pthirus pubis*, le pou du pubis. J'avais déjà des spécimens des deux premiers, mais le troisième manquait toujours à ma collection... Jusqu'au jour où mon interprète mongolien me mentionna qu'un habitant du coin se plaignait de démangeaisons pubiennes sévères. C'est ainsi que j'ai trouvé le pou qui me faisait défaut, au fin fond de la Mongolie, sur les poils humides et malodorants de quelqu'un qui semblait ne s'être jamais lavé... »

Même si ce spécimen somme toute assez commun sévit un peu partout, les circonstances particulières de sa capture au bout du monde en font une histoire croustillante à raconter. Et le pou se retrouve épinglé dans un grand cadre bien en vue dans le sous-sol de sa résidence, en souvenir de cette singulière aventure...

Mission
Créer un temple à la gloire des insectes

Grâce à tous les voyages effectués dans les années 80, les insectes s'accumulent dans la prestigieuse demeure de Saint-Bruno. Les huit ou neuf pièces du sous-sol y sont entièrement consacrées. C'est un havre de paix pour Georges, qui s'y retrouve souvent entouré de ses trésors. Les hexapodes sont adorés dans cette maison, mais ils ont peine à susciter le même intérêt et le même amour en dehors de ces murs, au Québec comme un peu partout dans le monde.

Au fur et à mesure que sa collection s'enrichit, un grand rêve anime Georges : valoriser ces animaux méconnus qui rendent les plus grands services à l'homme en créant un temple regroupant les plus beaux insectes du monde. Il espère ainsi réconcilier les humains avec les bestioles mal aimées. S'amorce en parallèle une réflexion sur la muséologie[27], science nécessaire à l'accomplissement de son futur insectarium.

Ainsi, Georges rêve d'une institution qui présentera enfin les insectes à leur juste valeur. Pour lui, il ne suffit pas de montrer des arthropodes, l'exercice doit être éducatif, divertissant et attrayant. Par leurs recherches, Georges et Suzanne constatent que la muséologie repose sur trois principes clés :

---

1. La possession d'éléments ou d'objets dignes d'intérêt.
   ☑ Georges a en sa possession les spécimens nécessaires.

2. La possibilité de les conserver pour les générations futures.
   ☑ Georges maîtrise l'art de naturaliser les insectes.

3. Le désir de les montrer de façon originale.
   ☑ Plus qu'un désir, c'est pour Georges une nouvelle obsession.

---

27. Science de l'organisation des musées, de la conservation et de la présentation des objets qu'ils détiennent. (*Larousse*)

Puisque les exigences sont satisfaites, il ne reste que la proposition à formuler. Cette idée loufoque d'un temple à la gloire des insectes pourrait bien s'avérer ne pas être si folle que ça… Georges se met à jeter les bases de son projet. Il en parle sans cesse à tous ceux qui se trouvent sur son chemin, répétant, inlassablement, le même message. Mais il veut rapidement rejoindre un plus grand public, s'adressant aux journalistes, aux gens de la radio et de la télévision, qui démontrent, au début, peu d'intérêt, à son grand désespoir.

« On me disait que j'étais fou d'avoir un projet aussi bizarre, d'être un passionné des "bibittes" ! C'est à ce moment-là que j'ai pris ce mot en aversion, que j'ai commencé à reprendre tous ceux qui utilisaient ce vocable pour désigner les insectes. C'est trop facile d'appeler ce qui est petit et inconnu d'un seul et même nom… C'est comme se complaire dans l'ignorance, la preuve d'un manque de curiosité. »

Dès le début des années 80, à force de persévérance et armé de toute sa conviction, Georges était arrivé à donner des conférences dans les écoles, les clubs de l'âge d'or et les associations philanthropiques. Ces conférences permettaient de parler des arthropodes et de les faire découvrir avant que ne soit créé l'insectarium dont Georges rêve jour et nuit. L'entomologiste avait aussi organisé, avec Suzanne, des expositions dans les centres culturels ou de plein air, toujours dans l'objectif de rejoindre de plus en plus de gens et de leur démontrer la magnificence du monde des insectes.

PRÉCISION
QUE SONT LES INSECTES, OU PLUTÔT,
QUE SONT LES ARTHROPODES ?

Ceux que l'on appelle couramment les « bibittes » sont en fait des **ARTHROPODES**, l'un des grands embranchements du règne animal.

Ceux-ci se distinguent de trois façons : ils sont invertébrés, ont un corps segmenté et des pattes articulées.

Cet embranchement se divise en plusieurs sous-embranchements et classes, notamment :

- Les **INSECTES** (qui ont six pattes).

- Les **ARACHNIDES** (qui ont huit pattes, tels araignées et scorpions – et qui ne sont donc pas des insectes !).

- Les **MYRIAPODES** (qui ont plus que huit pattes, dont le plus connu est le mille-pattes).

Plus précisément, les insectes sont des arthropodes qui, en plus de posséder six pattes, ont un corps segmenté en trois (tête, thorax et abdomen) et une paire d'antennes.

Cette classe est subdivisée en près de 30 ordres, dont les plus connus sont :

- hémiptères (punaises, pucerons, cigales, etc.)

- coléoptères (scarabées, coccinelles, etc.)

- lépidoptères (papillons)

- hyménoptères (guêpes, bourdons, fourmis, etc.)

- diptères (mouches, moustiques, taons, etc.)

- odonates (libellules)

- orthoptères (grillons, sauterelles et criquets)

Ainsi, le monarque appartient d'abord à un règne (animal), puis à un embranchement (arthropodes), ensuite à une classe (insectes), à un ordre (lépidoptères), à une famille (nymphalidés), à un genre (*Danaus*) et enfin à une espèce (*Danaus plexippus*).

Georges est un expert dans l'art de la classification, grâce à ses aptitudes de mémorisation et son intérêt pour le latin. Dans ses discours et ses démonstrations, il ne manque pas de mentionner le nom commun, le nom vernaculaire[28] et le nom latin de l'arthropode présenté, ainsi que la classe, l'ordre et d'autres particularités taxinomiques.

Les conférences constituent une première étape, celle qui permettra à Georges de convaincre ses pairs de l'utilité et de la pertinence d'un temple dédié aux insectes. Partout, son message est le même :

« Quelle étrange conduite que celle des humains ! Ils ont toujours honoré les animaux de cette terre, ou plutôt certains animaux, car ils sont sélectifs… L'homme n'en a que pour une mégafaune charismatique. Les petits ont été négligés ou, pire encore, ignorés ! Déjà, les Romains avaient des jardins zoologiques pour les mammifères. Quant aux poissons, ils sont présentés dans de merveilleux aquariums géants, tout comme les oiseaux le sont dans les volières. Les plantes suscitent aussi l'intérêt, comme le démontrent les multiples jardins botaniques du monde et le soin qu'apportent à leur petit coin fleuri les citoyens du monde entier. Quelle dévotion !

« Mais pour les insectes, rien, ou à peu près rien. De tous les animaux qui vivent sur terre, ils sont les plus détestés, les plus craints, les plus méprisés et les plus méconnus. On les poursuit à grands coups de pesticides et d'insecticides ! Il y a longtemps que l'homme aurait appuyé sur le bouton pour les exterminer s'il avait pu… Quelle différence de traitement ; deux poids, deux mesures ! Les humains les qualifient de "bibittes" et n'ont pour eux aucun respect. Pourtant, de tous les animaux terrestres, les insectes sont parmi les plus âgés. Ils sont apparus il y a près de 400 millions d'années, au cours de l'ère paléozoïque, ou primaire, et nous sont parvenus jusqu'à aujourd'hui à peu près inchangés. Ils ont traversé avec succès les périodes de réchauffement ou de refroidissement de la planète, les grands cataclysmes, se sont acclimatés aux pires conditions, alors que bien d'autres (les dinosaures par exemple) ont subi l'extinction. Oui, de tous les animaux terrestres, ce sont eux qui s'adaptent

---

28. Nom de l'espèce animale ou végétale dans son pays d'origine.

le mieux et c'est pourquoi ils occupent toutes les niches écologiques imaginables! Les arthropodes sont aussi les plus nombreux, et de loin. Ce fait à lui seul mérite notre respect! Ainsi, la mouche domestique, *Musca domestica,* se trouve dans tous les pays du monde, en milliards de spécimens. Combien peut-il y en avoir sur terre? Des millions de tonnes!

« De plus, les arthropodes sont les plus beaux! Leurs formes, leurs couleurs et leurs excroissances en font des êtres d'une valeur esthétique incroyable. Sans compter que, de tous les animaux, ce sont eux qui sont les plus utiles à l'homme et à la nature. Ils rendent des services inestimables! Ce sont des producteurs de miel, de cire, de soie, de *shellac*[29], de teintures et de bien d'autres produits bénéfiques à toutes les populations et économies mondiales. Ce sont des pollinisateurs; ils assurent la fécondation des plantes, et ce, dans une très grande proportion. Et sans eux, le sol serait jonché de matières fécales, de corps morts, animaux ou végétaux, augmentant ainsi les risques de maladies et de contaminations. Ce sont des vidangeurs et des recycleurs qui s'attaquent naturellement à ces déchets, les consomment, les assimilent et les retournent au sol sous forme de matière première contribuant ainsi de beaucoup au contenu organique de la terre!

« Les arthropodes assument également le rôle de contrôleurs en réduisant à un taux normal les populations de plantes ou d'insectes indésirables. Ce sont enfin des nourrisseurs: poissons, oiseaux, reptiles, amphibiens et plusieurs mammifères, incluant l'homme, s'en régalent. Voilà donc un élément important du garde-manger de tout ce beau monde.

« Je n'en finirais point de décrire les vertus et qualités des hexapodes[30]. Du notaire que j'étais, je suis devenu l'avocat des insectes et je les défends contre tout mal, toute injustice à leur égard. Ce sont mes clients, et j'en tue des milliers par année. Quel paradoxe! Eh oui, des milliers par année doivent être sacrifiés, pour mieux les connaître, les étudier, les montrer. C'est mon job, je suis entomologiste... »

---

29. Gomme-laque utilisée pour vernir le bois.

30. Qui possède trois paires de pattes.

Ainsi, dès le début des années 80, Georges et Suzanne organisent eux-
mêmes quelques exhibitions locales sur la Rive-Sud de Montréal, dans
les écoles, les clubs de l'âge d'or, les centres commerciaux et les centres
communautaires. Ces événements demandent aux deux protagonistes
beaucoup d'énergie et d'organisation, mais leur permettent de présenter
leur collection à toujours plus de gens. Avec l'expérience et la pratique,
les expositions prennent de l'envergure. Petit à petit, la persévérance
de Georges commence à rapporter. À partir de 1983, les différents
médias s'intéressent au personnage, à sa personnalité flamboyante et à
sa passion démesurée pour les insectes.

Dans le *Journal de Montréal* du 2 août 1983, les lecteurs sont invités à
venir visiter un impressionnant musée d'insectes exotiques provenant
des quatre coins du monde, installé à l'intérieur du *Nonia*, un navire
écossais amarré dans le Vieux-Port de Montréal. À cette époque, le
couple d'entomologistes présente 20 000 insectes aux visiteurs. C'est
d'ailleurs grâce à cette exposition que débute la grande amitié entre
Georges et Stéphane Le Tirant, jeune journaliste qui deviendra plus
tard conservateur de l'Insectarium de Montréal.

Après l'exposition sur le *Nonia*, Georges organise de nouvelles démonstrations, toujours particulièrement fier de ses plus récentes acquisitions,
qu'il s'agisse de papillons, de scarabées, d'araignées ou même de coque-
relles ! Automne 1983, il organise une expo sur les sciences naturelles
dans une école primaire de Brossard, la municipalité de son enfance.
Celle-ci durera une semaine. Encore une fois, Georges bénéficie de l'aide
des médias locaux pour faire connaître cette exhibition de papillons,
de coléoptères, de fossiles, d'insectes et de reptiles. Dans le *Brossard
Éclair* du 4 octobre, les gens sont conviés à venir découvrir les insectes
et rencontrer sur place le fils du fondateur de la ville de Brossard. L'exposition permet aux petits comme aux grands d'admirer les différents
spécimens tout en s'instruisant. Ainsi, des cadres thématiques décrivent
l'anatomie des insectes, les familles et le cycle de reproduction. L'entomologiste est fier de ce spectacle écologique, fruit de l'étroite collaboration entre la direction de l'école, les parents et les professeurs. Or, les
événements qui génèrent le plus d'enthousiasme sont toujours ceux
qui demandent la participation des gens, Georges l'avait déjà constaté

lors de sa campagne électorale pour les élections fédérales, des années plus tôt.

Le 20 janvier 1984, Georges gribouille sur un papier sa vision du futur insectarium. Son idée se concrétise. Il imagine un bâtiment en forme de coccinelle dans laquelle on trouverait six pavillons.

> « J'imaginais l'architecture de mon insectarium, mais je voulais aussi définir la mission de cette institution. Elle devait être éducationnelle, touristique, scientifique, culturelle, muséologique et populaire. Toutes ces dimensions n'étaient pas là par hasard et elles étaient tout aussi importantes les unes que les autres. C'est ce bout de papier qui est à l'origine de tout ! »

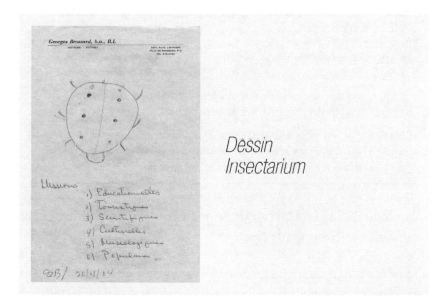

Dessin
Insectarium

En mai 1984, alors qu'est présentée l'expo *Le Monde Merveilleux des insectes* à la caisse populaire de Saint-Bruno, Georges commence à parler publiquement de son projet de créer un insectarium à Montréal. Aux journalistes sur place, le Montarvillois parle du bâtiment dont il rêve, qui accueillera tous les visiteurs curieux de découvrir un monde généralement mystérieux pour le commun des mortels. L'institution sera populaire, il en est certain ; l'intérêt que manifestent déjà les gens pour ses expositions est, selon lui, un gage du succès à venir de son grand projet.

Moins de deux mois plus tard, Georges planifie, avec Stéphane Le Tirant, un autre événement, cette fois au cœur du Vieux-Québec, là où touristes et visiteurs affluent pendant la période estivale.

UN MUSÉE TEMPORAIRE PRIVÉ PRÉSENTANT UNE COLLECTION DE 20 000 INSECTES A OUVERT SES PORTES POUR L'ÉTÉ, RUE SAINT-PAUL, DANS LE VIEUX-PORT DE QUÉBEC[31]

Outre une collection impressionnante de papillons de plusieurs régions du globe, on peut y voir des spécimens rares : des insectes-branches, des insectes-feuilles, des insectes carnivores, des mantes religieuses, des scorpions, des tarentules[32], etc.

La perle de la collection est un scarabée d'or[33], celui qui faisait la fascination de Tintin.

[...] Le gros de cette collection appartient à un notaire retraité de Saint-Bruno, M. Georges Brossard, qui parcourt le monde pour s'en procurer.

Stéphane Le Tirant, de Montréal, est l'animateur sur place du musée. Il a investi ses économies, réalisées en travaillant dans des épiceries, à l'achat de 200 ouvrages, car il veut devenir entomologiste.

L'exhibition est un succès et accueille nombre de visiteurs curieux, mais il est temps pour Georges de passer aux choses sérieuses. L'ancien notaire désire doter Montréal d'un insectarium et ne s'arrêtera pas avant d'avoir atteint son but. Il multiplie les démarches pour concrétiser son rêve et fait de nouveau appel aux médias pour y arriver… En juillet 1985, il communique avec *La Presse* pour qu'on y parle de son « mégaprojet ». Dans l'article qui s'ensuit, on peut lire que l'entomologiste tente d'entrer en contact avec le maire de Montréal depuis un an et demi, sans

31. *Le Soleil*, jeudi 21 juin 1984.

32. « Tarentule » est couramment utilisé, mais « mygale » est le bon terme.

33. *Chrysina resplendens.* (photo p. 309)

succès. Ce n'est pas tant qu'il cherche des subventions, mais il lui faut un terrain où il pourra installer la coccinelle géante qui abritera tous ses arthropodes.

« Je n'avais plus de temps à perdre. Je voulais faire un insectarium à Montréal, mais, sans terrain pour le construire, je ne pouvais pas y arriver. Si la Ville ne me répondait pas, ma prochaine étape consistait à solliciter le gouvernement provincial pour créer "l'Insectarium du Québec", et si ça ne marchait toujours pas encore, c'était "l'Insectarium du Canada" que j'allais créer avec l'aide du gouvernement fédéral ! »

Il obtient enfin une rencontre avec le maire Jean Drapeau, au cours de l'été 1985.

En vue de cette importante rencontre, l'entomologiste reprend son costume et son attitude de notaire. Dans la salle d'attente, Georges est nerveux et fait les cent pas ; voici sa chance de convaincre la Ville de lui donner un endroit pour exposer sa collection et venir à bout de son rêve ! Après quelques minutes d'attente fébrile, Georges est invité à entrer dans le bureau du maire…

« Dès que j'ai commencé à parler au maire Drapeau, j'ai ressenti une grande ouverture à mon égard. Dans un discours enflammé, j'ai dit au magistrat que j'avais envie de l'appeler "papa", en pensant à mon père, qui avait été maire pendant 25 ans tout comme lui… Après mon plaidoyer, le maire, charmé, m'a dit : "Quel projet grandiose pour ma ville ! Voulez-vous l'île Notre-Dame ? Voulez-vous le pavillon de la France ?" J'ai alors suggéré le Jardin botanique. Enchanté de cette proposition, il m'a répondu que Pierre Bourque, le directeur, allait communiquer avec moi pour les prochaines étapes ! »

Trois mois plus tard, n'ayant eu aucune nouvelle, Georges rappelle au bureau du maire. Une rencontre est rapidement organisée ; monsieur

Bourque ira directement chez l'entomologiste. Lorsque Georges et Suzanne reçoivent les représentants de la Ville de Montréal dans leur domicile, ils sont passablement nerveux... Ils réservent néanmoins à leurs invités un accueil royal, et les emmènent rapidement dans le sous-sol de leur résidence. Dans un article de la revue *Quatre-Temps*[34], Pierre Bourque passera aux aveux, racontant ainsi cet événement charnière :

> Absorbé par mille préoccupations, je n'ai pas répondu immédiatement. Quelques mois plus tard, le bureau du maire m'invitait poliment à faire diligence dans le dossier. Je me rendis donc avec MM. Paul Lanoy et Normand Julien au domicile du notaire Brossard, à Saint-Bruno. Mon scepticisme d'ingénieur horticole était partagé par mes collaborateurs, plus familiers de botanique que d'entomologie. Mais Georges Brossard et Suzanne Schiller nous attendaient de pied ferme... et ce fut mon chemin de Damas ! Imaginez 200 000 papillons, coléoptères, diptères, hyménoptères et autres représentants des ordres soi-disant inférieurs du règne animal, exposés dans des cadres et tapissant le sous-sol de la vaste demeure. Des boîtes par dizaines, des textes, des affiches, des livres, des classeurs, un bureau avec des loupes, des aiguilles, des lumières d'appoint... Un monde irréel et fabuleux rempli de morphos, de phasmes, d'insectes-feuilles, de forficules... J'étais sidéré par ce spectacle inhabituel[35].

Deux caractères qui diffèrent : Pierre est doux et calme, alors que Georges est reconnu pour ses extravagances et son exubérance... Mais les grands esprits se rencontrent, les deux hommes sont des humanistes et des travaillants, des amateurs de latin, de sciences naturelles et d'environnement. En quittant le couple d'entomologistes, monsieur Bourque inscrit cette note dans le livre d'or des visiteurs de la maison :

> *En rêvant au jour où nous inaugurerons ensemble l'Insectarium de Montréal.*

Dès lors, le directeur du Jardin botanique devient un collaborateur précieux, convaincu lui aussi de la nécessité de mener à terme ce projet. La prochaine étape consiste à convaincre la Ville de Montréal et les

---

34. Revue de vulgarisation scientifique en botanique et en horticulture publiée par les Amis du Jardin botanique depuis plus de 30 ans.

35. Pierre Bourque, « L'Insectarium, petite histoire », *Quatre-temps*, vol. 16, nᵒ 1, printemps 1992, p. 25.

autres paliers gouvernementaux d'investir les fonds nécessaires. Mais il faut d'abord être certain d'avoir un intérêt du public pour un musée dédié aux insectes.

À partir de 1986, Georges et Suzanne travaillent à temps plein pour arriver à leurs fins, alors que Pierre leur offre un soutien inespéré. Ils organisent ensemble une première exposition sur le site du Jardin botanique. L'exposition « Les plus beaux insectes du monde » permet aux visiteurs québécois de découvrir les papillons d'Amérique latine et d'Asie, qui rivalisent d'exotisme et de beauté, les uns aux couleurs flamboyantes, les autres aux dimensions impressionnantes. Lors du discours d'inauguration, Pierre Bourque parle de la passion et du dévouement de Georges et Suzanne, qui l'ont convaincu que cette expo est à sa place dans les murs de son institution. La réponse enthousiaste du public (75 000 visiteurs) leur donne raison et argumentation.

Georges donne de plus en plus d'entrevues et de conférences, renouant avec le plaisir de l'art oratoire. Vêtu de son costume de chasse décolleté (assez pour montrer son torse basané et ses colliers d'aventurier), il sait attirer l'attention… Pour les événements plus officiels, c'est tout de soie vêtu que Georges se promène. Il adore ce tissu, et il s'est fait faire sur mesure en Thaïlande des pantalons à pattes d'éléphant qu'il agence avec une chemise, toujours largement échancrée…

Au cours de la saison estivale de 1987, la collection Brossard est exposée au Zoo de Granby. Pour les administrateurs de l'endroit, c'est une façon d'attirer de nouveaux clients. En plus des 100 000 insectes naturalisés, les visiteurs peuvent admirer 200 arthropodes vivants, dont quelques-uns en phase de métamorphose. Georges est sur place le dimanche pour animer différents ateliers. L'événement permettra d'accueillir un nombre record de visiteurs.

Les expositions s'enchaînent, mais l'entomologiste n'obtient pas l'appui des milieux professionnels. Plusieurs scientifiques protestent contre ce projet d'insectarium et dénigrent cet énergumène amateur qui parle fort et se mêle d'envahir leurs plates-bandes.

« Mais la contestation agit comme la piqûre d'une abeille ou d'une guêpe : sur le coup, ça fait mal, très mal même. Il y a enflure, mais la victime en tire un profit, car elle prend de l'expérience, devient plus tolérante, s'immunise petit à petit, devient plus prudente, apprend à résister au venin injecté et plus encore. Les dissidents étaient pour moi une source de motivation supplémentaire, j'allais leur prouver qu'ils avaient tort ! »

Certains membres de la communauté scientifique le dénigrent, mais l'intérêt démontré par la population encourage le trio, formé de Georges, Suzanne et Pierre, à persévérer. La première exposition au Jardin botanique a permis de prouver la popularité du sujet, une deuxième, présentant 50 000 insectes provenant des quatre coins du monde, permettra d'amasser des sous. Ainsi, avec le slogan « Un papillon va naître », les trois protagonistes décident de faire une campagne de financement populaire, invitant la collectivité à contribuer à la création d'une nouvelle institution qui aura comme vocation la préservation des insectes et l'éducation entomologique. Les droits d'entrée de l'exposition (quatre dollars pour les adultes et deux dollars pour les enfants) seront utilisés pour la construction du futur insectarium.

L'événement s'adresse particulièrement aux enfants, Georges et Suzanne ayant à cœur de sensibiliser la jeunesse à l'environnement et à l'entomologie. Un guide pédagogique est créé et envoyé à 1 500 écoles quelques semaines avant le début de l'expo. Il contient une introduction à l'entomologie ainsi que des exercices à faire avant, pendant et après la visite de l'exposition. Grâce à cette initiative, plus de 25 000 enfants des écoles primaires du Québec voient « Les plus beaux insectes du monde ».

« Avec cette collecte de fonds, nous voulions amasser 250 000 dollars, puis doubler ce montant avec les contributions directes versées par le public et autres généreux donateurs. Mais la moisson a été au-delà de toutes nos attentes ! Nous avons récolté une somme totale de 600 000 dollars ! Les gens nous prouvaient qu'ils étaient intéressés, qu'ils voulaient s'impliquer dans la création de leur insectarium ! »

Évidemment, le coût total de cette entreprise est bien supérieur au montant récolté, mais la réponse positive des Québécois encourage les instigateurs, qui décident alors de faire la tournée des insectariums à l'étranger, afin de s'en inspirer pour la création de leur futur temple.

Des voyages inspirants

Georges et Pierre partent pour le Japon en 1987, dans le cadre d'une mission du ministère du Tourisme du Québec.

> « Les Japonais ont inventé le concept d'insectariums. Bien sûr, on pouvait trouver des musées de sciences naturelles et des *butterfly houses* aux États-Unis et en Angleterre, mais c'est au Japon que sont nés les premiers insectariums. »

La délégation, qui rassemble des représentants des gouvernements provincial et fédéral, ainsi que messieurs Bourque et Brossard, doit recevoir un montant d'un million de dollars de différents donateurs japonais dans le but d'aménager le jardin japonais au Jardin botanique. Lors de ce voyage, les deux hommes visitent les insectariums des villes de Tama (le plus grand au monde, avec une serre de 25 mètres de hauteur accueillant une grande partie de la faune entomologique japonaise), de Nagoya et d'Hiroshima. L'approche éducative et interactive de ces institutions fascine et enthousiasme les visiteurs, enchantés des découvertes et des possibilités. Les laboratoires, les chambres de culture et les expositions thématiques serviront d'inspiration pour le futur insectarium montréalais. Les Québécois profitent aussi du voyage pour remettre aux généreux donateurs des certificats honorifiques, de même que plusieurs spécimens d'insectes du Québec, provenant de la collection personnelle de Georges.

En janvier 1988, Pierre et Georges poursuivent les voyages et explorent d'autres insectariums, à Singapour, en Thaïlande et en Malaisie. Ainsi, ils se dotent de lignes directrices pour leur projet, mais apprennent aussi ce qu'il ne faut pas faire, les moins bons coups.

« Dans certains endroits, il était aberrant de voir comment les insectes étaient présentés : mal sélectionnés, mal décrits, mal étalés, trop haut, trop loin, trop peu nombreux, figés dans la bête immobilité de la mort… Ces pseudo-expositions sans souci de la présentation, sans signalisation adéquate et sans corrélation avec les autres éléments de la nature étaient sans âme ! »

De retour au pays, Georges reçoit une lettre en février 1988 du nouveau maire de Montréal, Jean Doré…

Je suis fier de vous souligner que la construction de l'Insectarium de Montréal s'inscrit dans les priorités de notre administration sur les plans culturel et scientifique.

Je suis particulièrement sensible à la dimension humaine que vous accordez à cette science et je voudrais vous remercier pour le talent et l'acharnement que vous mettez au développement de ce premier musée scientifique montréalais depuis 20 ans.

Georges sent que son rêve fou se concrétise et que la première pelletée de terre aura bientôt lieu…

Quelques mois plus tard, en septembre 1988, Georges part de nouveau avec Pierre, cette fois en direction de la Chine. Premier arrêt : Shanghai. Après la création du Jardin japonais (inauguré en juin 1988 au Jardin botanique de Montréal), Pierre Bourque est sur place afin d'amasser des fonds pour la construction d'un Jardin de Chine. Le directeur horticulteur veut aussi contempler les jardins locaux et cultiver la relation d'amitié entre les deux villes (née lorsque la délégation chinoise s'est rendue à Montréal aux Floralies de 1980). Pour Georges, qui a surtout visité les pays du sud de l'Asie, c'est un nouveau terrain de chasse.

Après Shanghai, les deux hommes se dirigent vers Suzhou, l'une des plus anciennes villes de Chine. Pierre et Georges s'initient à la culture bouddhiste en visitant la pagode de la colline du Tigre. Ils font ensuite un saut à Hangzhou, ville admirable pour la résilience et le courage démontrés par ses habitants quelques semaines seulement avant l'arrivée des Québécois. En effet, le 8 août 1988, un typhon d'une violence rare s'était abattu sur la ville au petit matin. Son passage avait jeté à terre 50 000 arbres mesurant de 10 à 20 mètres de haut. Quelque 10 000 soldats et 90 000 citoyens s'étaient alors mobilisés pour remettre debout les milliers d'arbres déracinés. Un paysage régénéré par des gens ayant la ferme conviction de l'importance de l'environnement, pour le corps comme pour l'esprit. Sept semaines après le drame, 90 % des arbres sont debout, formant un tableau inusité, alors que les tuteurs de bambous empiètent sur les rues et les trottoirs, et que les nombreux cordages surprennent le regard. Mais qu'importe, les platanes, saules, cèdres de l'Himalaya et métaséquoias ont été sauvés !

De retour à Shanghai, Pierre Bourque ratifie l'entente : la Ville s'engage à verser un million de dollars dans la création du Jardin de Chine au Jardin botanique. Soulagés, les deux hommes continuent leur voyage et s'envolent pour Hong Kong. Pierre décrit en ces mots leur arrivée[36] :

Le choc est brutal à la descente à Hong Kong. La ville immense avec ses piétons, ses bicyclettes aux teintes sombres et ses maisons basses s'est transformée en une ville de béton, aux centaines de gratte-ciels alignés comme des chandelles les uns contre les autres. Hong Kong fascine, Hong Kong trépigne, bouge constamment jour et nuit ; je vois de l'avion les pans de montagnes que l'on est en train de dépecer pour y nicher d'autres gratte-ciels puis ce port immense aux centaines de bateaux et aux milliers de conteneurs.

Pendant que Pierre visite les jardins botaniques, les serres et les expositions de bonsaïs, Georges chasse en rêvant à l'Insectarium de Montréal, qui occupe toutes ses pensées.

« Hong Kong est entourée d'environ 25 îles vierges où l'on trouve des forêts extraordinaires. C'est là que je chassais des papilionidés, de grands papillons aux couleurs vives. Le Jardin botanique de Hong Kong était aussi un endroit rêvé pour le chasseur que j'étais, mais comme il était interdit d'y chasser, je cachais sous ma veste un tout petit filet pour capturer les beautés attirées par l'endroit. »

---

36. Pierre Bourque, *Chine – septembre 1988*, coll. Découverte et impressions, Jardin botanique de Montréal éditeur, 1989, 62 p.

Le 5 octobre 1988, Pierre et Georges continuent leur périple en direction de la Thaïlande. Georges connaît bien le pays, voilà 10 ans qu'il y chasse… et qu'il y déguste des mets inusités.

> « Devant notre hôtel à Bangkok, il y avait les marchands de sauterelles et de blattes cuites dans l'huile, délicatesse culinaire de ce pays. Nous avons aussi savouré des fourmis et des coquerelles agrémentées de sauce, et dont on utilisait les pattes comme cure-dents ! »

Le lendemain, les deux collaborateurs atterrissent en Malaisie, pays propre, discipliné et fleuri, où Georges a déjà établi de nombreux contacts lors de ses précédents voyages. Leur destination est Penang, une île tropicale verdoyante et montagneuse, considérée comme la perle de la Malaisie. C'est un véritable paradis pour les amoureux de la nature. Malheureusement, le seul hôtel du coin affiche complet. Mais Georges est en terrain connu et, par amitié, le chauffeur de l'hôtel les emmène chez lui et cède sa chambre aux deux Canadiens.

Le 7 octobre, c'est la visite à l'Insectarium de Penang, une attraction touristique ouverte depuis à peine trois ans, où Georges est accueilli à bras ouverts par les hôtes, qui le considèrent comme un frère. Dans l'immense volière tropicale, des milliers de papillons, de petits oiseaux et d'insectes virevoltent au milieu d'une végétation luxuriante. Avant de partir, Georges reçoit du responsable de l'insectarium malaisien une grosse boîte remplie de 150 cocons de papillons exotiques. Ils pourront peut-être un jour voler dans les serres du Jardin botanique, qui sait ?

Les deux hommes se dirigent ensuite vers Singapour, où Pierre visite le Jardin botanique pendant que Georges visite l'Insectarium, d'où il ramène des spécimens de papillons inédits, provenant de Sarawak, un État situé sur l'île de Bornéo, à proximité de l'équateur. Cette île, reconnue pour être un des endroits les plus riches en biodiversité au monde, regorge d'espèces rares et endémiques, aux attributs parfois surprenants (c'est à Bornéo qu'on peut trouver le singe nasique ainsi que le plus long insecte du monde, le *Phobaeticus chani*, un phasme pouvant atteindre plus de 35 centimètres). Les papillons de l'île impressionnent par leur taille et par leur variété. Parmi les spécimens offerts, un couple de grands *Trogonoptera brookiana*. Le mâle, avec une tête couverte de poils rouge vif, a les ailes noires tachetées de vert d'une envergure de 15 centimètres. La femelle, tout aussi grande, a quant à elle les ailes marron nervurées de blanc. L'entomologiste québécois reçoit aussi en cadeau plusieurs ornithoptères (papillons rares aux ailes d'oiseau) prélevés dans la forêt équatoriale qui recouvre l'île, et qui deviendront quelques années plus tard des espèces protégées.

Georges revient donc au pays les valises bien pleines, en poussant Pierre un peu pour qu'il soit le premier à croiser les douaniers…

« Pierre avait un air sérieux qui inspirait le respect. En le faisant passer devant moi, j'essayais de passer inaperçu et d'éviter la fouille, qui pouvait parfois être très longue ! »

La concrétisation d'un rêve

Fin 1988, enfin de retour au pays, l'entomologiste et l'horticulteur apprennent avec satisfaction la participation financière des gouvernements du Québec et du Canada à l'édification du futur insectarium. L'Université de Montréal et l'Université du Québec à Trois-Rivières sont aussi emballées par ce projet et veulent y collaborer. Enfin, quelques personnalités du milieu scientifique et quelques entomologistes se rallient à la cause, dont le docteur Jean-Pierre Bourassa, qui deviendra directeur général de l'Insectarium à son ouverture, ainsi que les docteurs Monty Wood, Laurent LeSage et Ronald M. Young. Ceux-ci apportent un soutien important à la concrétisation de l'entreprise. Les détracteurs sont confondus…

On met sur pied un comité de scientifiques bénévoles qui s'affairent à définir la personnalité de l'insectarium et ont la responsabilité de suivre les travaux de construction. Georges suggère à son ami Stéphane Le Tirant de participer ; ce dernier deviendra par la suite le premier employé officiel de l'Insectarium de Montréal, puis le conservateur responsable de l'acquisition des collections naturalisées et vivantes de l'institution.

Quant à Georges, voyant enfin son rêve se réaliser, il fait don à la Ville de Montréal de son entière collection, tel que promis et en guise de remerciement.

« Ils sont venus chercher ma collection le 1er septembre 1989. Je les ai même aidés à charger le tout dans le camion de la Ville de Montréal. Mon sous-sol me semblait bien vide, je n'avais pas conservé un seul spécimen ! Puis, en voyant le camion partir, j'ai eu presque l'impression que ma passion pour les insectes s'était éteinte, envolée. Comme si la mort rôdait autour de moi. J'ai eu froid dans mon âme et dans mon corps ce jour-là… »

Le camion qui se dirige vers le futur insectarium transporte 50 000 insectes du Québec et 100 000 autres qui proviennent d'ailleurs, en plus de 3 000 arachnides et myriapodes. Mais Georges en veut plus pour son institution et sollicite donc d'autres donateurs, dont les religieux du Collège Saint-Laurent, où il a étudié. Le frère Firmin Laliberté, pionnier de l'entomologie au Québec, offre aussitôt une imposante collection de 100 000 spécimens, dont 50 000 provenant du Québec. Étonnamment, il a réussi à amasser les autres, provenant de 80 pays différents, sans jamais sortir du Canada, grâce à ses correspondances assidues avec les entomologistes et les ecclésiastiques étrangers ! En outre, le frère Laliberté offre à l'Insectarium ses équipements de laboratoire et ses manuels de référence, qui l'ont suivi tout au long de sa carrière ento-mologique, ayant lui aussi un désir profond d'éveiller l'intérêt des géné-rations futures pour cette science. Il décédera deux mois après avoir fait ce don, à l'âge vénérable de 83 ans.

Au maire Drapeau, qui avait démontré l'enthousiasme nécessaire au début de ce projet et qui est devenu depuis ambassadeur du Canada à Paris, Georges écrit une lettre pour le remercier et lui faire part de l'inauguration, en février, de l'institution dont ils avaient rêvé ensemble.

Jean Drapeau répond à sa missive dans ces mots :

Le 25 janvier 1990

Cher Maître Brossard,

Votre lettre du 10 janvier m'arrive cet après-midi, le 25. Elle m'a beaucoup ému, je tiens à vous le dire.

Sûrement, je me rappelle avec fierté cette entrevue à mon bureau pour parler de votre passion : les insectes, plus précisément les papillons. Ce fut une joie de vous entendre alors, de constater votre conviction et de sentir mon intérêt grandir à l'égard de votre projet.

La Providence était sans doute avec nous ce jour-là. Il s'agissait d'atteindre, séance tenante, M. Pierre Bourque dont je reconnaissais qu'il était le seul qualifié que je connaisse, capable aussi de s'enthousiasmer pour votre projet et de contribuer personnellement de sa compréhension de la nature pour saisir l'occasion de rapprocher plantes et papillons dans un même environnement absolument naturel.

Il n'a pas tardé à réaliser ma suggestion de se tenir à votre disposition dans toute la mesure du possible, de sonder profondément toutes les facettes de cette nouvelle aventure, et défi en même temps. Aventure dans la plus belle acception du mot, et défi dans son sens le plus Chevalier.

Et voilà, c'est maintenant l'heureuse fin prévue de l'aventure et l'heureuse victoire, prévue, elle aussi. Je vous félicite et je vous remercie.

Je vous félicite non parce que vous réussissez mais parce que vous aviez décidé de réussir. Et je vous remercie d'aimer Montréal comme vous l'aimez et de servir Montréal comme vous la servez, à la manière de ceux qui contribuent à la Grandeur en contribuant par la grandeur.

[...] Je souhaite évidemment un succès constant, croissant, à ce musée né de votre désir, réchauffé par notre première entrevue, présenté en avant-première comme exposition partielle à des milliers de visiteurs au Jardin, adultes et enfants

fascinés par ce qu'ils voyaient, par ce qu'ils apprenaient de la nature. De ces jours-là aussi, je me souviens.

C'est Louis IX, je crois me souvenir, qui disait : « Péril par ci, péril par là, allons de l'avant ! »

Allez de l'avant, votre foi vous supporte, votre espérance vous pousse, votre charité vous guide. Bravo !

Je serai avec vous le 7 février, et avec les autres, par la pensée bien sûr, et je vous sourirai discrètement. Je sourirai aussi – comment ne pas le faire ? – à Pierre Bourque dont le talent est immense, la confiance sans borne et l'esprit du travail infatigable et toujours renouvelé. Son mérite est bien grand, sa récompense sera en proportion, comme pour vous, dans sa tête et dans son cœur. Vous avez formé à deux une équipe solide. Vous avez merveilleusement bien joué, vous gagnez. Le peuple vous le dira à sa façon.

Veuillez présenter mes respects à votre épouse, qui, elle aussi, a bien une part du mérite. Que cette part lui soit reconnue.

Je m'arrête d'écrire. Je continuerai de réfléchir et de vous remercier.

Tous mes vœux et mes meilleurs sentiments.

Jean Drapeau

Ainsi arrive le grand jour, l'Insectarium de Montréal est inauguré par le maire Jean Doré le 7 février 1990, en compagnie de Georges, Suzanne et Pierre, principaux artisans de sa fondation. C'est un moment de bonheur intense pour Georges, qui voit l'aboutissement de tous ces efforts, de toutes ces années de travail. Le budget de cinq millions de dollars a permis la création d'un lieu inspirant dans l'enceinte même du Jardin botanique. L'architecture de la nouvelle institution rappelle un insecte stylisé, alors que l'espace intérieur est ouvert, éclairé et parfaitement adapté à l'exposition des arthropodes du monde, vivants ou naturalisés, accessible à un public de tous âges.

Le soir de l'inauguration, Georges et Pierre se lancent mutuellement des fleurs, appréciant franchement leur collaboration des dernières années. Chaudement applaudi par la foule réunie pour l'occasion, Georges est très ému, presque gêné. Son discours pour l'occasion est des plus vibrants, très personnel.

« Cet insectarium, n'en doutez pas, c'est le plus bel insectarium du monde, et il vous appartient ! C'est un moment de grande émotion pour moi, vous le comprendrez bien, et je vous remercie sincèrement pour cet accueil chaleureux !

« Quand j'ai voulu cette institution, j'ai passé pour fou auprès de mes clients, de mes amis et de certains membres de ma famille. Mais c'était une douce folie, dans le fond, que de rêver à une chose dimensionnelle, vocationnelle, dédiée à ses semblables, à la jeunesse et à l'éducation !

« […] J'ai découvert chez les Québécois un courant de sympathie incroyable, manifesté très rapidement. Les gens ont cessé de m'appeler "monsieur bibitte", "l'homme aux bibittes", *Mister Butterfly*", "*Mister Bugman*", "le maniaque aux insectes" et j'en passe, et les gens ont dit : "C'est l'homme aux insectes !"

« […] Je n'ai pas compté les heures ni l'énergie pour monter cette collection et pour réaliser ce rêve, et ce n'est rien, les quolibets dont on a pu m'affubler ! Ce qui a compté, c'est le côté positif de cette action et, vraiment, pour moi, aujourd'hui est un très grand moment.

« Enfin, Montréal sera doté d'un insectarium à dimension internationale ! Et en préparant son devenir international, le Québec atteindra sa maturité sociale, politique, économique, culturelle, scientifique et touristique. Vous allez voir si un insectarium, ça attire du monde !

« Permettez-moi de vous dire, monsieur Bourque, quelle "bibitte" vous avez laissé entrer dans votre jardin ! Elle va se développer, elle va se métamorphoser, elle va faire des petits et, tantôt, elle va vous envahir, monsieur Bourque, c'est le futur de l'Insectarium !

« […] Je n'étais pas seul pour faire l'Insectarium, il y a eu des gestes époustouflants qui ont été posés. […] Un matin en Amazonie, Suzanne s'est levée avec 700 à 800 piqûres d'acariens, la peau comme

une morsure, me disant : "Georges, si tu m'aimes, sors-moi d'ici !"
Je l'ai prise dans mes bras, je l'ai sortie de l'Amazonie… Et puis,
une semaine après, on y retournait ! […] C'est comme ça que la
collection a été bâtie : dans la misère, souvent dans des conditions
difficiles. À Suzanne, ma compagne, je dis tout mon amour, toute
mon amitié, toute ma reconnaissance, car elle a été d'un soutien
considérable.

« Aussi, on a mentionné les qualités de Pierre Bourque. Bien sûr
j'ai trouvé un ami, et, ce soir, je me suis dit qu'il fallait bien que
j'offre quelque chose à mon ami, car jamais je n'ai eu un soutien
aussi quotidien que celui qu'il m'a offert.

« […] Pierre, je sais qu'il y a d'autres projets qui viennent à l'horizon, qui se pointent, je sais que, très bientôt, tu rêves de doter le
Québec de très grandes institutions, encore dédiées aux sciences
naturelles, eh bien, je ne te laisserai pas seul, mon cher Pierre, je
vais t'aider comme tu m'as aidé pour l'Insectarium, je vais t'offrir
tout mon soutien, toute mon amitié, toute mon aide pour les années
qui vont suivre, et ce, d'une façon bénévole, car je crois en tes projets, tu es en train de doter le Québec des plus beaux équipements
muséologiques du monde, et ce sera notre fierté à nous, Québécois,
de les exporter, à travers le monde !

« Merci aussi aux membres fondateurs, parce que votre geste a eu
un très grand effet d'entraînement. Lorsque les autorités gouvernementales ont vu et ont su que le public du Québec avait contribué
à cet insectarium-là pour plus de 600 000 dollars, eh bien, les subventions ont été accordées, et c'est ce qui nous a permis de construire
cet insectarium. Votre geste a eu beaucoup plus de poids que la
simple valeur financière ! […] Les membres fondateurs de l'Insectarium de Montréal […] auront toujours leur place, non seulement
ici à l'Insectarium, mais aussi dans mon cœur. »

Voilà, les portes de l'Insectarium sont officiellement ouvertes.

De 20 000 à 30 000 visiteurs font honneur à « leur » insectarium lors des
journées qui suivent l'inauguration de l'établissement. L'Insectarium a
été pensé pour répondre aux besoins des grands, mais vise particuliè-

rement les jeunes, qui sont à leur place dans cet environnement. C'est une muséologie nouvelle, une institution novatrice qui expose les insectes dans un environnement thématique plutôt que dans l'immobilité traditionnelle. Des vivariums accueillent des insectes vivants dans une reconstitution de leur habitat naturel. Toutes les installations sont disposées judicieusement pour être accessibles aux plus petits. Les visiteurs ont un accès direct non seulement à la collection, mais également à une série de jeux interactifs permettant de mesurer la contribution écologique des insectes, ainsi qu'à des conférences et des expositions d'artistes contemporains. Les enfants peuvent voir la beauté des insectes, entendre le chant des cigales et s'amuser avec des modules créés pour eux ; ils peuvent apprendre en étant divertis, éblouis par le monde merveilleux et mystérieux des insectes. Si le temple n'a pas en tous points l'aspect extérieur d'une coccinelle, tel que Georges l'avait d'abord imaginé, on reconnaît tout de même un insecte de forme générique, au corps rouge et aux yeux globuleux, avec deux paires d'ailes. La nouvelle institution respecte toutes les dimensions qu'avait imaginées son fondateur, six ans plus tôt. Mission accomplie.

En reconnaissance de son travail, Georges est nommé directeur honoraire de l'Insectarium de Montréal pour une période de 10 ans. Ce n'est pas qu'un poste symbolique, Georges sera présent chaque fois (et elles seront nombreuses) qu'un événement particulier nécessitera sa présence, en tant qu'ambassadeur par excellence.

Le 18 février 1990, Georges est nommé Personnalité de la semaine par *La Presse*.

ENTOMOLOGISTE AUTODIDACTE, CE NOTAIRE A BÂTI EN DIX ANS UNE COLLECTION D'INSECTES D'UNE AMPLEUR SIDÉRANTE[37]

Georges Brossard n'a carrément pas voulu du poste de directeur de l'Insectarium de Montréal. Il n'en a pas voulu parce qu'il a décidé de tourner la page. À sa manière, c'est-à-dire irréversiblement. L'Insectarium

37. Conrad Bernier, *La Presse*, 18 février 1990.

de Montréal existe. Son rêve est réalisé. Il n'en veut pas plus. « Mission accomplie », dit-il.

Maintenant, il a d'autres rêves, qu'il veut tout aussi passionnément réaliser. Il se dit déjà convaincu qu'il les réalisera. « Je réussis toujours tout ce que j'entreprends, dit-il. Et de surcroît, toujours spectaculairement ! » Il dit cela sans fausse modestie.

[…] Son œuvre

L'Insectarium de Montréal, incontestablement, c'est son œuvre. Pendant dix ans, à plein temps, bénévolement, la Personnalité de la semaine de *La Presse* a visité 91 pays, et bâti une collection de 250 000 espèces d'insectes. Jamais un individu n'a par ses propres moyens bâti une collection d'insectes comparable à la sienne. Une collection d'une ampleur sidérante, tout à fait incomparable. Pour le profane, c'est une révélation qui, au départ, donne le vertige. Pour le spécialiste, c'est de l'or en barre.

Mais derrière tout cela, il y a une somme de travail considérable. Cela, ainsi qu'il le raconte sans tarir, a commencé en 1978, sur une plage thaïlandaise, dans la douceur d'un grand matin voluptueux peuplé de papillons fabuleux. Le coup de foudre est devenu une passion. Une passion accaparante, quasiment obsessionnelle, souvent siphonnante physiquement et mentalement.

[…] Un formidable chasseur

À 38 ans, Georges Brossard a fait fortune. Depuis, il dépense allègrement les intérêts de cette fortune. Son aventure d'entomologiste autodidacte débute en 1978. La rage du forçat le reprend. Mais, cette fois-ci, c'est sans cravate et sans chemise qu'il plonge dans son rêve. Il parcourt le monde, armé d'un filet, pour capturer les spécimens rares. Il se révèle tout de suite un formidable chasseur. Rien ne l'effraie. Il va dans les pires endroits, y compris les égouts de Singapour, pour réussir une capture fabuleuse. Pendant plus de dix ans, ce Québécois pure laine et fier de ses racines ne verra pas de neige. À chaque retour d'expédition, il rapporte des caisses d'insectes. Dans le sous-sol de sa maison, les insectes prennent progressivement toute la place. C'est là qu'a pris racine l'Insectarium de Montréal.

Un autodidacte

[…] Couramment, on dit de lui : « Georges Brossard est fou. Fou raide. Fou braque. Et ce qui est grave, c'est qu'il ne s'en rend même pas compte ! Qui pis est, il n'est ni biologiste ni entomologiste. Rien qu'un autodidacte grande gueule, un gars sans formation scientifique, un détestable amateur, et pas un seul diplôme ! »

[...] Pendant quelques années, Georges Brossard montre à ses frais sa collection à travers le Québec. L'exposition de Granby attire 250 000 visiteurs. Plus tard, au Jardin botanique, la même exposition emballera 100 000 visiteurs. Georges Brossard sait de plus en plus ce qu'il veut et où il s'en va. Sa collection, son expertise, son savoir, sa bibliothèque, c'est à la ville de Montréal et au Québec qu'il veut la donner. Un sacré don tout de même : rien de moins que dix ans de labeurs et un million de dollars d'investissements ! Il donne tout, tout de suite, si l'on construit un insectarium de classe internationale. Il dépense une énergie folle pour vendre le projet. « J'ai poussé fort, t'as pas idée comme j'ai poussé », avoue-t-il. Une fois de plus, il a réussi.

« C'est le plus bel insectarium du monde, dit-il. Aucun autre n'a été voulu, pensé, bâti avec autant d'amour. C'est un temple à la gloire des insectes. Le succès est assuré. »

Les premières années de l'Insectarium seront primordiales à sa viabilité et à sa longévité. Il faut justifier l'investissement, s'assurer que l'engouement pour le sujet persistera, que la collection traversera le temps et les années.

Lors de son premier anniversaire, en février 1991, l'Insectarium peut s'enorgueillir d'avoir déjà accueilli 400 000 visiteurs et gagné le Grand Prix du tourisme dans la catégorie Développement touristique. Le bilan est plus que positif, avec la mise sur pied d'un service de renseignements et d'identification des insectes, la participation de Georges à de nombreuses émissions télévisées pour sensibiliser le grand public, et la mise en place de l'exposition itinérante Les ornithoptères, des papillons aux ailes d'oiseaux. Cette dernière est présentée grâce à Gilles Delisle, qui a fait don de sa collection de spécimens provenant d'Indonésie et de Nouvelle-Guinée. Les ornithoptères sont des papillons diurnes spectaculaires par leur taille (entre 8 et 13 centimètres d'envergure), par leur vol plané ressemblant à celui d'un rapace, et par la richesse de leurs couleurs. On raconte que les explorateurs qui arrivaient dans la zone indo-australienne prenaient ces grands papillons pour des oiseaux, d'où leur nom... Par ailleurs, monsieur Delisle nommera en l'honneur de Georges un de ces papillons, aux ailes jaune, noir et vert, capturé en Papouasie en 1995, l'*Ornithoptera victoriae epiphanes* forme *brossardi*.

Parallèlement à leur collaboration avec l'Insectarium, Georges et Suzanne participent à la mise en place d'un laboratoire de sciences naturelles à l'école primaire que fréquentent leurs deux garçons, un beau projet réalisé grâce à la coopération des élèves et des parents. L'enseignement qui y est offert démontre aux enfants l'importance de l'environnement. C'est le prolongement de la mission éducative de l'Insectarium, l'engagement du couple pour arriver à un monde plus vert. Georges demeure outré par le fait que les sciences naturelles soient si peu enseignées au Québec, que ce ne soit guère mieux qu'il y a 50 ans, alors qu'il n'y avait qu'un papillon et un morceau d'amiante dans l'armoire de la petite école qu'il fréquentait :

> « Si j'étais ministre, je doterais toutes les écoles primaires d'un laboratoire réservé à l'éducation des sciences de la nature… »

Du côté de l'Insectarium, une volière extérieure est construite en 1992, permettant de bonifier l'expérience et d'augmenter la rentabilité du musée. Les visiteurs peuvent se promener au milieu des plantes nectarifères, pendant que virevoltent autour d'eux des papillons nord-américains : les monarques (l'emblème de l'Insectarium), les *Pieris rapae* (petit papillon blanc commun au Québec, qu'on appelle la « piéride du chou »), les *Papilio polyxenes asterius* (aux ailes noires bordées de bleu et de jaune) et les Basilarchia archippus (qui ressemblent à un monarque de petite taille et qu'on appelle aussi « vice-roi »).

Les responsables mettent aussi en place des événements annuels qui alimentent l'intérêt du public, tel que Croque-insectes (de 1993 à 2005), lequel offre l'occasion de goûter à des insectes apprêtés… Au menu, des roulés de tortillas avec fourmis *Atta*, des grillons rôtis servis sur canapés de concombre, des bruschettas à la tapenade d'olives et aux chenilles de bambou, ainsi que des phasmes et des criquets migrateurs sur le BBQ !

En 1997, le bon ami de Georges, Stéphane Le Tirant, met sur pied, avec Fernand Boivin, l'exposition Papillons en liberté, une expérience annuelle qui permet au public d'être en contact avec les monarques et d'autres lépidoptères. Dans la grande serre du Jardin botanique, des milliers de papillons provenant des quatre coins du monde volent autour des visiteurs émerveillés. L'organisation de cet événement demande une logistique incroyable. Les chrysalides[38] arrivent par avion de divers pays, selon le thème de l'année. Elles doivent rapidement être suspendues à des planches, pour que les nymphes puissent compléter leur transformation. La température et l'humidité doivent être scrupuleusement contrôlées pour reproduire les conditions climatiques auxquelles ces espèces exotiques sont habituées. Certaines chrysalides trouvent refuge dans des présentoirs de la serre, pour que les visiteurs puissent admirer la métamorphose. Les autres papillons sont transportés dans la grande serre une fois leur métamorphose terminée, pour le plus grand bonheur des spectateurs.

Comme Georges l'avait espéré, « son » institution gagnera en popularité. Il continuera de l'approvisionner au cours des années grâce à la poursuite de ses chasses aux trésors, et en restera toujours son plus fidèle et ardent ambassadeur.

L'insectarium fait « des petits »

L'Insectarium de Montréal constitue une première en Amérique du Nord. En raison de la qualité et de l'originalité de sa muséologie, ses fondateurs seront sollicités à maintes reprises pour la création de nouveaux insectariums ailleurs en Amérique et dans le monde.

Aussi, Georges a rapidement réalisé que son « business » de collecte d'insectes pouvait être lucratif. Il profite de sa notoriété et de son expertise pour offrir ses plus beaux insectes aux musées. Chaque insecte a un prix suivant sa rareté, allant de 50 sous à 25 dollars[39]. Lorsque le chasseur revient avec une pléthore d'insectes dans ses valises, outre la valeur sentimentale, la récolte a une valeur pécuniaire qui peut surprendre…

Les insectes sont donc une source de revenus pour l'entomologiste. Toutefois, quand vient le temps d'encourager un insectarium canadien,

---

38. Les nymphes des papillons, dans leur cocon.

39. Dans les années 90.

le Québécois fournit gracieusement et avec plaisir plusieurs insectes de sa collection.

Terre-Neuve

Peu après l'ouverture de l'Insectarium de Montréal, deux techniciens en foresterie de Terre-Neuve, Lloyd Hollett et Gary Holloway, mettent sur pied une petite exposition mobile d'arthropodes qu'ils présentent dans les établissements scolaires de leur province. Ces deux passionnés d'entomologie peinent à répondre à la demande et parviennent à apporter seulement 500 des 25 000 spécimens qu'ils ont en leur possession. Ils décident de communiquer avec Georges, qui est maintenant connu. Rapidement, le fondateur de l'Insectarium de Montréal leur soumet l'idée de créer un insectarium terre-neuvien. Pourquoi pas, se disent-ils! Ainsi, le projet est mis en branle. Georges se rend sur place en novembre 1991 et offre son aide et ses conseils, proposant même de leur fournir certains spécimens. Il ne reste aux deux instigateurs qu'à trouver l'endroit et le financement, mais ils bénéficient maintenant d'un appui de taille. Le *Newfoundland Insectarium* ouvrira ses portes le 17 octobre 1998, dans un bâtiment historique aux abords de la rivière Humber, à Reidville.

La Nouvelle-Orléans

En 1991, des représentants de la National Audubon Society (un organisme américain sans but lucratif dont la mission est de sensibiliser les gens à l'environnement) visitent l'Insectarium de Montréal, dans l'objectif avoué de s'en inspirer… Enchantés par ce qu'ils voient, ils sollicitent l'aide de Georges et de Stéphane pour construire un temple aux insectes sur les berges du Mississippi, à La Nouvelle-Orléans. Le futur établissement doit être rattaché au complexe Audubon Nature Institute, dans lequel on trouve déjà un zoo et un aquarium. Le projet bénéficie d'un budget important, ce qui facilite le travail du consultant, avide de donner ses idées et ses suggestions. L'entomologiste recommande d'ailleurs aux Louisianais de faire appel à l'expertise québécoise en matière de muséologie, en embauchant la firme Design + Communication, qui a participé à la conceptualisation de l'environnement de l'Insectarium de Montréal. Les retombées positives se feront sentir aussi pour d'autres petites entreprises montréalaises, engagées notamment pour la création des présentoirs. L'entomologiste est heureux de voir des spécialistes québécois déployer leur talent dans cette ville du sud des États-Unis.

Il faudra attendre 17 ans pour voir l'Audubon Butterfly Garden and Insectarium accueillir ses premiers visiteurs, le 13 juin 2008. Il s'agit de la première attraction touristique à ouvrir ses portes à La Nouvelle-Orléans après le passage dévastateur de l'ouragan Katrina (2005), lequel a retardé l'inauguration de l'insectarium. Dans le musée interactif de 23 000 pieds carrés, les visiteurs peuvent visiter un jardin d'Asie envahi par les papillons, découvrir la vie à travers les yeux d'un insecte et déguster des arthropodes. L'institution louisianaise, la plus grande du genre au monde, recevra en 2009 le vote du public américain en tant qu'un des meilleurs musées à visiter en famille.

Québec – Le Naturalium

En 1993, Georges convainc son frère Benoît, propriétaire de plus de 800 mammifères naturalisés, de créer une nouvelle institution à Québec pour les exposer, en compagnie d'arthropodes de sa propre collection. Dans ce Naturalium, les animaux de toutes tailles sont représentés dans leur environnement naturel, dans le but de montrer comment les êtres vivants s'adaptent à leur milieu de vie, au climat et aux autres espèces. Plusieurs visiteurs font honneur au nouveau musée, mais, après 13 mois d'activités, le Naturalium doit malheureusement fermer ses portes, faute des subventions escomptées et d'un achalandage suffisant.

Chine

Depuis 1985, dans le cadre d'un programme de jumelage, Shanghai et Montréal entretiennent des relations étroites qui leur permettent l'échange et le transfert d'informations et de savoir-faire sur des sujets d'intérêts communs. Le Jardin de Chine du Jardin botanique est le fruit de ce programme, et l'idée d'instaurer un insectarium à Shanghai fait son chemin. Au début des années 90, les fondateurs de l'Insectarium de Montréal sont donc sollicités pour collaborer à la mise en place d'une telle institution dans la mégalopole chinoise.

Georges et Stéphane Le Tirant agissent à titre de consultants internationaux. Lors d'un premier voyage, ils restent pendant quelques mois
dans un hôtel miteux, mais avantageusement localisé, juste en face du
zoo de Shanghai, là où le futur insectarium sera installé.

> « Grâce à la diplomatie de Pierre Bourque, les relations entre
> Montréal et plusieurs grandes villes du monde excellaient dans les
> années 90. Lorsque j'ai de nouveau atterri en Chine, en mars 1994,
> je traînais 700 kilos de matériel. J'ai donné à l'Insectarium de Shan-
> ghai, au nom de la Ville de Montréal, 3 000 des plus beaux insectes
> du monde, des spécimens de ma propre collection ! »

L'ouverture de cet insectarium en 1997 est une petite révolution en soi
dans ce monde où les insectes étaient perçus comme des pestes. En effet,
quelques années plus tôt, on pouvait encore lire sur une pancarte à
l'entrée du parc zoologique de Shanghai : « Les ennemis du peuple
chinois sont les capitalistes, les rats et les insectes. »

Ayant participé intimement et passionnément à ce projet, Georges se
verra décerner le *Magnolia blanc* par le maire de la ville de Shanghai le
18 novembre 1997, la plus haute distinction chinoise pouvant être
accordée à un étranger. Pierre Bourque et Lucien Bouchard, alors premier
ministre du Québec, seront présents lors de la remise du prix. Celui-ci
sera aussi souligné par l'Insectarium de Montréal, qui plantera l'arbre
emblématique à l'entrée de l'institution, en hommage à son directeur-
fondateur.

Et les autres…

Dans tous les pays qu'il visite et chaque fois qu'il prend la parole,
Georges invite les gens à se doter d'un temple aux insectes. Ainsi, dès
que sa collaboration est sollicitée, il accepte et participe avec joie à la
fondation de ces institutions dédiées aux arthropodes un peu partout
sur la planète, que ce soit en Australie, en Afrique du Sud, en République dominicaine, au Japon, en Angleterre, en France, en Malaisie…

Plus tard, dans les années 2000, les promoteurs d'insectariums feront régulièrement appel à l'expertise de Georges, devenu l'un des entomologistes les plus réputés du pays.

Lorsque, en juin 2000, le parc de loisirs Micropolis, la cité des insectes ouvre ses portes en Aveyron, en France, un guide est rédigé, dans lequel on consacre deux pages à Georges, à qui l'auteur, Luc Gomel, envoie un exemplaire accompagné de cette note : « Pour Georges Brossard, en souvenir de ses encouragements à créer un insectarium en France. On y est arrivé ! »

Mais Georges n'est pas intéressé que par les insectariums. En février 2000, il reçoit chez lui le directeur du Cirque du Soleil, Gilles Ste-Croix. Celui-ci cherche à explorer la possibilité d'intégrer des expositions d'insectes dans les complexes hôteliers et récréatifs de certaines grandes villes du monde où le cirque se produit en permanence. Le but est de créer un lieu de villégiature original, inspiré par la faune entomologique. Qui de mieux pour cogiter sur ce sujet que le couple Brossard ?

Après cette rencontre, Georges produit, en collaboration avec Suzanne et Stéphane Le Tirant, le premier jet d'un document d'orientation expliquant leur vision d'un tel projet. Ils reprennent leur discours, leurs arguments pour vendre la muséologie qu'ils défendent depuis maintenant près de 20 ans. Ils vont plus loin dans l'analyse, proposent une approche moderne utilisant les dernières technologies intégrées à la science muséale. Ils demeurent convaincus que l'éducation et la récréation sont des missions compatibles et même qu'elles se servent mutuellement.

> « Nous voulions créer une exposition qui vise le cœur avant l'esprit. Pour nous, il était essentiel qu'à la sortie de cette exhibition, les gens sortent grandis, sensibilisés, plus humains et plus respectueux. Rien de moins ! Ce n'était pas un vœu pieux… L'âme a son importance, surtout dans un projet qui implique des investissements considérables et des retombées toutes aussi importantes ! »

Le document est envoyé au directeur du Cirque, en réitérant la promesse de l'entière collaboration de ses auteurs si cette entreprise trouvait preneur et s'avérait réalisable dans un avenir prochain, ce qui, en date d'aujourd'hui, n'a malheureusement pas encore été le cas. Mais les trois entomologistes sont sur une lancée, décident de mettre sur papier les faits et bienfaits d'un insectarium, où qu'il soit dans le monde. En avril 2000, ils produisent un autre guide, visant à promouvoir un insectarium « nouveau genre ». Celui-ci leur servira dorénavant de base lorsque des personnes intéressées à la création d'un musée des insectes feront appel à leur expertise. Stéphane, Suzanne et Georges veulent partager leurs connaissances et leurs idées.

« Nous avions de l'expérience et voulions proposer une approche encore plus divertissante. Par exemple, pourquoi ne pas laisser le jeune visiteur monter sur une libellule géante, coiffé d'un casque 3D qui permettrait de vivre les prouesses extraordinaires du piqué en vol de cet insecte ou d'un autre ? Ou alors, surprendre les visiteurs par le camouflage des insectes, et celui des employés… Il serait aussi intéressant de reconstituer la canopée de la forêt tropicale, dans laquelle une multitude de papillons tropicaux, de phasmes et de fourmis seraient présents et vivants, et dans laquelle le visiteur pourrait se promener ! Et pourquoi pas un antre aux araignées, une pièce sombre peuplée de superbes spécimens vivants et Spiderman au plafond qui donnerait des explications sur les arachnides ? Une pièce qui permettrait de passer de la peur à la fascination ! »

Les idées les plus spectaculaires et inédites sont consignées dans ce document, source d'inspiration pour les prochains insectariums à bâtir et qui permettra peut-être à Georges de convaincre d'autres personnes d'investir dans une éducation entomologique populaire et divertissante.

Les années 2000 permettent à l'entomologiste de participer à plusieurs projets, sa créativité et son enthousiasme étant fort appréciés. En 2007, il accepte d'être le parrain d'honneur de l'Insectarium de Québec. Pour l'occasion, il prononce un discours sur l'entrepreneuriat au Château Frontenac. En 2009, c'est au tour du Cirque du Soleil de faire appel à l'expertise de Georges. Il agit à titre de consultant pour le spectacle OVO, où des acrobates déguisés en scarabées, araignées et criquets tiennent la vedette en brossant un tableau époustouflant du quotidien des insectes.

En février 2010 a lieu la huitième édition de la Traversée de la Gaspésie en ski de fond. Deux cent vingt personnes enthousiasmées par un défi plus grand que nature, sept jours pour traverser 200 kilomètres, des athlètes qui se dépensent dans la blancheur des paysages. Lors des arrêts, ils assistent à des discours portant sur la région d'accueil ou sur les divers champs d'expertise des conférenciers, parmi eux, Georges Brossard. Ce dernier rencontre par la même occasion la fondatrice de l'événement, la femme d'affaires Claudine Roy, et en profite pour lui parler de son sujet de prédilection : « Pourquoi ne pas laisser une trace de cette traversée et faire un insectarium en Gaspésie ? » La suggestion ne tombe pas dans l'oreille d'une sourde ; quelques mois plus tard, le projet deviendra réalité.

BIENTÔT UN INSECTARIUM AU BIOPARC DE BONAVENTURE[40]

[...] Georges Brossard donnera des centaines de spécimens au futur insectarium. « Il y aura 20 espèces vivantes au départ, dont plusieurs scorpions. » Il prévoit que 25 % des spécimens seront indigènes à la Gaspésie et au Québec, dont le [*Papilio brevicauda gaspeensis*], un papillon unique à la Gaspésie.

L'insectarium sera aménagé dans le bâtiment principal du Bioparc. « On ajoute une autre dimension, intérieure celle-là. Quand il pleuvra, au lieu de virer de bord, les gens iront voir les insectes. Quand ils auront fini la visite, il ne pleuvra plus et ils iront voir les animaux dehors », assure M. Brossard.

Le nouvel insectarium ouvrira effectivement ses portes le 16 juin de la même année, un record pour la mise en place d'une telle institution, qui n'était qu'une idée quelques mois plus tôt.

Ainsi, 20 ans après sa fondation, l'Insectarium de Montréal continue de faire des petits… Et l'intérêt pour les arthropodes ne s'est jamais démenti, au grand bonheur de son fondateur.

---

40. Gilles Gagné (collaboration spéciale), *Le Soleil*, 26 février 2010.

La vie post-insectarium
Passion, quand tu nous tiens

Avant que ne se multiplient les consultations pour les institutions étrangères, Georges n'a qu'une envie : repartir à la chasse. Ainsi, moins d'un mois après l'inauguration de l'Insectarium de Montréal, l'entomologiste part à la découverte de nouveaux horizons et de nouveaux insectes… Il doit se refaire une collection !

Costa Rica
Les chauves-souris

En mars 1990, Georges se rend au Costa Rica avec Pierre Bourque afin de trouver puis ramener des chauves-souris qui seront présentées dans une nouvelle institution montréalaise, le Biodôme, dont l'inauguration est prévue pour 1992. En plus des chiroptères, Georges fait quelques captures intéressantes qui lui permettront de renflouer ses coffres : des *Caligo* (qu'on appelle aussi « papillons-hiboux » à cause de leurs énormes ocelles[41], qui ressemblent à s'y méprendre à des yeux de hibou, photo p. 311), des *Greta cubana* (papillon diurne aux ailes transparentes) et plusieurs morphos. Il ramène aussi des sauterelles-feuilles, un orthoptère de la famille des *Pseudophyllinae* qui donne l'impression de porter une feuille sur son dos et des *Pepsis*, la plus grande guêpe du monde, pouvant atteindre une taille de 15 centimètres.

Les chauves-souris capturées dans les grottes du Costa Rica ne seront pas la seule contribution de Georges au Biodôme de Montréal…

---

41. Taches rondes qui ressemblent à des yeux et qu'on trouve sur les ailes de certains insectes, dont les papillons.

« Un peu avant l'ouverture officielle, j'ai reçu l'appel de Pierre Bourque, découragé d'avoir perdu son raton laveur, digne représentant de l'écosystème du golfe Saint-Laurent. Pour aider notre ami, Suzanne et moi avons laissé des restants de poisson dans la serre à l'arrière de la maison. Un raton n'a pas pu résister… et a vite élu domicile au Biodôme, au grand bonheur des visiteurs de l'institution. »

À son retour du Costa Rica, fin mars 1990, Georges passe quelques mois au Québec pour profiter de la chaleur. C'est quand même la saison des insectes qui débute, et les arthropodes québécois manquent aussi à sa collection… Ainsi, plusieurs monarques, papillons du céleri (*Papilio polyxenes asterius Stoll*) et papillons tigrés (*Pterourus glaucus canadensis*) se font prendre dans les filets du fondateur de l'Insectarium. Libellules, cigales et éphémères sont aussi pris au piège pour venir enrichir sa collection.

Avant que l'année ne se termine, l'entomologiste visitera aussi le Japon, la Corée, la Thaïlande, la Malaisie et Singapour, pour en rapporter des *Papilio memnon* (le premier papillon capturé sur la plage 10 ans plus tôt et le plus précieux à ses yeux, photo p. 308), des *Actias maenas* (papillon jaune aux ailes effilées qui symbolise pour Georges la beauté, photo p. 311) et plusieurs autres papillons colorés, coléoptères et blattes qui trouveront refuge dans le sous-sol du grand collectionneur, qui ne peut faire autrement que de poursuivre sa quête et cumuler les spécimens.

Venezuela
Le bouc

En février 1991, Georges part avec Pierre pour le Venezuela, en Amérique latine. Les deux compagnons de voyage ne suivent évidemment pas la masse de touristes venus pour les forfaits tout compris, mais vont à l'aventure dans les Andes. Ils se rendent d'abord à Maracay, ville universitaire où Georges connaît des amis entomologistes, qui les reçoivent à bras ouverts.

Le voyage est agréable et les découvertes, nombreuses, dans un paysage d'une beauté à couper le souffle. Dans la forêt tropicale, Georges capture plusieurs morphos et d'autres papillons multicolores, ainsi que deux phasmes (insectes-branches) qui copulaient en toute quiétude sous un caillou et des sphinx géants (papillon nocturne au corps large et imposant). Dans son carnet de voyage, Pierre écrit un court paragraphe sur une petite péripétie dont il a la chance d'être témoin :

> *Georges, qui veut poursuivre ses recherches entomologiques, traverse une clôture à la recherche de bousiers dans les excréments de vaches et de brebis. Un gros bouc solitaire ne blaire pas mon ami et fonce à tête baissée sur son postérieur découvert ; la scène est pittoresque et un groupe d'enfants et d'adultes la suivent avec ravissement. Le bouc récidive et fonce avec un élan et une férocité redoublés. Georges sent le danger et se met à courir délaissant ses coléoptères. Le deuxième coup porte en plein sur la jambe et Georges s'accroche à l'animal jusqu'à l'arrivée du propriétaire, qui entraîne le bouc à l'écart. Georges s'en tirera avec une jambe en guenille et une douleur intense pour les deux prochains jours ; il ajoutera cet épisode à la liste infinie de ses étranges aventures en pays exotiques*[42].

Avant leur départ, Anibal, l'entomologiste qui les a si bien accueillis, remet à Georges une fabuleuse collection de lépidoptères et de coléoptères, dont deux spécimens d'insectes aquatiques (des scarabées d'eau) récoltés sur les fameux *tepuis* du Venezuela, ces plateaux surélevés à 2 000 mètres d'altitude et aux contours abrupts dont les écosystèmes, isolés depuis des millions d'années, ont évolué de manière différente du reste de la forêt en contrebas.

La France
Les « Montréal »

En mars 1991, toujours accompagné de Pierre, Georges sillonne cette fois les routes de France afin de visiter les six villes qui portent le nom de Montréal. L'objectif est de rapporter des arbres de chacune d'elles pour créer la Forêt des Montréal de France, dans le cadre du 350e

---

42. Venezuela, carnet de bord de Pierre Bourque.

anniversaire de la métropole, qui sera célébré en 1992. Les deux hommes ont droit à un accueil chaleureux et profitent, comme il se doit, de la bonne chère et du bon vin.

Ils visitent d'abord Montréal dans l'Yonne, puis Montréal-la-Cluse, qui seront représentées au Jardin botanique par des bouleaux verruqueux, des érables champêtres, des frênes communs, des aulnes blancs et quelques résineux. Ils partent ensuite en direction de Montréal en Ardèche, l'un des départements les plus forestiers de France. Une erreur de signalisation leur occasionne un certain retard, mais leur permet de découvrir le paysage escarpé de cette région dans laquelle ils goûteront aux meilleures châtaignes de France. Le prochain arrêt est à Montréal-les-Sources, où Georges et Pierre passent la soirée avec le conseiller municipal et le directeur de l'Office du tourisme, à parler des arbres et de la dépendance des hommes à ces derniers, dans un restaurant où le vin, les olives et la dorade agrémentent un copieux souper. Puis vient Montréal dans l'Aude, dans le sud de la France, où ils sont reçus par un jeune maire au discours élaboré et à l'accent chantant. Ils font un dernier arrêt à Montréal dans le Gers, dans le sud-ouest de la France, où ils rejoignent entre autres Alain Stanké, l'initiateur de ce projet.

Sur les routes pittoresques de France, les deux hommes s'interrogent sur leurs ambitions respectives. Georges rêve depuis longtemps de devenir ministre de l'Environnement. Quant à Pierre, il aimerait bien devenir un jour maire de la ville de Montréal… un souhait concrétisé quelques années plus tard, le 6 novembre 1994.

République dominicaine
Stratégie de *Strategus*

En décembre 1991, Georges se retrouve en République dominicaine, pour fuir l'hiver tout en donnant libre cours à sa passion. En chassant les *Strategus oblongus*, un coléoptère appartenant à la famille des scarabées et à la sous-famille des dynastinés, l'entomologiste apprend que la population locale appelle cet insecte « abeillon de coco » et le considère comme un parasite, puisqu'il s'attaque au cocotier et le fait mourir.

Georges Brossard, l'avocat des insectes, décide de faire des recherches. Ce faisant, il découvre dans des cocotiers décomposés, les larves de ces insectes saprophages qui se nourrissent à même l'arbre pourri. Dans la plantation où il investigue, il remarque cependant quelque chose d'important :

> Tous les cocotiers matures étaient sains, avec un ramage parfait, idéalement vert. Les jeunes cocotiers, par contre, avaient un aspect minable et un ramage plutôt jaune[43].

Ainsi, il comprend que les *Strategus* s'alimentent directement du précieux arbre tant qu'il est jeune, mais que, arrivé à une certaine maturité, le cocotier devient non comestible pour l'insecte. En les protégeant par des filets, les cocotiers pourront pousser pour atteindre une hauteur respectable, sans crainte de devenir le repas des coléoptères gourmands.

Par cette découverte, Georges démontre qu'il n'est pas qu'un collectionneur obsédé, il est aussi un entomologiste dont les recherches peuvent contribuer à la société.

Côte d'Ivoire
Les bousiers

En février 1992, les autorités municipales d'Abidjan, capitale économique de la Côte d'Ivoire, sollicitent l'aide de Georges et de Pierre pour fonder un insectarium. Forts de leur expérience et désireux de collaborer au projet, les deux amis partent pour l'Afrique de l'Ouest, s'y rendant aussi pour le plaisir de découvrir et de voyager. Georges espère évidemment recueillir des spécimens qui pourront être présentés dans la future institution ivoirienne, ou ailleurs. Notre entomologiste prépare son voyage avec minutie, il sait que cette collaboration est importante.

Les deux hommes arrivent à destination après un vol pénible de 23 heures, premier désagrément de ce périple qui tourne rapidement au cauchemar pour Georges...

---

43. Georges Brossard, « Stratégie de *Strategus* », *Quatre-temps*, vol. 16, n° 1, printemps 1992, p. 19.

« J'étais crevé et d'une humeur massacrante, dégoulinant de sueur et pressé d'arriver à l'hôtel. Il faisait excessivement chaud et le taux d'humidité atteignait des records, alors que le jour se levait à peine ! Nous avons attendu le représentant de la Ville, qui devait être là pour nous accueillir, en vain. En plus, l'hôtel où nous devions aller était complet… Pierre, toujours plus optimiste que moi, voyait les choses d'un autre œil, encouragé par l'offre d'hébergement qu'un Libanais lui avait faite dans l'avion quelques minutes avant l'atterrissage. Nous étions bien mal placés pour refuser !

Après un trajet interminable en voiture, pendant lequel Pierre sommeillait et, moi, je suffoquais en pleurant, nous sommes arrivés chez notre hôte libanais. Là, j'ai fini par m'endormir après quelques heures à regarder le plafond, entouré de blattoptères et de diptères, pour me réveiller le lundi matin à 5 heures, décalé, malade, piqué à la grandeur et affamé ! »

Les Québécois veulent profiter de ce voyage pour explorer le pays, sa flore et ses insectes. Ils doivent néanmoins passer les premiers jours dans la ville d'Abidjan, où ils rencontrent le chef de l'état-major ivoirien, le préfet d'Abidjan, le maire, l'ambassadeur du Liban et d'autres personnalités. En leur présence, Pierre revêt son costume et sa cravate, alors que Georges ne daigne même pas se changer ; ils le prendront comme il est, un peu débraillé et indéniablement échevelé…

Emballé par le projet d'insectarium, le maire d'Abidjan désire avoir la recommandation des deux Québécois sur l'emplacement à privilégier. Ils ont donc droit à une longue tournée de la ville pour visiter les sites potentiels. De son côté, Georges est impatient d'en finir pour pouvoir enfin chasser. Seule consolation, ils s'arrêtent en chemin au zoo d'Abidjan, où abondent les excréments d'éléphants et de buffles, nourriture de prédilection des bousiers… Voilà qui fera patienter l'entomologiste, avide d'élargir son horizon et de quitter la ville pour explorer les biotopes ivoiriens.

Grâce à la générosité de leur hôte libanais, qui leur prête voiture et chauffeur, ils partent finalement à l'aventure, en quête de paysages plus exotiques. Ils roulent pendant plus de 300 kilomètres pour se rendre jusqu'à Bouaké, deuxième ville la plus peuplée du pays, située en plein cœur de la Côte d'Ivoire. Là, à des milliers de kilomètres de leur terre d'origine, ils rencontrent l'entomologiste canadien Christian Back (fils de Frédéric Back, réalisateur de *L'Homme qui plantait des arbres*). Christian est chef de mission pour l'Organisation mondiale de la santé et s'intéresse aux simulies, petits moucherons que les gens du coin appellent *moutmout* et qui sont vecteurs de l'onchocercose, une maladie grave pouvant mener à la cécité. Heureusement, le programme de lutte contre l'onchocercose a permis d'en limiter l'incidence de sorte que le fléau régresse dans tous les pays de l'Afrique de l'Ouest.

Alors que Pierre discute d'entomologie, d'agronomie et de foresterie avec leur hôte, Georges les abandonne pour enfin aller chasser...

«J'avais beau regarder dans tous les recoins de cette forêt, les insectes étaient peu présents. Dans l'espoir insensé d'attirer au moins un quelconque insecte coprophage, je me suis installé à califourchon et me suis soulagé sur un tapis soyeux et confortable d'herbes; l'odeur devait agir tel un appât... Aucun bousier n'est apparu dans le décor, mais, tout de même, une punaise de la grosseur d'un pois chiche, que j'ai vite attrapée... Voulant ranger la bête dans mon sac, je me suis coupé le doigt sur mon pot de cyanure brisé. Résultat: j'ai échappé ma précieuse punaise et, pris d'un étourdissement, j'ai mis les deux pieds directement dans mon piège à bousier, me blessant la cheville par-dessus le marché!»

La noirceur arrive, il est temps de sortir du bois et d'abandonner cette chasse désastreuse. Georges traîne péniblement de la patte, lorsqu'un guide forestier qui semble sorti de nulle part arrive pour lui prodiguer quelques conseils. Ainsi, il lui apprend que les insectes du coin ne se tiennent pas au sol, mais seulement à partir de deux mètres de hauteur, se mettant ainsi hors de portée de leurs prédateurs (reptiles et amphibiens). Évidemment, Georges, exténué, aurait aimé qu'on l'en informe plus tôt... Il est tard, il a déjà traversé la forêt. Meilleure chance la prochaine fois donc, et il faudra regarder dans les airs plutôt qu'à terre!

Quelques jours plus tard, le 20 février 1992, Pierre et Georges reprennent la route. Ils traversent Man, surnommée «la ville aux 18 montagnes», et se rendent plus au nord jusqu'au village de Gouessesso, où ils sont attendus à l'Hôtel Les lianes, petit paradis perdu dans la brousse. Pendant que Georges part à la recherche d'insectes, Pierre fait la rencontre de sœurs missionnaires canadiennes. La chasse n'est toujours pas fructueuse, mais les religieuses promettent aux deux Québécois de leur envoyer des goliaths. Ces coléoptères géants, qui peuvent atteindre une taille de 10 centimètres et peser jusqu'à 100 grammes, pullulent lors de la saison des pluies, mais brillent par leur absence à cette période-ci…

De retour à Abidjan, lors de la dernière rencontre avec les autorités municipales, on convient ensemble d'un partage des responsabilités : la Ville africaine s'occupera de l'aménagement du site et de la construction de l'insectarium, alors que Montréal assurera le suivi muséologique et fournira les insectes, qui proviendront de la collection de Georges.

L'entomologiste et l'horticulteur

L'aventure de l'Insectarium de Montréal aura permis à Georges de faire la rencontre de Pierre Bourque, devenu un associé et un ami précieux. En plus des quelques mémorables voyages que les deux hommes font ensemble, ils s'accueillent mutuellement dans leur résidence respective, à quelques reprises. L'ancien maire de Montréal se souvient avec amusement de plusieurs épisodes cocasses vécus ensemble :

« Au cours de l'été 1992, voyant mes outils qui traînaient sur mon terrain, à Saint-Sulpice, Georges avait gentiment offert de me construire une cabane à jardin. En une seule journée, il avait, avec l'aide de deux autres hommes, construit un beau cabanon en bois dans lequel j'allais pouvoir serrer mes râteaux. Or, quelques jours plus tard, je recevais chez moi mes amis et collègues du Jardin botanique, pour célébrer la Saint-Jean-Baptiste.

« Georges est arrivé en grande pompe, débarquant de son hydravion pour rejoindre les autres invités. Lorsque je l'ai avisé que, selon la municipalité, la cabane qu'il avait construite était illégale parce qu'elle était trop haute de 50 centimètres, il a enlevé le toit et saisi la scie à chaîne… pour faire le tour de la bâtisse et enlever l'équivalent de la partie litigieuse, devant le regard surpris des autres convives ! »

Georges est espiègle, aime jouer des tours, comme lorsqu'il était plus petit... Ainsi, quand Pierre le visite à son tour pendant les vacances estivales, à la pourvoirie des Brossard, une surprise l'attend. L'invité d'honneur a droit à la maison flottante, un bateau original et charmant attaché au quai et qui permet de dormir sur l'eau, dans une nature sauvage. Le premier soir, Pierre s'endort ainsi, au son du clapotis. Le lendemain, il se réveille en plein milieu du lac! Il se souviendra toujours de l'amusement de son hôte : « Je voyais Georges, au loin, qui riait aux larmes... C'est lui qui avait coupé les amarres pendant la nuit ! »

Malgré ces plaisanteries mémorables, Pierre a pour son ami une admiration sincère : « Sa profondeur, ses connaissances et ses valeurs en font une personne unique qui a fait beaucoup pour ses pairs. »

Afrique du Sud
Les grandes ambitions

Malgré les responsabilités qu'il a à la maison et l'envie de rester avec ses garçons, l'appel du voyage et le désir de liberté sont souvent plus forts. Après l'Amérique du Sud, l'Asie et la Côte d'Ivoire avec Pierre, Georges part seul pour l'Afrique du Sud en 1993. Il espère y faire une chasse extraordinaire et y retrouver Ferdi, un riche homme d'affaires africain, qu'il a reçu avec faste chez lui quelques mois plus tôt.

« Lorsque je voyageais en avion, j'aimais le faire très confortablement. J'avais donc réservé quatre sièges consécutifs dans la section fumeurs [nous sommes en 1993 !], avec quatre oreillers et autant de couvertures, pour ce vol vers des espaces plus chauds et exaltants. Je rêvais des carabes, cétoines, longicornes, coléoptères et lépidoptères qui m'attendaient... »

Quelque 8 650 kilomètres et plusieurs heures de vol plus tard, lorsque l'atterrissage s'amorce, Georges exulte. Prêt et motivé, il a dans ses bagages tout ce qu'il faut pour chasser jour et nuit, et il espère faire des récoltes fructueuses en plein cœur de la savane africaine...

Il erre dans l'aéroport de Johannesburg avec ses grosses valises lorsque la fille de son ami, Mari, vient le chercher pour le conduire à son oasis africaine. C'est à ce moment précis que le périple dont Georges avait tant rêvé commence à tourner au vinaigre…

« Alors que je m'attendais à être reçu par un Afrikaner[44] million-naire dans une luxueuse ferme de plusieurs hectares en plein cœur de la savane, peuplée par une multitude d'animaux sauvages et infestée d'insectes de toutes sortes, j'apprends que mon ami est maintenant un ex-millionnaire, et que c'est son ex-femme qui m'accueillera ! J'avais le voyage dans le corps, et les mauvaises nouvelles s'accumulaient… En route vers mon gîte, la campagne étouffait sous un soleil de plomb, la végétation était rare, les insectes semblaient être absents. Y allait-il avoir matière à chasser ? »

Arrivé à destination, comble de malheur, George découvre que Ria, l'ex-femme de Ferdi, s'apprête à déménager et qu'il n'y a plus de lit dans la chambre qui lui est destinée. Il dormira sous une simple couverture d'une propreté douteuse, tapissée de poils de chien. À son réveil, Ferdi arrive enfin et lui propose de louer une fermette où il pourra trouver des insectes à profusion. L'endroit est cependant à une bonne distance et Georges devra y séjourner complètement seul – et apporter avec lui toute la nourriture dont il aura besoin pour les 15 prochains jours. Ria prend le volant, accompagné de Mari, pour conduire l'entomologiste québécois au « domaine ».

« Nous avons roulé quelques heures dans un camion rouillé sans air climatisé, une véritable antiquité sur quatre roues qui ballottait sur un chemin des plus cahoteux. J'ai dû m'endormir, ou m'éva-nouir, avant d'être réveillé par Mari : "*Here is the farm*[45]." Merveil-leux, enfin ! J'ai ouvert les yeux, mais je ne voyais rien. J'avais beau scruter l'horizon, je ne voyais qu'un cabanon au loin, sur le sommet

---

44. Afrikaner : Citoyen blanc d'Afrique du Sud, d'ascendance néerlandaise.

45. Voici la ferme.

d'un coteau. Un cabanon blanc, sale, croche et abandonné. Ça ne pouvait pas être la fermette... »

Laissé à lui-même, Georges s'installe dans la baraque, s'empare du balai et fait du ménage dans cet endroit qui en a bien besoin. Après quelques heures, il peut enfin s'asseoir et relaxer, l'Afrique est tout entière à lui. Quand même, quel environnement de rêve ! Il peut contempler bien à l'aise le paysage qui s'offre à lui, découvrir les richesses de la savane illuminée par le soleil couchant. Un spectacle grandiose, agrémenté par la découverte d'une table bancale traînant sous le seul arbre du domaine, et qui pourra lui servir de plan de travail pour manipuler bien à l'aise les insectes qu'il ira collecter.

Les heures qui suivent sont fébriles en préparatifs de toute sorte. La table extérieure devient un véritable laboratoire où sont déposés cyanure, acétate, bouteilles, contenants, pièges et vivariums. Georges installe une première lumière extérieure derrière le cabanon, creuse une fosse pour piéger les coléoptères nocturnes et suspend aux branches de l'arbre des nasses à phéromones[46]. Il songe rêveusement à ses premières collectes.

« Il faisait 40 degrés, jusqu'à ce que le soleil baisse à l'horizon. C'était enfin l'heure de la chasse ! J'avais de grandes ambitions, je n'avais pas lésiné sur les moyens et mes bagages étaient remplis de contenants, de poisons, de filets sophistiqués et de guet-apens... Après l'installation de mes équipements, il suffisait d'attendre pour entamer la récolte des arthropodes africains. Mais, tout à coup, ça s'est mis à sentir le brûlé ! Je me suis précipité derrière le cabanon, là où j'avais installé mon piège lumineux... Quelle horreur ! Il était en feu, et les flammes s'approchaient dangereusement de mon abri. J'ai débranché le piège et l'ai aspergé d'eau, ce qui a fait éclater le globe et rendu le tout complètement inutilisable... Après l'avoir transporté du Canada avec moult égards, voilà que je perdais cet outil pourtant si précieux dès les premières minutes de son utilisation. J'étais enragé. »

---

46. Piège qui utilise les odeurs pour attirer les proies.

Après avoir éteint le feu, Georges aperçoit un magnifique mille-pattes qui lui fait oublier tous ses malheurs. Il saisit le millipède qui, pour se défendre, lui défèque dans les mains, un liquide brun qui brûle la peau. Les Zoulous appellent ce type de mille-pattes un *shan ga la la*, un mot que Georges traduit par « je chie un produit toxique ». Mais rira bien qui rira le dernier…

« J'ai déposé l'animal dans mon pot de cyanure. Ainsi, œil pour œil, dent pour dent, il allait goûter, lui aussi, à la toxicité ! »

Puis Georges va enfin se coucher… pour se faire réveiller aux aurores par une faune aviaire aux couacs assourdissants. Qu'à cela ne tienne, Georges engouffre six œufs et six toasts, autant de cafés, il est fin prêt pour cette nouvelle journée.

En explorant à fond la brousse derrière la ferme, il découvre bientôt ce qui représente pour lui le pactole : un cours d'eau. Les berges sont en effet l'endroit idéal pour trouver quelques arthropodes, mais aussi d'autres bêtes de plus grand gabarit. Ainsi, en tombant face à face avec une girafe, Georges réalise soudain sa vulnérabilité.

« Cette terre, pourtant si aride, abritait des animaux vraiment impressionnants ! Le danger était omniprésent. Serpents, rhinocéros, hippopotames, léopards et lions pouvaient bondir à tout moment. Mon arme à moi, mon éternel filet, me semblait tout à coup assez futile et dérisoire… »

Il longe la rivière pendant un certain temps puis l'abandonne, déçu par ses maigres récoltes. Après quelques heures d'une marche aux aguets, Georges repère des cases de terre battue, au milieu de la brousse. Quelques indigènes viennent bientôt à sa rencontre…

« J'ai abordé ces hommes et ces femmes plus noirs que le charbon avec mon salut traditionnel, mais ils étaient très méfiants. J'ai essayé de leur parler en anglais, mais ils grimaçaient. Le français les a fait éclater de rire. J'ai essayé l'espagnol sans trop d'espoir pendant qu'ils reculaient davantage. Je leur ai ensuite adressé la parole en italien et, oh! surprise, cette langue semblait les apaiser, leur inspirer confiance! Par signes et sons, j'ai essayé de leur expliquer ce que je faisais dans leur coin de pays. Comme ils étaient intrigués par mon filet de chasse, j'ai fait une petite démonstration sur les libellules qui s'aventuraient à voler au-dessus de leurs têtes. La capture des odonates a suscité l'admiration. Ils découvraient que j'étais un chasseur... un chasseur d'insectes! »

Georges apprend que ce hameau réunit trois familles, sous l'autorité d'un chef. En les quittant, l'entomologiste leur laisse des contenants dans lesquels ils pourront ramasser quelques spécimens. On ne sait jamais, les indigènes deviennent parfois de bons fournisseurs d'insectes.

Quelques jours plus tard, Georges part en expédition à plusieurs kilomètres du cabanon, grâce à un camionneur croisé sur le seul chemin poussiéreux des environs, qui le dépose à proximité d'une vieille ferme, où il pourra se ravitailler après sa chasse.

« Sur place, j'ai décidé d'escalader un plateau. À son sommet, aucun sentier, mais un océan d'herbes. Je me suis presque perdu dans cette savane qui n'en finissait plus. En marchant, j'effrayais d'énormes sauterelles rouges, qui se sont avérées extrêmement difficiles à attraper! Mais je voulais absolument en rapporter quelques spécimens; je courais en tous sens pour attraper les précieux orthoptères avec mon filet. Mes efforts ont été récompensés, mais à quel prix! J'étais ruisselant de sueur, les épaules égratignées par les herbes hautes, parfois jusqu'au sang... Puis j'ai ressenti une violente démangeaison dans mes pantalons. Je les ai baissés, et horreur! Une énorme tique s'était creusé un trou dans ma cuisse, un peu trop haut à mon goût. Tant pis pour elle, elle avait mal choisi sa cible, je l'ai attrapée et déposée dans mon contenant. Elle allait me rappeler mon périple en Afrique! »

Continuant sa route, Georges découvre des matières fécales toutes fraîches dans lesquelles de jolis bousiers roses et verts s'affairent. « Quel butin ! J'en ai ramassé en quantité, les bousiers étant matière primée par certains collectionneurs ! » Il revient ensuite à l'endroit où le camionneur l'avait déposé, exténué. La propriétaire de la ferme, voyant son état, offre au drôle de voyageur un verre d'eau, qu'il refuse…

« La vieille Africaine me regardait comme si j'étais un vrai fou ! Mais ça fait partie de mes principes, je ne bois jamais d'eau dans mes expéditions. Ainsi, je peux me promener pendant des heures sans être incommodé par des besoins naturels comme boire et manger ! »

Pour Georges, le retour est un moment de grand bonheur, lorsqu'il se retrouve seul et en silence dans un paysage plus grand que nature, entouré des arthropodes qu'il a capturés.

Les jours suivants, la quête continue, mais elle n'est pas satisfaisante. Toujours les mêmes espèces qui se répètent… Il ne pleut pas, aucune éclosion ne peut avoir lieu, et rien ne vole. Georges est piqué, mangé, affamé et maigre, brûlé, presque noir. Alors qu'il commence à désespérer, les indigènes rencontrés plus tôt se mettent à lui apporter les spécimens qu'ils trouvent. Georges se lie peu à peu d'amitié avec eux, les Africains acceptent peu à peu la présence de ce « petit monsieur blanc bizarre qui passe son temps à chasser des *shan ga la la* ». Il est source de curiosité.

« Tous les jours à 19 heures, je faisais du bureau comme dans le temps où j'étais notaire ! Assis devant ma table, je recevais mes nouveaux compagnons, qui étaient heureux de me présenter leurs trouvailles. Je triais, classais et répertoriais. Ce voyage mal commencé allait donc se terminer en beauté ! Quoique mes amis n'avaient pas tous compris ce que je cherchais ; certains m'apportaient des lézards, des chauves-souris, des couleuvres, des crapauds, des oiseaux… Pour les remercier, je leur offrais des petits cadeaux, des vêtements, dont ces apprentis chasseurs raffolaient. »

Certaines personnes viennent aussi voir l'étranger pour se faire soigner, comme c'est arrivé à quelques reprises au cours de voyages précédents. Georges joue au docteur avec sa trousse de secours. Les écorchures, éraflures et plaies saturées de pus sont traitées aux antiseptiques, qui font des miracles pour ces gens habituellement dénués d'assistance médicale.

Alors que ses provisions fondent à vue d'œil, Georges décide de se rendre au village le plus près, où il n'y a évidemment aucun commerce, mais peut-être des habitants prêts à partager ou à vendre de quoi se mettre sous la dent.

« J'hésitais à pénétrer cette petite agglomération de huttes en terre battue, parce que je ne connaissais pas les gens et je ne voulais pas les choquer. Je suis finalement allé de l'avant. Mal m'en prit, un homme s'est précipité sur moi en m'agrippant et en me hurlant, comme un possédé, de faire demi-tour – c'est du moins ce que je comprenais !

« Pour défier celui qui m'agressait ainsi, je me suis assis à terre, au beau milieu du sentier, en le regardant droit dans les yeux. Il ne savait plus trop quoi faire, se demandait qui était cet intrus bizarre qui lui tenait tête. Lorsqu'il est parti, je me suis allumé une cigarette, toujours assis en plein milieu du hameau africain. Mais mon agresseur est rapidement revenu, cette fois accompagné de deux de ses compatriotes… Ne sachant trop quoi faire, j'ai sorti de mon sac ma seringue remplie d'alcool, que j'ai vidée devant eux… Ça a marché, ils étaient impressionnés et me prenaient maintenant pour un sorcier ! Et moi, j'ai compris que cet homme m'en voulait autant parce qu'il était le guérisseur du hameau que j'avais privé de ses honoraires en soignant gratuitement ses compatriotes… »

Georges avait rêvé d'un voyage exotique et reposant dans la savane africaine, ponctué de chasses toutes plus inoubliables les unes que les autres. Le voyage a été inoubliable… autrement. Il rapporte tout de même dans ses valises un nombre considérable de spécimens, dont les sauterelles rouges (*Dictyophorus spumans*) et les bousiers rose et vert… collecte respectable étant donné la chaleur et le climat sec.

L'entomologiste se promet alors de revenir plus tard dans ce pays, alors que la température extérieure permettra des récoltes plus prolifiques, ce qu'il fera une première fois la même année, en novembre, au début de la saison des pluies.

> « C'est lors de ce voyage que j'ai fait la connaissance d'Irban, propriétaire d'une pourvoirie dans le Transvaal. Il avait eu pitié de moi alors que je marchais, en plein midi, sur une route poussiéreuse d'Afrique, m'avait fait monter dans son camion. Nous nous sommes liés d'amitié, et c'est grâce à lui que j'allais, cinq ans plus tard, réaliser la collecte la plus fabuleuse de ma vie ! »

En effet, en janvier 1998, Georges retourne en Afrique du Sud pour célébrer le mariage de son ami Irban. Ces noces tombent parfaitement bien pour Georges, puisqu'elles coïncident avec la saison des pluies africaine et qu'elles ont lieu à la pourvoirie Emaweni Game Lodge, propriété du futur marié. Pendant que plusieurs s'affairent à préparer les célébrations nuptiales, l'entomologiste a d'autres occupations en tête, ayant la ferme intention de profiter de l'endroit pour dénicher des insectes qui viendront enrichir sa collection. Bientôt, Georges transforme le bungalow dans lequel il réside en véritable usine.

> « Il y avait une quarantaine d'employés qui travaillaient à la pourvoirie. En me voyant rapporter des insectes, dès le premier jour, quelques-uns ont eu l'idée de m'apporter des spécimens qu'ils trouvaient. Ces Africains venaient cogner à ma porte au petit matin, avant leur quart de travail, pour déposer les insectes trouvés la veille. Et moi, évidemment, je les payais. Par la suite, presque tous les hommes se sont mis à m'en apporter, principalement des bousiers. Les employés ont aussi mis leurs enfants et leurs femmes à contribution et m'apportaient de beaux coléoptères tels que des cétoines et des buprestes. »

Georges passe des heures à laver, trier, puis congeler les milliers de spécimens de diverses espèces, qu'il pourra étudier à volonté. Il pourra également partager avec tous les jeunes collectionneurs québécois ces trouvailles en pays éloignés.

Pour l'ancien notaire, qui a posé les pieds en terre étrangère pour une première fois alors qu'il était âgé de 38 ans, les voyages sont devenus essentiels. Ils sont sources de découvertes, de grands bonheurs, d'apprentissages et d'accomplissements. Les pays d'Asie du Sud-Est et d'Amérique latine sont ses destinations privilégiées, auxquelles il ajoute la France en 1994, l'Espagne en 1996 et la Chine en 1997. Chaque année, l'entomologiste fait entre cinq et dix voyages, desquels il rapporte des arthropodes par centaines, parfois même par milliers. En moins de 20 ans, le grand voyageur aura fait le tour du monde plusieurs fois et visité plus d'une centaine de pays. Il n'a nulle envie d'arrêter, mais d'autres projets se présentent aussi à l'aventurier passionné…

Pour l'ardent défenseur des bestioles, la télévision est un moyen qui lui permet de transmettre sa flamme à un nombre grandissant de personnes. Les apparitions télévisuelles du coloré personnage passent rarement inaperçues, et font vite de lui le plus renommé et le plus populaire entomologiste au Québec.

Ses prestations au petit écran ont commencé au début des années 80, alors que Stéphane Le Tirant faisait partie d'une organisation scientifique (la SOSA – Société organisatrice Sciences et activités) qui diffusait quelques émissions sur le canal communautaire. Lors d'un épisode sur l'entomologie, présenté vers 1984, Stéphane invite son ami Georges. Fidèle à lui-même, celui-ci accepte l'offre et livre une prestation époustouflante, suscitant beaucoup d'intérêt et de curiosité. Après ce passage remarqué, les responsables de la chaîne approchent Georges et lui demandent d'élaborer un projet télévisuel visant à partager son savoir. L'entomologiste est enchanté, voilà un beau défi qu'il accepte avec plaisir. Ainsi, il développe, scénarise et anime une série télévisée de 20 épisodes, intitulée *Mémoires d'insectes* en 1985. Il répète le même message au début de chaque épisode…

« Il était une fois un vaste royaume appelé Terre dont les innombrables sujets étaient fort différents les uns des autres. Du plus petit au plus grand, du plus insignifiant au plus majestueux, du plus faible au plus puissant, tous se côtoyaient, se pourchassaient impitoyablement et acceptaient de se plier aux lois édictées en des temps immémoriaux. »

Dans cette série documentaire, Georges utilise ses talents de communicateur pour vulgariser ses connaissances entomologiques, espérant que plein de gens pourront bénéficier de ce partage d'information. Sa personnalité se décline de multiples façons à l'écran. Excentrique lorsqu'il introduit l'épisode (vêtu d'un long manteau de fourrure et du chapeau assorti, les deux pieds dans la neige devant sa demeure de Saint-Bruno), il se transforme en scientifique pour expliquer chaque sujet un peu plus en profondeur (le tout filmé dans le sous-sol de sa résidence). Par exemple, un des premiers épisodes porte sur l'apport économique de ces animaux mal aimés. Il reprend son discours sur les pollinisateurs, les producteurs, les laboureurs… On y apprend que les abeilles mellifères représentent près de 300 milliards de dollars dans l'économie américaine, et que leur rendement annuel (250 millions de livres ou 113 millions de kilogrammes) ne suffit pas à combler les besoins, de l'ordre de 300 millions de livres (136 millions de kilogrammes). Dans un autre épisode, Georges reçoit son ami Stéphane, qui parle avec passion des scarabées, sa spécialité.

La série fourmille d'informations détaillées, destinées à un public qui cherche plus à être instruit que diverti. L'expérience télévisuelle lui plaît, ce ne sera pas la dernière…

Dans les années 90, à la suite de l'ouverture de l'Insectarium de Montréal, les reportages mettant en vedette Georges ou l'institution qu'il a fondée sont relativement fréquents au petit écran. En janvier 1992, il part vers la forêt amazonienne du Venezuela accompagné de son ami Charles Domingue, jeune réalisateur et caméraman. Celui-ci veut montrer l'excentrique chasseur à l'œuvre. Ensemble, ils vont au fin fond de la jungle, et Georges s'adresse à la caméra, répétant inlassablement son message sur l'importance des insectes. Il faut le voir décrire sa joie lorsqu'il arrive enfin à attraper un morpho bleu de l'espèce *Morpho peleides*, beaucoup plus difficile à attraper que ses semblables !

> « La face ventrale des ailes de ce papillon est très sombre et se confond avec le paysage, de sorte qu'il est très difficile de le voir au repos. Mais à chaque battement d'ailes, on peut apercevoir une lueur bleue… Il faut donc observer et être patient ! »

Toujours en Amazonie avec Charles, Georges use de mille et une ruses pour trouver plus d'insectes, mettant à profit l'ingéniosité que son père lui a léguée pour construire des pièges efficaces avec des moyens rustiques. Par exemple, des fruits macérés dans l'alcool attirent les papillons. En outre, le jus obtenu par macération est aspergé sur les feuilles des buissons, qui deviennent de véritables appâts pour les insectes des alentours. De simples boîtes de conserve permettent d'attraper les scarabées. Georges jubile chaque fois qu'il trouve un nouveau petit joyau. Il adore partir ainsi dans les contrées les plus lointaines pour assouvir ce besoin intrinsèque d'ajouter toujours plus de spécimens à sa collection. Bien sûr, la chasse nocturne est idéale parce qu'il peut utiliser la lumière comme piège pour recueillir multitude d'hexapodes. Aux abords d'une discothèque amazonienne, Georges arrive même à capturer un superbe *Thysania agrippina*, le papillon ayant la plus grande envergure d'ailes au monde, celle-ci atteignant près de 30 centimètres! De retour dans sa chambre d'hôtel, après des heures de chasse, il s'attable, classe et répertorie les trouvailles du jour. La caméra tourne toujours:

« 9 janvier 1992, deux heures du matin

Capture de nuit.

Règne : animal

Phylum : arthropodes

Classe : insectes

Ordre : lépidoptères

Famille : saturnidés

Genre : *Actias*

Espèce : je le sais pas, je le sais plus… trop fatigué… »

Mais la fatigue ne dure pas, Georges veut profiter du terrain fertile… Quel bonheur pour lui de se retrouver au milieu de nulle part, avec son filet tel un fidèle compagnon.

« Il n'y a jamais rien eu pour moi de plus exaltant et de plus valorisant que ces captures extraordinaires! Je chasserai jusqu'à la fin de mes jours, quitte à me faire porter si je ne peux plus marcher! »

Ce tournage au Venezuela aboutira à un court documentaire, *La Chasse aux insectes*, qui sera présenté pendant de nombreuses années à l'Insectarium, mais aussi sur les ondes de RDI, dans le cadre des *Grands Reportages* de même que lors d'une émission spéciale, *The Bug Man*, pour l'émission *Fifth Estate*, au réseau CBC.

« L'entrevue qui précédait la diffusion du documentaire se déroulait avec une journaliste anglophone. Comme toujours, j'expliquais d'abord mon parcours et celui de l'Insectarium avec passion. Je parlais de mon amour pour les insectes à cette interlocutrice… plus que sceptique. Mais c'était pour moi un défi amusant, il suffisait d'avoir les bons arguments. Je lui disais à quel point il était important qu'elle ne transmette pas sa peur à ses enfants, alors qu'elle regardait avec crainte et dédain le mille-pattes et la coquerelle que je voulais lui présenter. Il m'a fallu insister un peu pour qu'elle les prenne finalement dans ses mains, ce qu'elle aurait dû faire quand elle était âgée de cinq ans ! Ma journée était faite ! J'avais, avec plusieurs années de retard, convaincu cette femme de l'inoffensivité de ces petites bêtes ! »

Georges est aussi invité à quelques reprises à l'émission *Ad Lib*, animée par Jean-Pierre Coallier de 1985 à 1995. Chaque fois, l'entomologiste fait la promotion de « son Insectarium », et le nombre de visiteurs décuple dans les jours suivant son passage. Ainsi, ses apparitions à la télévision profitent grandement à l'institution montréalaise, et lorsqu'une demande d'entrevue lui est adressée, Georges répond toujours positivement. La curiosité face à son temple des insectes ne se dément pas…

En janvier 1997, Georges part de nouveau avec Charles Domingue, cette fois, en Thaïlande. Ils tourneront un reportage intitulé *Banquet à Bangkok*, qui porte essentiellement sur l'entomophagie, c'est-à-dire la consommation des insectes. Suivi du réalisateur et caméraman, l'entomologiste se promène dans un marché de Bangkok situé sur les rives du fleuve Chao Phraya. On surnomme cette ville « la Venise de l'Asie », à cause des nombreux *khlongs*[47] qui la traversent. Au marché, les étals regorgent de larves, sauterelles et criquets prêts à être dégustés. Des hémiptères aquatiques (punaises géantes) revenus dans un peu d'huile font les délices de Georges, qui préfère les plus gros spécimens : « Leur goût relevé s'apparente à celui du fromage bleu… » Quant aux scarabées-rhinocéros, les marchands en font des brochettes, pour le plus grand bonheur des Thaïlandais. Outre leur goût souvent exquis, les différentes espèces consommées constituent une excellente source de protéines, de fibres et de minéraux. Leur valeur nutritive est donc exceptionnelle. Le dédain qu'en ont la plupart des Américains et des Européens est tout simplement culturel. Georges y va de sa prédiction…

> « L'humanité devra se convertir à l'entomophagie dans un avenir pas si lointain, puisque les populations mondiales ne cessent d'augmenter et que les ressources diminuent disproportionnellement ! »

Dans ce marché où il ne comprend ni ne parle la langue des gens qu'il croise, Georges est tout de même comme un poisson dans l'eau. Il sourit, serre des mains et fait rire par ses simagrées, captées pour le petit écran.

Ce court documentaire permettra aux visiteurs de l'événement Croque-insectes (de 1993 à 2005), à l'Insectarium de Montréal, de découvrir la consommation d'insectes, tout en dégustant quelques mets apprêtés pour l'occasion. En plus d'être vu à Montréal, le reportage sera aussi diffusé sur la chaîne Al Jazeera.

Insectia

Après *Mémoires d'insectes* et entre les différents reportages pour l'Insectarium de Montréal, Georges se met à plancher sur un nouveau concept télévisuel nommé *Insectia*, au début des années 90. L'objectif : partager ses connaissances entomologiques dans un mode plus divertissant et plus éclaté, comme une téléréalité où l'on suit un aventurier intrépide dans les lieux les plus exotiques.

---

47. Canaux.

Au grand bonheur de Georges, son projet trouve preneur en 1996. Charles Domingue et Denis Blaquière participent à la création et à la scénarisation de la série, qui sera coproduite par Pixcom (Québec) et Cinétévé (France). Les 13 épisodes de vulgarisation scientifique sur les insectes seront réalisés par German Gutierrez, et diffusés en 1999 au Canada, sur le Canal D en français et sur *Discovery Channel* en anglais. Le budget est impressionnant, l'équipe de production bénéficie de 4 millions de dollars. Le tournage bilingue doit débuter en 1997 et s'étaler sur quelques mois, aux quatre coins du monde.

Quelle que soit la destination, Georges part d'abord en repérage, seul ou accompagné de son ami Stéphane Le Tirant, engagé à titre de consultant. Ainsi, les lieux de tournage et les insectes sont trouvés et prêts à être filmés dès l'arrivée des autres membres de l'équipe, deux ou trois semaines plus tard. Georges n'hésite pas à solliciter l'aide des habitants du coin, qui se transforment alors en fournisseurs d'insectes, heureux de contribuer à cette entreprise. Stéphane, témoin de ces « négociations », affirmera plus tard : « Ces gens voyaient Georges tel Indiana Jones, un aventurier sans peur et un explorateur passionné ! »

Lorsque commence le tournage, toute l'équipe de production est abasourdie par la façon dont l'entomologiste arrive à mémoriser ses textes, même lorsque le scénariste change le contenu à quelques heures d'avis. Georges semble toujours fin prêt à tourner les deux versions (française et anglaise) de chaque épisode. Devant les caméras, il livre sans hésiter et avec passion des textes appris parfois quelques minutes auparavant.

> « La plupart du temps, il fallait quand même reprendre des scènes à cause de la nature qui décidait de s'en mêler. La pluie, le vent, et les insectes évidemment ! Je me souviens d'une scène compliquée, en haut d'un ravin, que nous avons dû reprendre 25 fois à cause du vent ou de la lumière insuffisante ! »

L'entomologiste devenu animateur est un véritable professionnel, mais il lui arrive aussi de rigoler, parfois aux dépens des autres… En janvier 1998, Georges et Stéphane font du repérage en Afrique du Sud avant l'arrivée du reste de l'équipe, composée d'une dizaine de Québécois. Georges décide alors de leur jouer un tour des plus pendables…

> « Alors que nos compagnons de travail étaient en chemin pour venir nous rejoindre, sur une route africaine déserte, une dizaine d'hommes armés ont bloqué la route en brandissant leurs mitraillettes et en tirant abondamment dans les airs. Tout le monde a dû débarquer du véhicule et se coucher à terre, tremblant sous la menace…
>
> « Stéphane m'a alors supplié de mettre fin à la mise en scène. Ce que j'ai fait en sortant des broussailles, le sourire aux lèvres, en souhaitant : "Bienvenue en Afrique !" J'avais réussi à convaincre mes amis sud-africains de jouer le jeu… »

Le tournage est une aventure extraordinaire pour l'entomologiste, et donne à l'écran un résultat tout aussi fabuleux. On y voit Georges, gesticulant au milieu de la jungle amazonienne ou dans d'autres pays exotiques, une araignée sur la tête ou un scorpion entre les doigts. La musique (tantôt classique, tantôt folklorique) est inspirante et colorée, les paysages sont à couper le souffle. On est transporté sur les eaux tumultueuses de l'Orénoque, aux confins du Venezuela, dans des savanes africaines qui s'étendent à l'infini et des forêts luxuriantes dans lesquelles évolue une faune impressionnante.

Dans la première de la série, nous voici en Équateur, à admirer les œuvres d'art que sont les insectes, et les bijoux faits à partir de ceux-ci. Dans le deuxième épisode, Georges découvre des fourmis de citron dans la forêt tropicale équatorienne, très recherchées par la population locale qui en apprécie le goût citronné et la source importante de protéines. On découvre les bénéfices insoupçonnés des insectes, dont leurs propriétés médicinales. Georges amène ensuite les téléspectateurs en Malaisie, où l'on apprend que la médecine traditionnelle asiatique utilise les cocons de vers à soie pour la décongestion, et les larves pour contrer les flatulences…

Dans l'épisode *Mythes et légendes*, Georges nous présente le spectaculaire *Dynastes hercules*, qu'il avait découvert au Venezuela lors de son

tout premier voyage avec Stéphane, et dont les puissantes mandibules
ont la réputation d'être aussi efficaces que des tronçonneuses ! Il fait
aussi l'éloge de l'araignée, que certaines tribus indigènes d'Amérique
et d'Afrique voient comme «la tisseuse du monde», responsable de la
création du Soleil et de la Terre, rien de moins. Et Georges ne manque
pas de raconter la jolie légende amazonienne selon laquelle la Terre
était grise et terne avant que le Grand Esprit ne crée les papillons, responsables de la couleur du monde !

Au cours de la série, Georges fait plusieurs parallèles avec l'être humain,
qui sont audacieux et passionnants. Ainsi, dans l'épisode sur les jeux
de l'amour, l'insecte se compare en plusieurs points à l'homme quand
vient le temps de passer en mode séduction… L'entomologiste brosse
dans un autre épisode le portrait des termites, qui, en digérant le bois
mort et les débris végétaux, forment les sociétés minières les plus actives
au monde ! Quant aux fourmis *Atta* (fourmis coupeuses de feuilles),
spécialistes du transport, leurs légions infatigables rappellent l'animation de nos autoroutes. Dans l'épisode sur les papillons, Georges fait
une analogie avec les stars du rock : «Sexe, drogue et rock'n'roll ! Qui
aurait cru que le papillon, muse des poètes, incarnation de la douceur
et de la fragilité, pouvait parfois être violent, toxicomane, voire maniaque
sexuel !» L'enthousiasme de Georges est contagieux, ses anecdotes et
ses explications, captivantes.

Les 13 épisodes feront voyager le téléspectateur en Malaisie, au Venezuela,
en Équateur et en Afrique du Sud, à la rencontre de bestioles de toute
espèce filmées en gros plan. Georges est dans son élément. C'est un
bonheur pour lui de travailler sur une série qui rejoindra autant de gens.

En septembre 1998, après un tournage étalé sur près d'une année,
Georges présente la série au Marché international des programmes à
Cannes. Alors que les démonstrations d'enthousiasme sont rares lors
de ces événements, Georges a droit à une ovation. Plusieurs réseaux de
télévision étrangers sont acheteurs, notamment la prestigieuse chaîne
de la National Geographic Society.

Insectia sera finalement diffusée dans plus de 150 pays, sur Discovery,
La Cinquième, Animal Planet, National Geographic et France 5. Lors
de la première diffusion sur le Canal D, la série récolte les deuxièmes

meilleures cotes d'écoute de la station. Le documentaire gagne aussi plusieurs prix, notamment un Gémeaux pour la meilleure série documentaire et pour la direction photo.

L'ancien notaire est fier et comblé. C'est d'ailleurs souvent lui qui prend la parole pour parler de la série. Les producteurs sont tombés sur un oiseau rare, un entomologiste bavard...

La promotion et les voyages

Début 1999 commencent la diffusion et la promotion d'*Insectia* au Québec et au Canada. Georges fait des entrevues avec plusieurs journalistes, de la Colombie-Britannique jusqu'aux Maritimes. Les commentaires positifs fusent, la série est qualifiée de fascinante et de spectaculaire.

En mars de la même année, Georges amorce une nouvelle tournée de promotion, cette fois pour le compte de National Geographic Channel, une filiale de National Geographic Society, qui cherche notamment à percer le marché asiatique de la télévision par câble et investit pour y arriver. La vedette d'*Insectia* se rend, pour les besoins de la cause, dans plusieurs pays, enfilant les rencontres médiatiques, les apparitions à la radio et à la télévision, les conférences et les présentations, travaillant inlassablement à promouvoir la série. Cette première tournée à l'étranger amène Georges à Hawaï, en Australie, à Singapour, en Inde, aux Philippines, à Londres, en Norvège, en Suède, en Finlande et au Danemark.

Georges porte souvent, lors de ses entrevues, un bijou qui fait grande impression, un pendentif exhibant un scarabée vivant orné de fausses pierres précieuses (rubis, saphirs et émeraudes). En attirant ainsi la curiosité (et la controverse : plusieurs personnes lui reprocheront la cruauté du bijou), il parvient à transmettre son message à un public toujours grandissant.

À Londres, l'animateur d'*Insectia* se rend dans une école primaire pour faire découvrir aux enfants le monde fascinant des insectes, en avant-première. En montrant aux petits Anglais sa désormais célèbre mygale, il fait la démonstration de son inoffensivité aux sceptiques. Son araignée et son scorpion sont devenus des éléments importants de son discours, la preuve que la peur est un état que l'on peut apprendre à contrôler. Au lieu de les craindre, ne faudrait-il pas s'en inspirer ?

Georges se rend ensuite en Inde, à la fin du mois de mars. La nouvelle suivante est alors relayée dans les médias du pays :

A noted international entomologist has offered 25,000 insects free of cost to anyone who wants to set up an « insectarium » in the country[48].

Pour l'entomologiste, qui espère que les gens seront de plus en plus nombreux à s'intéresser aux insectes, plus il y aura d'insectariums, mieux ce sera.

> « C'était tout à fait normal pour moi de faire cette offre. J'avais plus d'insectes qu'il ne m'en fallait, et j'espérais contribuer en donnant un coup de pouce à des entrepreneurs qui auraient l'ambition d'ouvrir un insectarium en Inde. Malheureusement, personne n'a répondu à cette offre ! »

Georges fait la promotion de sa série avec toute la vigueur et l'énergie dont il est capable, sans vraiment s'arrêter. En Inde, il se rend à Delhi, à Bombay, puis à Bangalore, avant de s'envoler vers les Philippines. Là encore, il espère convaincre les plus rébarbatifs du bien-fondé de sa campagne promotionnelle. Les exposés et les entrevues se multiplient, Georges est enflammé et promet que la série dont il est l'acteur principal permettra aux Philippins de mieux connaître les fascinants insectes. Il s'adresse aux professionnels comme aux enfants, dans les grandes salles de conférence comme dans les petites salles de cours.

Cette première tournée de promotion aura permis à Georges de visiter dix pays en moins d'un mois, un emploi parfait pour le Québécois qui chasse le jour et enchaîne les entrevues le soir…

---

48. « Un entomologiste de renommée internationale offre 25 000 insectes gratuitement à toute personne qui voudra créer un insectarium dans le pays. » *Indian Express*, New Delhi, 21 mars 1999.

Quelques mois plus tard, le 14 septembre 1999, Georges atterrit à Hong Kong. Il est hébergé à l'Hôtel Shangri-La, le plus réputé de la mégapole ; son employeur assume toutes les dépenses et lui offre un traitement royal. Georges est heureux de travailler pour la National Geographic Society, source de crédibilité, de respect et de visibilité. En retour, les gens de cette organisation scientifique semblent apprécier leur porte-parole. L'entomologiste voyage en première classe et a droit au confort d'un hôtel cinq étoiles, avec service de limousine et chauffeur privé, en plus des faramineux honoraires pour ses services. Georges est comblé.

> « Je vivais une vie de rêve, grâce aux insectes, qui avaient fait de moi ce que j'étais ! Et je déployais toute mon énergie pour répondre aux attentes et mériter ce traitement ! »

Le matin, Georges se réveille au son d'une musique divine. Sourire aux lèvres, il fait ses étirements pour faire craquer sa carcasse endolorie et appelle ensuite la réception pour commander un café, qui arrive en quelques minutes sur un plateau d'argent, littéralement. Puis ce sont les conférences et les entrevues, pendant lesquelles l'animateur d'*Insectia* joue le jeu des apparences. Ses tenues vestimentaires déjà originales deviennent complètement extravagantes et exagérées. Personne ne s'embarrasse de son accoutrement, même s'il porte des bottillons avec des talons de deux pouces agencés avec des costumes de soie ouverts presque jusqu'au nombril, ou qu'il se promène avec des bottes de cow-boy, tout de cuir vêtu ! Georges s'éclate, veut impressionner et provoquer.

Son contrat à Hong Kong se termine au bout de quatre jours riches en émotion, au cours desquels notre chasseur d'insectes aura livré un grand nombre de discours… et sera même sorti indemne d'un typhon ravageur.

> « Mon séjour à Hong Kong coïncidait avec la saison des intempé-ries. Deux jours seulement après mon arrivée, j'ai été réveillé par un bruit infernal… Le puissant typhon *York* était en train de s'abattre sur l'île ! D'énormes bourrasques de vent mêlé de pluie secouaient l'hôtel, la ville entière avait cessé de fonctionner… De ma chambre, au 47e étage et équipée d'une large fenêtre, j'observais, impuissant,

cette tempête qui hurlait sa violence. Les rafales arrachaient et déracinaient tout sur leur passage, des objets de toutes tailles étaient projetés sur l'hôtel et les édifices voisins, c'était la nuit noire à 8 heures du matin… Ce typhon a été le plus intense et le plus dévastateur que l'île aura connu en 16 ans! Et j'y étais!»

The show must go on[49], Georges doit reprendre la route et continuer la promotion en Inde. À l'arrière de la limousine qui le transporte à l'aéroport, alors que son hébergement vient de coûter 3 000 dollars à son employeur, le grand voyageur pense à la condition humaine et aux injustices.

«C'était complètement exagéré. Je pensais à la gloire, à la richesse, au confort, au gaspillage, à la consommation à outrance, à l'idéal de la majorité des gens. J'avais l'impression d'avoir atteint cet idéal, d'où j'apercevais l'autre extrême, la pauvreté et la misère…»

Troublé par ce qu'il vient de vivre, Georges s'envole donc pour l'Inde. Là-bas, mille millions d'âmes. L'aéroport est bondé, les files d'attente sont longues, des centaines de soldats, de gendarmes, de gardiens et de douaniers n'en finissent plus de tout vérifier. L'enfer! En 1999, plusieurs guerres et conflits ethniques déchirent le pays, où coexistent 25 religions différentes. Sur place, Georges a l'impression que ça peut sauter à tout moment. Les responsables de la sécurité et les voyageurs sont visiblement nerveux. Tout le monde se fait fouiller.

«Le douanier cherchait dans mes bagages un article défendu. Ça pouvait être n'importe quoi, selon son humeur, la liste des objets défendus n'existait pas! Lorsqu'il est tombé sur mon filet à papillons, il m'a demandé, perplexe: "*Why*[50]?" J'ai répondu d'un ton calme: "*To fish*[51]." Le zélé, désarçonné, est ensuite tombé sur les

---

49. Le spectacle doit continuer.

50. Pourquoi?

51. Pour pêcher.

insectes vivants que je gardais dans un autre sac, me lâchant encore un : "*Why that*[52] ?" J'ai répliqué du tac au tac : "*To bait the fish*[53] !" »

Georges tend au douanier ahuri une épinglette de l'Insectarium de Montréal, ce qui suffit à clore la fouille et lui permet finalement de sortir de l'aéroport, avec tout son bagage. Dans la ville de New Delhi, la cohue est indescriptible. Il y a des centaines de chauffeurs, porteurs, rabatteurs, guides et changeurs d'argent qui se précipitent sur les touristes pour leur offrir mille et un services. Dans ce chaos, un Indien noir comme le jais se promène avec une affiche indiquant « Georges Broussarde »… C'est le conducteur embauché par National Geographic.

Après une heure trente de trafic, dans une voiture sans climatiseur, Georges gagne son nouvel hôtel. Dans son journal, il note ceci :

> *L'Inde constitue un pays unique au monde. On y retrouve le meil-*
> *leur et le pire, le grandiose et l'absurde, la richesse et la misère,*
> *la beauté et la laideur. Les Indiens sont nombreux mais conci-*
> *liants. Ils sont pauvres mais résistants.*

Entre deux mandats pour le compte de National Geographic, Georges en profite pour visiter les alentours de la capitale. Il ne manque pas d'explorer le *thieves market*, ou marché des voleurs, qui lui rappelle ses premiers voyages en Thaïlande et à Singapour. Dans cette agglomération où l'on compte plus de 16 millions d'habitants, l'ambiance est indescriptible : trafic infernal, odeurs nauséabondes d'encens et d'urine, klaxons incessants et insistants de milliers de voitures… Piétons, carrosses, *rickshaws*[54], bicyclettes, motos et camions avancent à pas de tortue et passent si près les uns des autres qu'il est dangereux de sortir une main d'une fenêtre entrouverte. Bien sûr, les voitures sont équipées d'un climatiseur, mais il semble ne jamais fonctionner. Les véhicules sont vieux et laissent échapper des gaz bleus…

---

52. Pourquoi cela ?

53. Pour appâter le poisson !

54. Petit véhicule à trois roues servant de taxi pour deux passagers et activé par une moto.

Pour Georges, les gens semblent pressés, préoccupés, peinant à glaner quelques roupies pour assurer leur subsistance. Il se demande comment ils arrivent à vivre dans ces villes devenues inhumaines, et pense aux insectes qui s'en tirent parfois bien mieux que nous…

« Les hexapodes ont un souci fort avancé de leur bien-être et de leur sécurité. Ainsi, si le milieu devient inapte à les nourrir ou les abriter, ils déménagent. Si la niche écologique où ils vivent est envahie par l'intrus, ils le chassent et, s'ils ne le peuvent, ils la lui abandonnent pour s'en trouver une autre. Si le prédateur est trop dangereux, ils fuient ! Ils vont utiliser toutes les niches écologiques, les biotopes inimaginables, vont s'associer pour être plus forts ou efficaces, vont utiliser tous les éléments de la nature pour en tirer un profit immédiat ou à long terme. Ils appliquent constamment ce fructueux dicton : *Si ça ne fait pas l'affaire icitte, ça va le faire ailleurs !* On ne peut pas comparer le sort des arthropodes à celui d'un pays pauvre et surpeuplé, mais peut-être pourrait-on s'inspirer de cet embranchement du règne animal pour trouver une piste de solution aux problèmes de l'humanité ? »

Après quelques jours à New Delhi, Georges se rend à Bombay à titre de conférencier au Nehru Centre, un complexe scientifique important avec un auditorium de plus de 300 places. Alors qu'il s'apprête à prononcer un discours à l'autre bout du monde, Georges pense aux vaches devant qui il dissertait, à son oncle Guy qui racontait si bien, aux punitions de maman qui ont finalement bien servi, et à Cicéron[55] qu'il admire tant.

Ces voyages de promotion sont tout de même exigeants pour l'entomologiste. De nombreuses conférences et entrevues, pour la presse ou la télévision, à un rythme effréné, à toujours répéter un peu la même chose. Ce qui amuse Georges, particulièrement en Inde, c'est la peur profonde qu'ont les gens face aux insectes et aux araignées. Lorsque le conférencier manipule son scorpion et sa mygale, les Indiens sont abasourdis et

---

55. Cicéron : homme d'État romain, auteur latin et orateur remarquable, né en 106 av. J.-C.

lui attribuent des pouvoirs surnaturels. Il est le *bug man*, fait la première page de plusieurs journaux et périodiques locaux. Ses hôtes indiens le traitent comme un prince et le photographient à tout moment, pour ensuite faire agrandir ses portraits et en décorer les salles de conférence.

> « Je me retrouvais entouré de répliques gigantesques de moi-même, qui mesuraient huit pieds de haut et me montraient tout de soie vêtu, avec des bottes et une veste à motif de léopard. Lorsque j'entrais dans ces salles de conférence, les gens applaudissaient à tout rompre ; c'était presque trop. L'euphorie du moment durait quelques heures, mais je vivais ensuite des moments de tristesse profonde, me sentant seul et désemparé devant les malheurs de la condition humaine, pour lesquels je ne pouvais rien faire. »

Après une journée particulièrement épuisante, l'animateur d'*Insectia* décide de prendre congé. Son employeur se montre compréhensif, bien conscient de la quantité d'énergie nécessaire pour rencontrer autant de gens. Georges passe donc la journée en forêt, chassant les insectes et les mauvaises pensées. Un journaliste lui avait suggéré un parc naturel, situé non loin de l'hôtel. Il prépare son matériel et hop ! dans le taxi, vers de meilleurs horizons.

> « J'avais l'impression que ça faisait longtemps que je n'avais pas chassé. Je ruisselais de sueur et j'avais soif. Je n'avais jamais eu soif en 20 ans ! J'étais étourdi et tout vacillait autour de moi. Mon Dieu que je me sentais vieux ! Puis, j'ai vu un papillon qui s'approchait de moi, avec l'air de dire : "Tu ne m'attraperas pas…" Il ne savait pas à qui il avait affaire ! Je me suis élancé, mais je me suis enfargé et je l'ai manqué. Pire que ça, je suis tombé… dans des excréments, encore ! »

Georges abandonne la chasse pour se consacrer à la promotion. Toujours en Inde, il se rend à Bangalore, grande ville scientifique au sud du pays. Le *Indian Institute of Science* emploie à lui seul plus de 2 000 chercheurs, et les universitaires étudient en grand nombre les nouvelles technologies. Malgré son côté moderne, on trouve encore dans cette ville des temples magnifiques et de grandes maisons victoriennes, vestiges du colonialisme anglais.

C'est dans l'un de ces monuments aux allures d'un sanctuaire que Georges doit prononcer son premier discours, qui prendra cependant une fâcheuse tournure. On annonçait pourtant bien *The mastermind of Insectia*[56]...

> « Dans la grande salle de conférence, devant environ 200 Indiens, j'ai discouru quelques instants avant de sortir ma mygale... C'était sans avoir pris toute la mesure de la grande crainte qu'avaient les gens de ce pays ! Les gens de la première rangée se sont précipités vers l'unique porte de sortie, suivis par tous les autres, paniqués à la vue de la pauvre araignée ! Une conférence annulée et qui s'est terminée avec 27 blessés ! »

Heureusement, les autres conférences se déroulent sans anicroche, l'entomologiste québécois sait maintenant qu'il doit préparer ses spectateurs avant de leur présenter des arachnides vivants.

Fin septembre 1999, les représentants de National Geographic organisent une réception en l'honneur de leur porte-parole, dans la salle de bal d'un hôtel à Bangalore, pour célébrer du même coup le lancement de la série *Insectia* en Inde et à Taiwan.

> « Ils m'avaient demandé de revêtir mes plus beaux vêtements, ce que j'avais fait. Un superbe costume en soie, confectionné sur mesure en Thaïlande. À mon arrivée, ils m'ont fait attendre un peu, à l'abri des regards. Lorsqu'ils m'ont finalement invité à pénétrer dans la salle, deux jeunes femmes ont ouvert les deux portes du vestibule sur une pièce immense et merveilleusement bien décorée ! Sur des tapis rouges hollywoodiens, je traversais la salle au son d'une musique

---

56. Le maître d'œuvre de la série *Insectia*.

envoûtante, entouré de gens qui m'applaudissaient à tout rompre, sous les éclairs de la caméra ! »

Georges gardera un souvenir des plus mémorables de cette soirée où, après une entrée spectaculaire, les gens se sont précipités pour lui serrer la main, obtenir son autographe et se faire photographier avec lui.

Ce voyage de promotion, aussi émouvant qu'extraordinaire, s'achève. Après un arrêt à Bangkok, Georges reprend la direction du Québec. Il est temps, pour la vedette, de rentrer à la maison…

Insectia 2

La première saison d'*Insectia* avait été agréable à faire et les retombées, très positives. Les bonnes critiques et les cotes d'écoute, en plus de l'insistance des producteurs pour faire une nouvelle saison, poussent Georges à renouveler l'expérience, en prenant bien soin de mentionner clairement ses conditions.

« Selon moi, la série à elle seule était limitée dans son rayonnement. Les téléspectateurs n'étaient pas suffisants… Pour que cette expérience soit vraiment utile et honorable, il fallait que les différents épisodes soient accessibles aux écoles et qu'un document pédagogique soit produit, matériel essentiel pour les professeurs. Les émissions allaient servir de base, alors que le matériel didactique allait permettre de fouiller le sujet, d'aller plus en profondeur et d'en retenir des enseignements ! »

Georges demande donc à Pixcom et Immavision (respectivement producteur et distributeur) de créer un guide de qualité pour accompagner la série et apporter une dimension éducative supplémentaire au projet. Pour permettre la production du document (dont le coût s'élève à 14 000 dollars), Georges renonce à tous ses droits participatifs pour la diffusion de la série au Québec. Ce n'est pas le « show » qui l'intéresse, mais la possibilité d'éduquer, de sensibiliser, d'émouvoir les enfants.

Facile d'utilisation pour les professeurs, le guide pédagogique est coloré, instructif et divertissant, donnant aux enfants le goût de mieux connaître les insectes. Voilà qui vaut la peine !

Le tournage de cette deuxième série se déroule cette fois au Maroc, à Madagascar, au Costa Rica, en République dominicaine et… au Québec. Cette nouvelle odyssée permet à Georges de faire participer la famille, son fils Georges l'accompagne à titre de perchiste. C'est pour celui-ci, alors âgé de 18 ans, une expérience mémorable, même s'il en reviendra avec la malaria. Car, malgré la maladie, il aura apprécié l'aventure, particulièrement l'île de Madagascar pour sa flore et sa faune uniques, dont les sympathiques lémuriens. C'est aussi, pour Georges, le père, une expérience extraordinaire :

> « Quelle joie je ressentais de voir mon fils travailler à mes côtés ! Il chassait pour moi et me trouvait des spécimens parfaits. Il prenait soin de moi, allait jusqu'à chicaner l'équipe de direction en leur disant : "Faites attention à papa, c'est dangereux, vous exigez trop de lui !" Et lorsque la génératrice a brisé, c'est Georges *junior* qui l'a réparé, pendant que les autres se moquaient du p'tit jeune qui croyait pouvoir tout arranger ! »

C'est la première fois qu'une série canadienne est tournée en haute définition. Pour l'équipe de tournage, le matériel à transporter est plus lourd, mais les résultats à l'écran sont époustouflants. Aussi, alors que dans la première saison Georges laissait la narration à une autre personne, cette fois, c'est sa voix qu'on entend du début à la fin, dans la version française comme dans la version anglaise.

La même équipe se retrouve pour la réalisation de ce deuxième opus. Ses membres sont, aux dires de Georges, efficaces, productifs et disciplinés. Quoique, en termes de discipline, l'entomologiste lui-même n'a pas toujours de leçons à donner, jouant parfois les délinquants…

> « Pendant le tournage en République dominicaine, alors que je portais mon bel habit beige d'animateur, j'ai décidé de suivre un Dominicain

qui creusait des trous allant jusqu'à 50 pieds de profondeur pour y trouver des fossiles dans l'ambre[57]. J'étais lié à la surface par une simple corde autour de mon pied. Rendu à une profondeur raisonnable, le jeune chuchote : "J'ai découvert plein de beaux morceaux d'ambre, mais je me fais toujours fouiller rendu en haut… Pouvez-vous les mettre dans vos poches, et on partagera moitié-moitié?" Une fois en haut, mon complice a montré les quelques morceaux qu'il avait sur lui, et on s'est ensuite partagé le butin. C'est quand même nous qui avions été les chercher ! »

Au Costa Rica, Georges fait la présentation de ce qu'il considère comme des condominiums de luxe. En effet, il suffit de fendre une souche d'arbre en décomposition pour découvrir la spectaculaire biomasse qui y a élu domicile.

« Au premier étage, on trouvait les termites, productrices de miellat[58]. Au deuxième étage, c'était les fourmis, consommatrices de ce produit, mais aussi des corps morts des locataires du premier étage, entre autres. Le troisième étage était grouillant de centipèdes et de millipèdes, qui se nourrissaient parfois des œufs des deux premiers. Finalement, les scarabécs au stade larvaire occupaient le quatrième étage et y restaient de nombreuses années, temps nécessaire à leur métamorphose. »

Que la caméra tourne ou non, Georges démontre le même enthousiasme, la même envie de partager ses connaissances entomologiques, toujours avec son filet, ses pots et son pic, question de joindre la démonstration à la parole.

Plus d'une centaine d'heures de pellicule plus tard, la série est montée pour présenter les meilleurs moments et les plus belles découvertes.

---

57. Résine végétale qui s'écoulait d'un conifère aujourd'hui disparu. On peut parfois trouver des insectes prisonniers de l'ambre.

58. Excrétion sucrée produite à partir de la sève.

Ainsi, le premier épisode met en vedette la faune unique de Madagascar, une île située dans l'océan Indien, à 500 kilomètres du continent africain. Georges nous présente un charançon-girafe (photo p. 309), insecte au long cou et à l'air sympathique qui semble tout droit sorti de la préhistoire. Puis des charançons lichens et des insectes-feuilles se glissent imperceptiblement dans l'écran, maîtres dans l'art du camouflage. Vient ensuite le *Xanthopan morgani praedicta*, un papillon nommé ainsi en raison d'une « prédiction » de Charles Darwin. Ce dernier avait au préalable découvert l'étoile de Madagascar, superbe orchidée avec un éperon[59] de 25 à 30 centimètres de long. Selon Darwin, il devait bien exister un lépidoptère avec une trompe assez longue pour polliniser la plante. Cette théorie, portée en dérision par ses pairs, a été prouvée quelques années plus tard lorsque le fameux papillon malgache a été mis au jour. Georges déroule la trompe de l'animal à l'écran, longue d'une trentaine de centimètres… Surnommée « l'île aux tisseuses », Madagascar abonde aussi en arachnides, il suffit de lever les yeux au ciel.

> « La plus belle et grande araignée, c'est la néophile de Madagascar. La femelle peut mesurer jusqu'à 15 centimètres de long et tisser des toiles atteignant 1,5 mètre de diamètre ! »

Dans l'épisode sur les scorpions, Georges se déplace dans le Sahara, avec Abdul, un Marocain qui l'accompagne dans sa quête.

> « On était en plein cœur du désert marocain, un hôtel à cinq milliards d'étoiles ! »

Après avoir passé la nuit dans son campement sous les constellations, Georges trouve dans ses bottes, qu'il a négligemment laissé traîner à l'extérieur, un gros scorpion noir d'Afrique du Sud[60] (!) ainsi qu'un plus petit du Maroc. Le plus gros est impressionnant, mais on apprend que

---

59. Protubérance de la fleur, en forme de tube étroit.

60. Georges avait traîné avec lui son scorpion sud-africain, judicieusement mis en scène pour lui permettre sa démonstration.

ce sont plutôt ceux qui ont les plus petites pinces qui ont le venin le plus puissant. En effet, puisque les grosses pinces suffisent pour se défendre, c'est le venin des autres qui est le plus dangereux.

La couleur et la beauté des spécimens séduisent les téléspectateurs les plus sceptiques, l'animation de Georges est toujours aussi drôle, intense et passionnée. Ainsi, il n'hésite pas à porter le smoking pour assister au concert des hexapodes, alors que les cigales jouent du tambour, les sauterelles, du violon et les blattes, de la trompette…

Cette deuxième mouture d'*Insectia* remporte aussi plusieurs prix, dont un Gémeaux pour la meilleure série documentaire. L'entomologiste reçoit même une lettre de remerciement de la part du consul de l'ambassade de Madagascar au Canada, reconnaissant de retrouver dans la série le paysage malgache.

Lorsque vient le temps de promouvoir cette deuxième production, Georges est de nouveau l'homme de la situation. Il n'hésite pas à recevoir chez lui des journalistes, à plusieurs reprises. La chroniqueuse de *La Presse*, Louise Cousineau, écrit un article croustillant sur sa rencontre avec lui, en décembre 2000, au cours de laquelle elle a pu goûter aux mets qu'a préparés Suzanne pour l'occasion: criquets au cari, grillons à la mélasse et ténébrions à la thaï.

Georges prend goût aux activités de promotion, presque autant qu'aux tournages et aux productions télévisuelles. D'ailleurs, il a de nouvelles ambitions… Le petit écran, c'est bien beau, se dit-il, mais pourquoi pas le grand?

Pourquoi pas le cinéma?

Au début des années 2000, Georges reçoit à dîner Rock Demers, Roger Cantin et Chantal Lafleur pour discuter du film *La Forteresse suspendue*, que ces derniers s'apprêtent à tourner. En effet, en raison des nombreux insectes qui seront présents dans le long-métrage, ils veulent faire appel au spécialiste de l'heure afin de discuter de la manière d'exploiter le potentiel des petites bestioles à l'écran.

Évidemment, ce n'est pas un simple lunch. Georges raconte à ses invités subjugués quelques-unes de ses histoires rocambolesques pendant qu'ils dégustent quelques entrées inusitées, des plats entomologiques incluant sauterelles sautées et grillons grillés. L'excentricité et les saveurs les séduisent, et puisqu'il leur reste un rôle à attribuer, celui qui devait être leur conseiller en entomologie se fait offrir de jouer le personnage de Philippe Beauregard, un peintre un peu bohème, soucieux de paix et d'environnement.

On ne l'aura jamais vu avec les cheveux aussi courts et disciplinés, sa voix habituellement rauque, soudainement plus lisse. Georges adore l'expérience, d'autant plus que les valeurs de son personnage correspondent aux siennes et que le film s'adresse aux jeunes spectateurs, les plus chers à son cœur. L'un des producteurs dira ceci : « Je crois que nous sommes bénis des dieux d'avoir rencontré Georges Brossard. Il nous a même suggéré des scènes que nous avons incluses au scénario ! » Détail intéressant, on y voit la démonstration des abeilles qui ne piquent pas la main qui les sauve, comme Georges-Henri l'avait appris à son fils quand il était tout petit.

Après le tournage, Georges invite tous les jeunes comédiens (parmi lesquels un tout jeune et blond Xavier Dolan) à venir célébrer chez lui, à découvrir son antre fourmillant de bestioles. Le film sort finalement en juin 2001 et récolte un certain succès auprès des jeunes cinéphiles.

Un morpho bleu au fond d'un tiroir

Le cinéma est, dans la vie de Georges, un cadeau du ciel. Le projet dont il sera le plus fier sera sans contredit le film *Le Papillon bleu*, sorti au début des années 2000 et qui raconte un épisode des plus touchants de sa vie, au dénouement heureux. Pourtant, cette histoire avait débuté de bien triste façon…

En novembre 1987, pendant une exposition organisée au Jardin botanique, une dame aborde Georges en lui parlant de la Fondation Rêves d'enfants. Comme son nom l'indique, cet organisme humanitaire vise la réalisation de souhaits de jeunes malades pour lesquels la médecine ne peut malheureusement plus rien. La tristesse de cette mère est palpable.

David, son fils unique âgé de 6 ans, est atteint d'une tumeur au cervelet. Il sera le 89ᵉ enfant dont le rêve sera réalisé, ce qui laisse entendre un sombre pronostic.

Cette femme sollicite donc l'aide de Georges pour participer à la concrétisation du souhait le plus cher du garçon : attraper un papillon bleu. David avait pu admirer pour la première fois un morpho (magnifique lépidoptère d'Amérique tropicale) lors de l'exposition au Zoo de Granby, l'été précédent, alors qu'il était encore en pleine santé. Georges est d'abord réticent en raison de la complexité logistique d'une telle entreprise. Mais il ne tarde pas à se laisser convaincre du bien-fondé du projet et finit par accepter d'accompagner l'enfant dans la forêt tropicale mexicaine.

La Fondation prend en charge l'organisation du voyage très rapidement. Georges invite un caméraman, Gaétan, qui suivra les explorateurs pour immortaliser leur expédition. Georges voit dans cette nouvelle aventure la possibilité de faire connaître un organisme de bienfaisance auquel il croit, c'est sa chance d'intégrer des valeurs humanitaires à sa passion. Il en est fier et ému.

Le 13 décembre 1987, Georges, Gaétan, David et ses parents s'envolent pour le Mexique. Le garçon est frêle et blanc comme un drap, la moitié du crâne rasée, mais il reste néanmoins souriant. Tout comme ses parents, qu'on devine en proie à des émotions contradictoires, à la fois tristes et heureux pour leur fils. Mille fois, on entend le mot « rêve », prononcé par les membres de l'expédition. Georges a choisi comme destination le petit village de Yetla, à 40 kilomètres d'Acapulco, où il a séjourné quelques années plus tôt. C'est l'endroit le plus facile d'accès pour l'enfant. Et le chasseur d'insectes se rappelle avoir vu plusieurs morphos survoler un ruisseau non loin de là.

Au fil des jours, David se déplace de mieux en mieux dans la forêt mexicaine. Georges ne perd aucune occasion de partager ses connaissances entomologiques avec son protégé, énumérant les noms latins des papillons qu'ils ont le bonheur de découvrir. Ils ont l'occasion unique d'observer une guêpe dévorant un papillon, de contempler un scarabée se nourrissant d'excréments d'âne, de boire du lait de coco dans la hutte d'un vieux Mexicain (qui, par ailleurs, abrite sous son lit quelques beaux scorpions!). Après des journées d'exploration bien remplies, les soirées sont tout aussi enrichissantes, alors que l'entomologiste et l'enfant discutent passionnément d'insectes, de motivation, de vie et d'avenir…

Le voyage est féérique et de beaux arthropodes se retrouvent dans le filet du jeune chasseur, mais aucun papillon bleu… Dans une séquence tournée par Gaétan, David attrape une libellule, puis marche main dans la main avec sa mère sur des sentiers de sable blanc bordés de palmiers, sous un ciel azuré. Lorsque, plus tard, David attrape un papillon avec une aile ou une antenne endommagée, Georges reprend les paroles de son fils: « Celui-là, donnes-y don' une p'tite chance. » Alors, l'insecte est relâché et retrouve sa liberté.

En pensant à ses propres fils, qui ont maintenant six et quatre ans, Georges ressent une vive émotion. Ils lui manquent terriblement, il a bien hâte de les emmener en expédition de nouveau.

Au quatrième jour de cette aventure, mère et fils se reposent au pied d'un arbre lorsqu'ils aperçoivent trois beaux papillons bleus, virevoltant non loin d'eux. C'est l'euphorie dès que la maman de David en capture un. Ce *Prepona* (qui n'est pas un morpho, mais lui ressemble drôlement) permet au garçon de voir son rêve se réaliser, après un long voyage et des jours de marche en forêt.

Le 19 décembre 1987, dernier soir avant le retour au pays, Georges décore son jeune protégé de « l'Ordre de la joie » et lui remet un chandail rapporté de Thaïlande, sur lequel on aperçoit le symbole du bonheur. Voilà une aventure émouvante qui tire à sa fin, sans que les deux personnages soient tout à fait conscients de l'impact profond qu'elle aura sur leur vie.

Au retour, David déjouera tous les pronostics. Il écrira son histoire dans un livre touchant intitulé *Sur les ailes du papillon bleu*[61]. Quant à Georges, lui non plus n'oubliera jamais cette odyssée. D'autant plus qu'il garde contact avec le garçon, qui lui écrira chaque année, ou

---

61. David Marenger et Yolande Laberge, Les Éditions de l'Homme, 2010, 171 p.

presque, une carte de Noël où sont inscrits ces deux mots : toujours vivant.

Quelques années après cette singulière expédition, Georges se retrouve, un soir, seul dans son laboratoire à la suite d'une dispute conjugale. Il se remémore alors cet épisode au Mexique, dont l'ampleur le surprend. En deux heures, il couche l'histoire sur papier, y colle aussi des photos du voyage. Le récit complété, il le dépose, tel un trésor, au fond d'un tiroir, où il dormira quelques années.

Lors d'un congrès IMAX à Barcelone en 1996, Georges fait la connaissance d'André Picard, président de SDA Productions, à qui il raconte l'aventure vécue presque dix ans plus tôt. Ce dernier est justement à la recherche d'une belle histoire pour faire un long-métrage. À Montréal, l'entomologiste lui confie son manuscrit, convaincu que l'expédition avec David peut faire un grand film.

Moins d'un an plus tard, en juillet 1997, Georges apprend que son histoire sera portée à l'écran ! Mais cette bonne nouvelle est aussitôt suivie d'une déception : son scénario sera réécrit par un « vrai » scénariste…

En 2000, la société Galafilm concrétise le projet, et Francine Allaire agit à titre de productrice exécutive. Le scénario du film *Le Papillon bleu* repose sur cette superbe croyance indigène qui veut que le morpho porte sur ses ailes les rêves qui lui sont confiés, pour les porter jusqu'au Grand Esprit. C'est l'histoire de David, devenu le personnage de Pete, qui guérit après avoir croisé le papillon bleu dont il avait tant rêvé…

Dans ce film réalisé par Léa Pool, Georges se voit bien jouer son propre rôle, littéralement le rôle de sa vie. Il se sent sincèrement capable d'interpréter l'entomologiste, lui qui a tenu à bout de bras une série télévisée dans les régions les plus reculées de la planète…

Malheureusement, Georges doit essuyer une deuxième déception, les producteurs ont déjà en tête un acteur de renom pour ce personnage, nul autre que William Hurt, un Américain ayant déjà beaucoup d'expérience à son actif. Rien à faire, Georges a beau être bon vendeur et convaincu, le populaire comédien accepte le rôle, le *casting* est confirmé.

En avril 2002, toute l'équipe du *Papillon bleu* se rend au Costa Rica pour le tournage. Georges hérite du titre de « responsable des animaux en chef »... Sa tâche consiste à montrer à William Hurt comment interagir avec les diverses bestioles. Dès les premiers jours de tournage, Georges se rend compte que le budget et l'équipe justifient l'emploi de comédiens de haut niveau et il finit par accepter de bon cœur sa fonction de contributeur.

Les conditions sont parfois difficiles pour plusieurs membres de l'équipe, mais c'est loin d'être une première pour Georges, habitué à la précarité de certains lieux d'hébergement, à l'inconfort des installations sanitaires, à la chaleur et à l'humidité étouffantes de la forêt tropicale et aux pluies diluviennes.

Le brio de William Hurt et la crédibilité de son jeu inspirent Georges ; il sera lui aussi professionnel jusqu'au bout des doigts, se dévouera intensément aux tâches qui lui sont assignées. Le chasseur profite du voyage pour enrichir sa collection d'insectes, mais aussi pour se lier d'amitié avec les Costaricains, spectateurs du tournage.

> « Je voulais qu'on laisse quelque chose de concret suite à notre passage au Costa Rica. Or, Marcello, le "paramédical" local qui nous assistait, était le bénéficiaire tout désigné ! En effet, ce jeune homme devait travailler six mois par année pour étudier le reste du temps et aspirer à devenir médecin... Il n'en tenait qu'à nous de l'aider à réaliser son noble rêve plus rapidement ! Si chacun des membres de l'équipe de tournage versait seulement un dollar par jour, le montant amassé permettrait à ce jeune homme d'acquitter en totalité le coût de ses études médicales !
>
> « Grâce à la générosité des travailleurs du film et particulièrement de l'acteur principal, William Hurt, c'est finalement plus de 5 000 dollars canadiens qui ont été remis à Marcello, aujourd'hui médecin ! »

Au bout du compte, le tournage aura fait vivre à Georges des émotions divergentes. Il est ravi de voir son histoire portée à l'écran, de pouvoir aider Marcello, mais reste déçu de ne pas avoir obtenu un rôle à sa mesure.

Plus d'un an plus tard, le 19 novembre 2003, Georges assiste avec émotion à l'avant-première du film. Le résultat est à la hauteur de ses attentes et l'entomologiste est heureux de revoir David, de constater qu'il se porte bien.

Le film sort en salles le 11 février 2004, jour du 64e anniversaire de Georges. Les critiques seront généralement bonnes pour cette œuvre prenante, une belle leçon de courage, de persévérance et d'espoir. Il y a bien l'ami Pierre Bourque qui se permettra cette remarque : « Le film aurait été encore plus touchant si Georges avait joué son propre rôle… »

Savoureux moment télévisuel
Conan O'Brien

Au printemps 2004, Georges est l'un des invités du *Late Night with Conan O'Brien*, une émission de fin de soirée américaine attirant des millions de téléspectateurs. Au Québec, le populaire animateur est connu pour avoir soulevé un tollé lorsque le chien Triumph (marionnette irrévérencieuse et baveuse) avait été dépêché au Carnaval de Québec, où il insultait les passants et la population en général sur des sujets aussi délicats que la langue et l'indépendance…

Reste que le prochain Québécois sur la liste des invités de cette émission est nul autre que Georges Brossard, qui fait la promotion du film *Le Papillon bleu*.

Il faut le voir faire son entrée dans son habit de chasseur, applaudi par la foule. Puis, lorsque l'animateur lui tend la main, Georges lève les deux bras en signe de refus, le rictus aux lèvres. Il est joyeusement rancunier, heureux de faire payer à O'Brien l'affront subi par les Québécois ! Il se permet même cette pointe : « *Yes, I will tell you, I don't fool around with the puck like the New York Rangers, so let's proceed*[62] ! »

---

62. Moi, je vous dis, je ne tourne pas autour du poteau comme les Rangers de New York, alors allons-y !

Sans attendre, Georges sort l'un après l'autre les arthropodes cachés dans ses poches, les déposant sur l'animateur ! L'air éberlué et effrayé de celui-ci n'y change rien. La coquerelle se promène allègrement sur ses épaules et son torse, et deux gros phasmes traînent dans son abondante chevelure. Conan O'Brien est affolé par la quantité d'insectes pouvant émerger des poches de son invité. L'entomologiste sort bien entendu sa précieuse mygale, énorme et poilue, qui fait toujours le même effet…

L'araignée dans le cou, l'animateur demande nerveusement : « *Is the venom out of the tarantula*[63] *?* » Georges répond un laconique : « *Deadly*[64]… » Il tient maintenant un scorpion par la queue ; le pauvre homme regrette sans doute d'avoir accepté cette singulière entrevue. Puis c'est l'apothéose, Georges dépose le scorpion sur Conan en disant : « *So young to die*[65]… »

Après un suspense de quelques instants, l'entomologiste félicite son hôte (encore sous le choc !) et retire les arthropodes un à un, les remettant dans ses poches, non sans oublier la mygale qui se balade dans le dos de l'animateur.

Enfin, en signe de réconciliation et d'amitié, Georges sort un papillon vivant, qui n'a qu'à s'envoler pour montrer sa beauté et symboliser la paix retrouvée.

> « Mais les papillons ont leur propre volonté, et celui-là a décidé d'en faire à sa tête et de m'embarrasser… Au lieu de s'envoler, il s'est affalé sur la table, sans faire un seul battement d'ailes ! »

Avec son charisme singulier et son fort accent québécois, Georges « vole néanmoins le *show* ». On lui reprochera seulement d'avoir fait fuir, avec sa terrifiante araignée, la plus jolie invitée de la soirée, l'actrice Mila Kunis.

---

63. Est-ce que le venin a été retiré de cette mygale ?

64. Mortelle…

65. Si jeune pour mourir…

À quelques reprises au cours des années suivantes, Georges est invité sur divers plateaux télévisés ou radiophoniques, comme celui de *Tout le monde en parle* ou de Paul Arcand. On le convie à titre d'expert entomologiste ou pour faire la promotion de son Insectarium, de son film, de sa série… Chaque fois, il accepte avec grand plaisir de partager sa passion.

.

PARTIE IV

LES ANNÉES 2000 — LE DÉVOUEMENT

Liberté chérie

Avant de partir

Je t'écris aujourd'hui pour te dire

Combien j'ai apprécié ton compagnonnage.

Et oui, toute ma vie, tu fus à mes côtés

Comme un phare vigilant, pour me guider

Et surtout me protéger contre l'assimilation,
le conformisme, la routine, la facilité...

Grâce à toi, j'ai pu tout au long de ces décennies
donner libre cours à ma passion, à mes émotions

Qui traçaient l'écriture régulière de mon devenir.

Finalement, lorsque je regarde en arrière,
tu auras été ce qui me fut donné de plus précieux

Et la vie sans toi n'aurait jamais été pareille!

Je t'aime, je t'aimerai toujours

Affectueusement,

Georges Brossard

Georges le militant
L'importance de s'impliquer

L'adolescent tourmenté des années 50 en a fait du chemin au cours des dernières décennies. Après avoir fait fortune grâce au notariat, visité plus d'une centaine de pays et chassé des milliers d'arthropodes, après avoir fondé une institution muséale et participé à la création de plusieurs autres, après avoir animé des séries télévisées et fait du cinéma, le notaire-entomologiste-fondateur-scénariste-animateur doit se trouver de nouveaux défis. L'heure de la retraite n'a toujours pas sonné…

La politique, ou irruptions dans le débat public

Pour le fils du maire de Brossard, la politique se résume en un seul mot : servir. L'exemple donné par son père y est pour beaucoup. Pour lui, le politicien doit avoir comme unique souci d'être au service de la population. Évidemment, Georges n'en a pas fait son métier, mais cela ne l'empêche pas de vouloir s'impliquer.

> « Encore aujourd'hui, dès que le sujet m'interpelle, je ne peux faire autrement que de me prononcer, dire à ceux qui nous gouvernent le fond de ma pensée. »

Georges a des idées sur ce qui pourrait être fait : comment améliorer l'environnement, comment sensibiliser les gens. Qu'il rédige un mémoire ou se présente en personne devant les autorités politiques, il veut communiquer son point de vue, proposer les actions qu'il poserait s'il était lui-même ministre. Et pourquoi ne pas faire le grand saut en politique et se présenter comme candidat ?

« Aujourd'hui, il est trop tard, je suis trop vieux. Et puis, dans les années 90 et 2000, ni les partis ni les chefs en place ne me séduisaient. Sauf le grand Lucien Bouchard, un homme que j'admire encore profondément, qui a quitté le milieu politique en 2001. »

Vingt ans après l'expérience politique de 1974, Georges sent néanmoins le besoin de se prononcer à nouveau. Nous sommes un peu avant le référendum de 1995, alors que le gouvernement de Jacques Parizeau, élu le 12 septembre 1994, a instauré une commission nationale sur l'avenir du Québec. Cette commission itinérante est chargée de recueillir l'opinion des gens, prendre le pouls de la population. Une tribune ouverte à tous. Georges saute sur l'occasion, lui qui a quelque chose à dire sur l'avenir des Québécois, nationaliste convaincu depuis quelques années déjà. Une soirée de la commission doit se tenir à Longueuil, près de chez lui ; il appelle donc pour demander un temps de parole. Un fonctionnaire lui répond : « Vous voulez parler de bibittes ? » Se sentant méprisé, Georges répond froidement : « Ce n'est pas à vous de me dicter ce que doit contenir ma présentation. Comme citoyen démocrate, j'ai peut-être une pensée politique qui n'est pas nécessairement reliée à l'entomologie ! Moi aussi je peux avoir un cœur, une âme, une idée politique ! » Georges refuse l'étiquette qu'on lui colle : « Je suis bien autre chose qu'un entomologiste, que l'homme aux bibittes ! »

Pour participer à la commission, il doit d'abord faire parvenir son texte, ce qui le choque encore, lui qui est si peu habitué aux discours figés, préférant les mots spontanés venant du cœur. Georges se plie cependant aux procédures, ce qui lui permettra de livrer un discours sans faille, le 10 février 1995, veille de son anniversaire de 55 ans.

« Je vois votre surprise et je vous sens désireux de me dire : "Voyons, monsieur Brossard, un peu de sérieux, c'est une commission sérieuse qui siège ici ! Et en quoi les fleurs ou les insectes, pour ne pas dire les bibittes, sont-elles impliquées dans le devenir ou la souveraineté des Québécois ?"

« Eh bien, il y a peut-être anguille sous roche et permettez-moi, je vous en prie, de m'expliquer franchement, comme je l'aime.

Car, au départ, je crains que le niveau national de cette commission fasse oublier un peu le devenir international du Québec.

« Depuis 20 ans, je sillonne la planète, pour mes chasses bien sûr, mais aussi comme consultant en entomologie et en muséologie. Ces activités m'ont permis d'entrer en contact avec une multitude de gouvernements, de municipalités, d'universités et de bien d'autres organisations.

« Ces voyages et ces éloignements du Québec m'ont permis de réfléchir beaucoup sur son devenir, et, surtout, son devenir à l'échelle mondiale. Or, c'est en s'ouvrant au monde que le peuple québécois atteindra sa maturité sociale, politique, économique, culturelle et scientifique ! »

Ainsi, les voyages de Georges et ses observations l'ont convaincu de la nécessité pour les Québécois d'être actifs et compétitifs à l'échelle mondiale. Pour y arriver, ils doivent se préparer et se doter des outils et des pouvoirs requis, notamment en proclamant leur indépendance. Selon Georges, cette autonomie permettra aux Québécois d'affirmer leur identité et d'exercer un rôle actif à l'extérieur du pays.

Georges y va ensuite d'une critique virulente à l'égard des politiques en cours imposées par Ottawa.

« À cause du fédéralisme canadien, le devenir international du Québec est paralysé dans son action, muselé à la source, noyé dans une dualité de cultures, taxé au point de vue visibilité et mal représenté par les organismes fédéraux mis en place !

« Et, face à cette situation, le Québec n'a qu'un seul moyen de changer cet état de choses, et ce moyen passe par la souveraineté.

« Oui ! C'est par la souveraineté et uniquement par ce moyen que le Québec pourra librement agir sur la scène internationale, et conclure avec d'autres États des traités, des relations, des échanges qui correspondront à 100 % à ses goûts, à ses besoins et à ses moyens. Le tout pour créer un statut international, adapté et personnalisé, un habit fait sur mesure pour le Québec. »

Georges parle ensuite de son histoire personnelle, sur laquelle il base ses convictions. En visitant plus de 100 pays et en fondant l'Insectarium de Montréal, il considère avoir agi comme un ambassadeur pour sa patrie. Il développe ensuite sur l'histoire de son institution, et ses retombées internationales. En effet, notre expertise en entomologie a pu être exportée sur tous les continents, apportant visibilité et crédibilité aux scientifiques québécois. Par sa nature et par ses vocations, l'Insectarium entretient des relations avec tous les pays du monde.

En outre, le grand voyageur a été témoin du traitement préférentiel qu'on accorde systématiquement aux représentants fédéraux, au détriment des représentants provinciaux ou municipaux…

« Je le répète donc, le devenir du Québec au niveau international est taxé d'une façon effroyable, et ce, précisément par l'autorité qui devrait au contraire le promouvoir, le gouvernement canadien. Permettez-moi de vous donner ici quelques exemples concrets.

« Il y a quelques années, je fus un membre très actif et fort motivé de ces délégations montréalaises dirigées par monsieur Pierre Bourque qui visaient à doter le Québec de ces merveilleux jardins chinois et japonais qui font maintenant notre orgueil. Dieu seul sait à quel point nous avons travaillé fort lors de ces voyages répétés en pays éloignés, pour réussir notre mission.

« Eh bien, croyez-le ou non, à chacune de nos présences là-bas, les autorités fédérales et membres de nos vénérables ambassades canadiennes voyaient d'un mauvais œil notre action. Plus encore, ils contestaient nos ambitions et, sans cesse, nous créaient des difficultés au lieu de nous aider, nous seconder !

« Dans nos relations ou représentations à l'étranger, en tant que Québécois, nous sommes constamment empêchés ou diminués par la dualité canadienne. Nous ne pouvons exprimer à l'aise nos besoins, nos attentes, nos désirs, notre originalité et notre spécificité, puisque nous sommes constamment soumis à un dénominateur commun de représentation internationale, un dénominateur anglo-saxon prédominant. Il faut avoir voyagé un peu et avoir agi à titre d'ambassadeur pour savoir qu'un gouvernement chinois ou japonais n'aime pas du tout négocier avec une province!

«Voyez les chicanes et tractations incessantes qu'a entraînées la participation du Québec aux récentes conventions internationales. On passe la majorité du temps et de nos énergies à régler nos conflits domestiques et à se protéger du fédéral, au lieu d'œuvrer et de profiter de ces occasions uniques pour faire valoir nos gens et nos produits! J'irai plus loin encore en disant que le gouvernement canadien et à prédominance anglo-saxonne est très négatif face à la qualité de nos démarches, à l'originalité de notre approche et au succès que l'on obtient malgré tout. Depuis toujours, le milieu officiel n'aime pas faire participer les Québécois aux conventions internationales. C'est comme si l'on dérangeait! C'est comme si l'on était de trop ou que l'on prenait trop de place, comme si l'on avait trop à dire, à faire, à insuffler.

«Depuis quelque temps, Jean Chrétien et ses amis fédéralistes se "pètent les bretelles" pour le succès obtenu lors de leur voyage en Asie; à les écouter, ils ont ouvert la Chine au Canada et les retombées futures seront immenses! Mais c'est Nixon[66] qui a ouvert la Chine il y a quelques années, Nixon et des gens comme Pierre Bourque, qui, sans frais, sans fard, sans salaire, sans reconnaissance, y sont allés et ont enfin pénétré ces pays aux marchés insoupçonnés! Moi j'y étais, je le sais. Nous avons rapporté dans nos valises ces jardins de rêve et nous avons créé des liens d'amitié durables et féconds en retombées pour le Québec. Ça, c'est ce que j'appelle préparer le devenir du Québec, malgré l'obstruction systématique du fédéral, qui prend ombrage de notre présence ou action là-bas!

«Imaginez un instant notre rayonnement et les résultats que l'on pourrait obtenir si l'on pouvait enfin parler à l'aise de notre pays, de nos gens, de notre culture, de nos produits et services, surtout si l'on se sentait appuyé, encouragé par ce même pays!

«Lorsque j'essaie de fonder des insectariums au Sénégal ou en Côte d'Ivoire, tout de suite, le spectre de l'ACDI[67] est brandi et la censure

---

66. Richard Nixon, 37ᵉ président des États-Unis.

67. Agence canadienne de développement international.

du fédéral vient annuler tous mes efforts. Comment puis-je négocier avec ces gens que le fédéral, par l'intermédiaire de Mulroney, vient d'accabler de millions de dollars de dette, établissant ainsi une sorte de jurisprudence caritative qui rend impossible des relations économiques normales avec ces populations ?

« Dans leurs relations internationales, les Québécois ont tout ce qu'il faut pour plaire, pour exceller, pour intervenir, pour intéresser, pour s'associer. À l'étranger, un Québécois, ça pogne, ça inspire, ça motive, ça démontre une culture et une créativité spéciales.

« Trop longtemps, nous avons été mal représentés, sinon pas représentés du tout. Nous serions si efficaces si, au lendemain de la souveraineté, nous pouvions enfin agir seuls, à notre compte, à notre profit, comme nous sommes, à notre juste valeur. Assez ! C'est assez ! Demain, les Québécois seront présents et, pour une fois, ils auront le pouvoir de parler pour eux.

« Un Québécois, c'est différent. Nous n'avons pas la même langue, la même culture, la même religion, le même droit, la même passion, la même énergie, la même couleur que les habitants des autres provinces. Je ne dis pas que nous sommes meilleurs, je dis que nous sommes différents. Et les Anglo-Saxons ne pourront jamais nous représenter convenablement, car ils ne partagent pas, ne connaissent pas et ne ressentent pas cette différence.

« Et c'est la même chose pour les fleurs et les insectes ! Peu de gens apprécient leur dimension. Et pourtant, ils ont été des traits d'union incroyables entre l'Asie et le Québec ; grâce à la botanique et à l'entomologie, certains d'entre nous ont réussi à établir plus de liens avec l'Asie que par l'intermédiaire de la politique ! Et nos institutions montréalaises ont eu des retombées fantastiques pour les Québécois. Elles génèrent du tourisme, des contrats internationaux ! C'est notre expertise qui est reconnue et nos gens qui sont sollicités !

« Permettez-moi cet autre exemple… Il y a quelques jours, au Jardin de Chine à Montréal, j'assistais au spectacle *Glace et Lumières de Harbin*[68]. L'événement expose le savoir-faire de sculpteurs de glace venus de Chine, qui, en retour, rapporteront dans leurs valises

---

68. Capitale de la province du Heilongjiang, dans le nord de la Chine.

des expertises et des technologies de chez nous, ce qui aboutira à de fabuleux contrats pour des firmes québécoises. Et ce n'est pas par hasard qu'Hydro-Québec subventionne ce spectacle. Quand Hydro-Québec décrochera 300 millions de contrats là-bas, ce sera grâce au Jardin de monsieur Bourque !

« Mais si les fleurs et les insectes génèrent de merveilleux contrats pour les Québécois, n'ont-ils pas la même importance que l'électricité ? Alors vous comprendrez mieux maintenant pourquoi ces fleurs, ces insectes et ces sculptures de glace avaient finalement, eux aussi, leur mot à dire dans le devenir international du Québec. »

Si l'indépendance politique est importante pour Georges, il s'enflamme tout autant lorsque vient le temps de parler de l'autonomie du Québec à l'intérieur de la francophonie. En octobre 2002, il écrit à l'équipe de rédaction du *Journal de Montréal* à propos des mots croisés pour les jeunes de 12 à 18 ans, qu'il juge trop « franchouillards ». Pour Georges, le Québec doit s'affranchir du joug fédéral autant qu'il doit s'affranchir de l'emprise culturelle qu'exerce encore la mère patrie (la France). Il s'insurge en constatant que les mots croisés traitent plus des réalités françaises que québécoises, « comme si nos fleuves, nos rivières, nos montagnes, nos hommes et nos femmes célèbres ne pouvaient servir de matière à ces passe-temps aussi divertissants qu'éducatifs » ! C'est pour lui une idée de plus à défendre, un projet de plus à vendre…

Georges a aussi beaucoup à dire concernant l'environnement. En août 2003, las de voir le peu qui est fait par les politiciens en la matière, il prépare un document dans lequel il présente un programme environnemental avant-gardiste, reposant sur la participation citoyenne plutôt que sur les subventions gouvernementales, qu'il envoie à plusieurs députés et plusieurs ministres, ainsi qu'à la Fondation québécoise en environnement. Il s'inspire de la campagne électorale menée presque 30 ans plus tôt, alors qu'il était candidat pour le Parti conservateur. Son plan repose entre autres sur la mise en place de fondations locales à but non lucratif, créées et gérées par des bénévoles qui coordonnent l'action citoyenne dans leur propre ville. L'ancien notaire veut convaincre le gouvernement d'apporter des mesures qui encourageraient les différents comtés à s'impliquer plus directement.

Ainsi, permettriez-vous à un simple citoyen de vous faire parvenir quelques suggestions susceptibles de vous aider dans la conception et l'élaboration d'un programme environnemental national ? La foi génère la foi ; la confiance génère la confiance et le goût de participer. Dans le cœur de beaucoup de Québécois, il y a des forces créatrices qui sommeillent, qui n'acceptent plus de n'être que des murmures et qui aspirent à être exposées, entendues, et peut-être utilisées.

En matière environnementale, je pense que toute action gouvernementale doit être au préalable voulue et méritée par la population. Sans une sensibilisation collective de la masse, sans une préparation adéquate du milieu, les mesures et solutions apportées risquent de tomber en eaux calmes et ses promoteurs prêcheront dans le désert. Les sommes et efforts consacrés au redressement de la situation verront leurs effets minimisés, sinon annihilés par le manque de réceptivité ou la passivité du milieu.

Dans le cœur de tout citoyen, il faut au préalable que l'environnement devienne une préoccupation véritable et que chacun accepte de modifier certaines habitudes qui sont les nôtres depuis, hélas, trop longtemps déjà. Soucieux de l'environnement, de la qualité de sa vie, de laisser aux générations futures une succession écologique valable et viable, le nouveau Québécois doit accepter de s'imposer une taxe environnementale originale, moderne, efficace et qui fait appel à une participation volontaire.

Le plan que je vous suggère s'efforce donc de travailler à cette sensibilisation collective, à cette éducation populaire, pour que les mesures que vous annoncerez sous peu tombent dans une terre bien préparée, fertile et propice à la germination.

LE PLAN

Au lieu de partir d'en haut, il faut partir d'en bas, investir à la base. Au lieu de se demander ce que le programme et les organismes existants vont faire, il faut agir de façon à ce que la population intervienne elle-même dans l'amélioration et la protection de son environnement immédiat.

[...] Nous avons le choix entre un grand parc où le moniteur fait tout, imagine tout, prend toute la place et l'importance de telle sorte que les enfants ne créent plus, ne s'amusent plus, ne participent plus... ou un grand parc où le moniteur ne fait qu'encourager la participation des enfants qui s'organisent eux-mêmes, qui imaginent leurs propres jeux et finalement s'amusent comme des petits fous !

Il est fini le temps où le gouvernement doit insuffler des millions en octroi et financement pour qu'un projet prenne corps. Le plus souvent, cette participation gouvernementale a l'art de tarir chez la population sa force imaginative, sa puissance créatrice et son goût de la participation.

[…] Voilà l'idée fondamentale de ce projet :

A. Dans chaque comté, ville, village, hameau de notre beau pays, une fondation locale parrainera un projet environnemental et un comité spécial sera créé à cette fin ;

B. Le projet, d'intérêt local, devra œuvrer dans un domaine précis : Ex. : fleuve, rivière, parc, montagne, centre de plein air, nettoyage, dépollution, accessibilité, etc. ;

C. Ce plan d'action fera appel principalement à la participation bénévole des citoyens sensibilisés.

Aussi, dans chaque lieu, la fondation mettra non seulement en œuvre un projet environnemental, mais servira de tremplin, de génératrice pour alimenter et susciter les énergies capables de réaliser ce projet.

Vous verrez comment nos organisations locales sont imaginatives, ambitieuses et capables de réalisations.

Pour certains comtés, ce sera bien sûr un nettoyage massif. Pour d'autres, ce sera la dépollution d'un lac, d'une rivière. Ici, l'on s'efforcera de rendre accessibles certains espaces verts. Là, on récupérera une montagne, une colline, une falaise, un parc, une vallée, un milieu humide, une tourbière. Ailleurs, on créera un centre de plein air, une piste d'interprétation de la nature, on se débarrassera de produits toxiques, on fermera un dépotoir, on forcera une industrie polluante à se moderniser, etc.

Chaque ville, village, municipalité sera impliqué. C'est la base elle-même qui choisira son projet et le développera. Ainsi, avec les années, dans chaque ville, village et paroisse de chaque comté, à la grandeur du pays, un projet environnemental prendra corps et se développera, aiguillonné par cette fondation qui sera le déclencheur et le maître d'œuvre !

[…] En 2000 et dans les années qui vont suivre, il faut plus que jamais croire au dévouement, à la participation, à la générosité du simple citoyen qui, sensibilisé à son environnement immédiat, a décidé de prendre ses affaires en main et d'utiliser une partie de ces nombreux loisirs pour contribuer physiquement à un projet, à l'amélioration de la qualité de vie de son milieu.

L'homme pollueur a décidé de se dépolluer, de nettoyer son environnement, de récupérer un espace qu'il considère comme le sien.

C'est ainsi qu'il se créera, peu à peu, au Québec, et à partir de la base, un souci véritable et dynamique pour l'environnement.

Et ce n'est que lorsque le citoyen aura prouvé son intérêt, son implication, sa participation, que les autorités gouvernementales devront intervenir pour donner le petit coup de pouce qui permettra alors d'atteindre des paliers inespérés. Les grandes actions gouvernementales auront alors été méritées, préparées, désirées.

Mériter d'abord l'intervention gouvernementale avant de l'obtenir. Aujourd'hui, c'est le contraire qui se produit. Les subventions d'abord, le mérite ensuite. Quelle farce ! C'est comme si l'on procédait à la distribution des prix le premier jour de l'année scolaire !

De plus, ces projets d'intérêt local et axés sur l'environnement serviront souvent de dénominateurs communs entre certains éléments souvent disparates à l'intérieur d'un comté. Un comté qui se prend en main, qui se nettoie, se dépollue et s'embellit génère une fierté bien légitime et une communion plus intense entre les membres.

Vous verrez : une multitude de projets verront le jour ; des campagnes de dépollution, d'assainissement seront organisées de façon bénévole un peu partout au Canada. Une éducation populaire se fera et les gens seront plus conscients de la nécessité vitale d'éliminer nos déchets, de protéger notre milieu, d'assainir nos eaux et de présenter l'image d'un pays propre, accueillant, et qui présente un haut niveau de qualité de vie.

Par la suite, le gouvernement pourra jouer pleinement son rôle et consacrer ses ressources et énergies aux gros dossiers qui dépassent les moyens du simple citoyen. Cette action positive du citoyen à la base ne doit certes pas relever les autorités gouvernementales de ses obligations face à l'environnement. Ces dernières, par une commission nationale, verront à enregistrer ces projets locaux, à les encourager et à prêcher surtout par l'exemple. Ainsi, le gouvernement pourra faciliter l'accès de certains milieux qui lui appartiennent, procéder au nettoyage de certains terrains qui sont propriétés publiques, diffuser une littérature simple et pratique, émettre des directives sévères aux sociétés de la Couronne qui sont reconnues comme de grands pollueurs et cesser enfin de distribuer à tort et à travers ses subventions qui paralysent plus souvent qu'elles encouragent.

Le document demeure lettre morte, mais Georges abandonne rarement ses idées, et reprendra son discours une décennie plus tard, en 2013, alors que la notion d'accès aux berges du fleuve Saint-Laurent est discutée pendant la campagne électorale pour la mairie de Montréal. Peut-être arrivera-t-il à convaincre le nouveau maire…

Georges se soucie donc d'autonomie et d'environnement, mais le vieillissement de la population est aussi un sujet qui lui tient à cœur. À l'automne 2007 se tient au Québec une consultation publique sur les conditions de vie des personnes âgées. Elle est menée par Marguerite Blais, que Georges respecte et admire beaucoup, alors ministre responsable des Aînés sous le gouvernement libéral. Ainsi, une commission se déplace de ville en ville et permet aux gens de venir partager leurs avis ou leurs propositions sur le sujet. Voilà une occasion pour Georges de reprendre la parole, au moment où la commission est à Brossard.

Pour l'orateur chevronné, une évidence s'impose : il faut mettre en valeur les connaissances des gens du troisième âge pour en faire profiter les prochaines générations.

> « En Chine, on accorde beaucoup d'importance à la population âgée, parce qu'elle est un symbole de sagesse et de savoir. Pourquoi est-ce le contraire ici ? On bâtit une société tellement éphémère, instable, parce qu'elle a perdu ses repères et ses racines ! »

Georges déplore aussi l'avarice et l'irrespect que montrent certaines personnes envers leurs parents âgés, se souvenant du temps où il était notaire.

> « J'ai souvent été appelé à faire des testaments dans les hospices, et, à plusieurs reprises, la même chose s'est reproduite : la famille me demandait d'abord de venir à l'hôpital pour rédiger le testament de leur parent moribond. Je m'y rendais, j'écoutais le testateur dicter ses dernières volontés, entouré de ses enfants. Le lendemain ou surlendemain, je recevais un appel du même testateur, qui requérait mon aide afin de changer son testament, dont les clauses avaient été imposées par un ou deux héritiers… Je retournais alors à l'hôpital et recevais, en l'absence des enfants, ses nouvelles dernières

volontés, souvent diamétralement opposées à celles de la veille ou de l'avant-veille ! »

Devant la commission, Georges s'embarque dans un vibrant plaidoyer :

« La documentation portant sur les aînés déborde d'images de gens plus ou moins vieux, toujours en couple, resplendissants de santé, bronzés, entourés de leurs petits-enfants et à la veille de partir en voyage grâce à un fonds de retraite faramineux. Cette représentation hypocrite du vieillissement n'a rien à voir avec la réalité ! Au contraire ! Les gens sont souvent seuls, tristes et délaissés ; ils sont déprimés parce que désœuvrés. Ils sont "parqués" comme des bêtes dans des milieux souvent insalubres ! Ce sont des gens dont la vie est plate à mourir, des gens qui attendent inexorablement de mourir… Comment se fait-il qu'ils soient ainsi traités ? Quelle honte pour une société comme la nôtre, une société égoïste qui ne prend pas soin de ses vieux, alors qu'ils auraient tellement à offrir ! On leur doit honneur et respect, considération et reconnaissance, amitié et amour. Ce sont eux qui ont bâti ce pays de rêve qui fait l'envie du monde entier ! »

Pour Georges, la communauté devrait profiter de la sagesse des gens âgés. Leur force, c'est leur expérience et leur générosité. On peut remédier à leur désœuvrement en les invitant à faire du bénévolat dans les milieux scolaires, les ateliers de formation professionnelle, les services de garde, de protection de la jeunesse, d'aide aux devoirs… Il suffit d'utiliser ce temps qu'ils ont à leur disposition pour faire quelque chose de constructif. Pour le conférencier, on devient vieillard à cause des autres, on devient vieillard quand on n'a plus rien à faire. Convaincu de l'importance et de la force de cette génération, Georges paraphrase l'écrivain et ethnologue malien Amadou Hampâté Bâ : « Un vieillard qui meurt, c'est comme une bibliothèque qui brûle. »

Lorsqu'il termine son discours, Georges a droit à une ovation. Le public présent à la commission est étonné de le voir aussi émotif et à ce point sensible à la cause des personnes âgées. C'est pourtant loin d'être le seul

sujet qui le fait réagir. Pour lui, nombreuses sont les causes qui mériteraient l'attention des députés et des ministres. La politique peut faire
une différence puisque c'est elle qui régit et réglemente nos vies. Georges
rêve de projets gouvernementaux audacieux et rassembleurs qui met-
traient fin au *statu quo* qui dure depuis des années, malgré les gouvernements qui se succèdent et qui se ressemblent toujours un peu, quelle
que soit leur allégeance politique.

> « J'aurais aimé être ministre de l'Environnement, de l'Éducation,
> de la Justice ou des Aînés. Peu importe le ministère, j'aurais fait
> bouger les choses ! »

Mais quel premier ministre pourrait tolérer Georges à ses côtés ? Lequel
pourrait modérer le zèle de son ministre, le faire taire pour suivre la
ligne de partie ?

La quête de gestes environnementaux concrets

L'intérêt de Georges pour la politique lui vient de son père. Sa préoccupation pour les enjeux environnementaux lui est propre. Au fil des
années et des voyages, le jeune chasseur s'est transformé en un ardent
défenseur de l'environnement, conscient des enjeux écologiques auxquels la planète doit faire face. L'ouverture de l'Insectarium, en 1990,
était la première contribution de l'entomologiste, soucieux de mettre
la protection de l'environnement de l'avant, de démontrer à la jeunesse
québécoise l'importance du respect de la nature. Il voit la déforestation
massive des années 80 et 90, dans la forêt amazonienne comme dans la
forêt boréale, mettre en péril la biodiversité et bouleverser le climat,
alors que les efforts gouvernementaux sont malheureusement insuffi-
sants ; la pollution à l'échelle planétaire est en train de causer des dom-
mages irréparables. Pour Georges, les gouvernements et les populations
doivent se mobiliser.

> « Déjà, dans les années 90, la science nous montrait que les derniers
> 60 ans avaient été plus destructifs que les 6 000 années qui avaient

précédé! Il fallait faire quelque chose, appeler haut et fort à un changement des comportements!»

Georges désire s'impliquer concrètement, même s'il doit le faire sans l'appareil politique. Lorsque la chance lui est donnée, le collectionneur d'insectes explique à quel point la nature est importante et essentielle, dans l'espoir de faire évoluer les mentalités. Dès le début des années 90, il organise des conférences, se rend dans des écoles et écrit quelques articles pour des revues ou des journaux. Il pense à cette pauvre planète qui en souffre un coup et aux enfants qui, finalement, en paieront le prix. À force d'en parler, se dit-il, la majorité se ralliera bien aux écologistes de ce monde.

Autour de 1999, Georges rencontre son oncle Léo, homme fortuné, et sollicite sa générosité: «Que vas-tu faire de tout ton argent, mon oncle? Ne pourrais-tu pas faire un don à la Fondation québécoise en environnement?» L'organisme en question a été créé en 1987 par un regroupement de personnalités québécoises désireuses de poser des gestes concrets, en vue d'une meilleure utilisation et d'une meilleure gestion de l'environnement. L'oncle Léo accepte de suivre l'exemple de son neveu, à qui il remet un chèque de 5 000 dollars, aussitôt acheminé à l'organisme.

Dans l'espoir d'attirer d'autres donateurs, Georges joint cette note au chèque:

> *Lorsque passe la grande faucheuse et que le membre couche ses membres à tout jamais, il ne va pas seul au trépas car il voit sa postérité spirituelle qui l'accompagne pour toujours*[69].
>
> *Ainsi:*
> *Lorsque le Québécois d'origine ou d'adoption se prépare à quitter cette terre d'abondance, ne pourrait-il pas avoir une pensée particulière pour cette patrie qui l'a accueilli avec tant de richesses, tant de largesses, en laissant, soit par donation, soit par legs testamentaire, une marque de reconnaissance envers ce pays pouvant*

---

69. Citation de Sertillanges, philosophe français.

être utilisée à des fins de redressement environnemental et écolo-
gique? C'est le geste le moins égoïste qui puisse se concevoir. Et
la Fondation québécoise en environnement est bien prête à accueil-
lir ces dons et les gérer en conséquence!

Faire profiter la communauté entière d'une amélioration de l'environnement, voilà comment Georges voit les choses. Pour les gens prospères,
une contribution à la terre est une belle façon de laisser sa marque, de
participer à la santé des écosystèmes, essentielle aux générations futures.

En 2003, l'entomologiste-environnementaliste apprend que les ambitions municipales pourraient faire disparaître le boisé du Tremblay, à
Longueuil.

Pour Georges, en plus des espèces animales et végétales déjà protégées
par diverses lois, bien d'autres méritent d'être préservées du fait de leur
rareté. Une visite sur place lui fait remarquer la présence de la *Lasius*
minutus, une fourmi menacée par l'étalement urbain et capable d'édi-
fier des monticules allant jusqu'à plus d'un mètre de hauteur, l'équivalent d'immenses gratte-ciels pour ces petites bestioles. Georges écrit
une lettre ouverte au ministre de l'Environnement d'alors, Thomas
Mulcair, se portant à la défense de ce milieu. Quelques années plus tard,
en 2011, il aura le bonheur d'apprendre que la Ville désire transformer
le boisé en refuge faunique. Mieux vaut tard que jamais, se dira-t-il. Son
intervention aura peut-être servi à en inspirer d'autres. Quoi qu'il en
soit, c'est pour lui une petite histoire qui se termine bien.

Chaque fois qu'il est sollicité ou que la chance lui en est donnée, Georges
prend la parole pour protéger la nature, pour éduquer les gens. Puisque
sa renommée lui permet de capter l'attention des médias, il se doit d'en
faire bon usage.

Mais ses talents de communicateur ne sont pas uniquement déployés
à Montréal. Un peu plus au nord, les compagnies forestières dévastent
les forêts de Haute-Mauricie, où sont situées plusieurs pourvoiries de
chasse et de pêche. Alors que celles-ci n'étaient autrefois accessibles que
par hydravion, des routes forestières s'enfoncent désormais dans ces
forêts sauvages et les saccagent. Georges est outré.

Lors des journées d'audiences sur l'exploitation de ces terres, qui se déroulent en juin 2004, Georges présente un mémoire écrit à la main, chargé d'émotion. C'est un sujet délicat pour lui, le Nord québécois est précieux et lui a permis de se ressourcer à de nombreuses occasions. Le 20 octobre 2004, il exprime aussi sa colère dans un article virulent du *Journal de Montréal*. Il est primordial que ces domaines naturels soient préservés! D'ailleurs, il a souvent rêvé, avec son ami Pierre Bourque, de transformer la forêt boréale en une grande réserve mondiale de la biosphère...

En 2005, le résident de Saint-Bruno s'implique dans un projet d'investissement immobilier majeur dans sa propre ville. Une carrière désaffectée s'est transformée au cours des 20 dernières années en un lac aux eaux cristallines de plus de 30 mètres de profondeur, au bord duquel de luxueux condominiums seront construits. Georges propose aux trois promoteurs sa collaboration à titre de bénévole.

> « Pour une fois, l'utilisation humaine d'un lieu avait laissé quelque chose de valable sur place. Les parois rocheuses de l'ancienne carrière permettaient de visualiser notre histoire géologique : le passage des glaciers, la formation de la mer de Champlain et des Montérégiennes... Il fallait mettre en valeur ce lieu. »

Ainsi, pour faire ressortir ses attraits uniques tout en empêchant la dégradation de l'environnement, l'ancien notaire prodigue quelques précieux conseils, dont celui d'interdire toute embarcation à moteur sur le plan d'eau.

Cet engagement répond à ses valeurs environnementales, à son souci de préserver l'équilibre écologique de son patelin. Georges veut aussi s'assurer de la revalorisation des roches que l'on excavera pour construire les cinq immeubles de 36 appartements. Les promoteurs sont évidemment ravis de cette collaboration, eux qui misent sur le côté vert du projet pour attirer les clients. Entourés d'une végétation abondante, les luxueux condos (dont le prix varie entre 285 000 et 1,5 million de dollars) possèdent un balcon avec une vue imprenable sur une ancienne carrière transformée en un lac d'azur.

Pour Georges, c'est une autre façon de contribuer.

Solidarité communautaire
S'engager partout et toujours

C'est plus fort que Georges, si on lui demande son aide, il peut difficilement refuser. Il s'agit pour lui d'un élan naturel, un besoin d'être présent, de mettre la main à la pâte, peu importe la façon. Comme du temps où il était notaire et donnait dans ses temps libres des cours de préparation au mariage ou des conférences sur la succession et sa planification. Comme toutes ces fois où il a motivé de jeunes entrepreneurs et partagé avec eux connaissances et conseils, particulièrement depuis le début des années 2000.

Si la demande d'aide est légitime et correspond à ses valeurs, Georges s'implique. Ainsi, en octobre 2004, il devient le président d'honneur d'une marche organisée par l'organisme Enfant-Retour, qui œuvre auprès des familles victimes de la disparition d'un enfant et vise, par la sensibilisation du grand public, à lutter contre les enlèvements. Après la marche, qui a lieu à la montagne de Saint-Bruno, Georges invite même les enfants présents à visiter sa résidence pour admirer sa collection d'insectes!

Toujours en octobre 2004, il devient président d'honneur d'une collecte de sang organisée par Héma-Québec à Saint-Bruno. Au centre de collecte, Georges fait grande impression avec sa mygale vivante. Au lieu des 140 donneurs prévus, 186 personnes se présentent pour un don, fascinées par l'homme et la bête.

En 2006, Bibliothèque et Archives nationales du Québec (BAnQ), en collaboration avec l'Insectarium de Montréal, présente une exposition sur l'entomologie culturelle à partir des objets que Georges et Stéphane Le Tirant ont cumulés lors de leurs nombreux voyages. *L'Abécédaire des insectes* est la plus grande exposition jamais organisée en Amérique sur la représentation et l'utilisation des insectes dans les différentes cultures: timbres, monnaies, bijoux, tableaux, sculptures, gravures… Que ce soit de l'art naïf représenté par un collier péruvien fait d'élytres de scarabées (a), des broderies du Panama inspirées des lépidoptères

(b) ou des cigales d'onyx confectionnées en Chine (c), c'est l'alphabet des papillons qui sert de fil conducteur pour cette exposition. Cet alphabet vient du travail de Kjell B. Sandved, un photographe norvégien, qui, vers la fin des années 60, a découvert par hasard une lettre parfaite (un F) sur les ailes d'un papillon. Après 25 ans de recherches et des expéditions dans plus de 30 pays, il a photographié les 26 lettres de l'alphabet latin sur les ailes de différents papillons (c'est à se demander si les concepteurs de l'alphabet se sont jadis inspirés des ailes des lépidoptères) ! Ainsi, les photographies de Sandved, étonnantes de couleurs et de précision, font partie intégrante de l'expo. Et Georges profite de l'événement pour animer des conférences devant les visiteurs de la Grande Bibliothèque.

Dans la même année, il participe au 24ᵉ déjeuner des chefs de file du Haut-Richelieu, orchestré par l'organisme de parrainage civique de la région, qui vise à établir une relation d'amitié entre un parrain ou une marraine civique et une personne atteinte d'une déficience intellectuelle. Georges prononce alors un discours portant sur la philanthropie. Il veut convaincre ses auditeurs des bienfaits du parrainage, inciter et encourager les gens présents à se donner à une cause.

Toujours en 2006, le voilà cette fois président d'honneur du Festival de l'aviation de Lac-à-la-Tortue, où sont exposés les insectes de sa collection personnelle. Georges a alors le plaisir de joindre deux passions, lui qui raffole toujours de ces envolées aériennes qui comblent ses besoins d'adrénaline ; il a maintenant des centaines d'heures de vol à son actif.

Georges participe aussi aux campagnes de financement des Maisons des jeunes, notamment celle de Saint-Bruno, dont il est président d'honneur en 2008 :

> « Pour moi, une Maison des jeunes, c'est comme une assurance prolongée contre la délinquance, la criminalité, le désœuvrement, le flânage, la prostitution, la consommation de drogue et d'alcool et l'absence de civisme. La société doit souscrire à cette assurance dont les primes sont si peu dispendieuses ! »

Ainsi, à plusieurs reprises, Georges s'engage dans sa communauté et dans la société. C'est une valeur qu'il conservera en lui toute sa vie.

Les 20 ans de l'Insectarium

En 2010, Stéphane Le Tirant reçoit d'un collaborateur de longue date, Michael Hudson, un contenant renfermant plusieurs *Eupholus*, ou charançons bleus, des coléoptères provenant de Papouasie-Nouvelle-Guinée. Toutes les espèces du lot sont connues des scientifiques, sauf deux, qui présentent des particularités singulières. Après des recherches approfondies, il est établi qu'il s'agit effectivement de deux nouvelles espèces. L'une d'elles sera nommée *Eupholus brossardi*, en l'honneur de Georges, l'autre, *Eupholus lorrainei*, en l'honneur de la mère de Michael Hudson, Lorraine. Fébrile, Stéphane écrit à son ami pour l'en informer.

Cher Georges,

À l'occasion du 20ᵉ anniversaire de l'Insectarium de Montréal, cette vénérable institution dont tu es le fondateur, et pour souligner ton exceptionnelle contribution à la muséologie et à l'entomologie dans le monde, il nous fait plaisir, à René et à moi, de nommer en ton honneur un des plus beaux coléoptères de la création, soit un Eupholus.

Aujourd'hui, en ce premier mai de l'année deux mille dix, vit dans la forêt tropicale sur la canopée des grands arbres un Eupholus brossardi aux magnifiques couleurs chatoyantes.

Merci bien sincèrement pour cette longue amitié qui dure depuis plus de 30 ans.

Avec toute notre admiration, notre gratitude et notre respect les plus sincères,

Stéphane Le Tirant & René Limoges

Ainsi donc, en 2010, l'Insectarium célèbre son 20ᵉ anniversaire. Déjà 20 ans ! Pour l'occasion, une vidéo promotionnelle relate l'histoire de l'établissement, en plus d'annoncer sa future métamorphose. En effet, au cours des prochaines années, l'Insectarium doublera sa superficie et intégrera, entre autres, une volière d'insectes et un bistro où seront consommés… des grillons. Le nouveau bâtiment sera inauguré en 2017, pour souligner le 375ᵉ anniversaire de la ville de Montréal. Dans la vidéo promotionnelle, le petit-fils de Georges, William, présente sa propre petite collection de bestioles et invite les gens à venir voir « les plus beaux insectes du monde » à l'Insectarium de Montréal. Le flambeau se transmet de génération en génération…

Diverses activités sont organisées pour les 20 ans de l'institution. Pendant deux jours (les 6 et 7 février 2010), les gens font la file pour visiter l'établissement et rencontrer son fondateur. Georges se prête au jeu avec joie, heureux de serrer autant de mains. La fin de semaine est épuisante, mais valorisante. En deux décennies, l'Insectarium a modifié la perception de milliers de Québécois à l'égard des insectes, les jeunes entomologistes se sont multipliés, la mission éducative va bon train. Bien sûr, Georges aurait préféré des tarifs plus bas et accessibles à tous… ou encore, dit-il avec un clin d'œil, « que les dames n'aient pas à payer le prix d'entrée ! ». Mais les temps ont changé, l'institution n'appartient plus à son fondateur, même s'il en sera toujours son plus loyal et fidèle représentant.

Cette fête commémorative rappelle à Georges sa chance d'avoir eu une vie bien remplie. Et pourtant… son parcours aura été jalonné de nombreuses remises en question. Pour les besoins de la cause, revenons 10 ans en arrière…

Volte-face
À la recherche d'une nouvelle vocation

En 1999, vers la fin de la tournée de promotion d'*Insectia*, Georges sent que sa vie va prendre un nouveau tournant, que l'an 2000 marquera un nouveau départ. Il pense même prendre une année sabbatique, à ne rien faire, sinon réfléchir, comme il l'a déjà fait, il y a maintenant plus de 20 ans.

« J'étais en Thaïlande, à Bangkok. Au cœur de la saleté, du bruit, des odeurs, de la pollution et de la prostitution. J'étais épuisé physiquement et mentalement, l'âme n'y était plus. Je voyais des enfants qui mendiaient et tendaient la main. Qu'allait-il advenir d'eux ? Je voulais faire quelque chose pour ces jeunes avant qu'il ne soit trop tard. Je trouvais la vie tellement injuste, j'avais envie de pleurer… Je me suis revu, petit et chagriné, alors que ma mère me chuchotait à l'oreille que j'étais fatigué et que le sommeil allait tout régler. Je suis donc allé me coucher, l'âme en peine. »

Durant le vol qui le ramène à Montréal, Georges doit mettre de côté ses idées noires et préparer sa conférence du lendemain, qui porte justement sur… le mieux-vivre. Il faut bien prêcher par l'exemple.

Conférence du 2 octobre 1999, à Montréal :

« Dans le cœur de tout homme, toute femme, il y a des forces créatrices qui sommeillent, prennent racine par le rêve, et qui sont alors impératives. Mais plus tard, ces forces innées et génétiques sont alors étouffées par des pressions sociales, économiques, familiales et professionnelles, et ne deviennent plus que des murmures…

« Mais si un jour on trouve le moyen de faire table rase, d'avoir le courage de changer ce que l'on peut, de faire retour en arrière et se mettre à l'écoute de nos émotions, nos passions, ces forces créatrices se manifesteront de nouveau avec acuité pour revitaliser nos vies et nos devenirs. »

Le conférencier s'adresse à un prestigieux auditoire, des professionnels disposés à écouter et à apprendre sur le mieux-vivre. Mais c'est bien lui le principal concerné… Ses grands objectifs ont été atteints, que lui reste-t-il ?

Celui qui se perd dans sa passion perd moins que celui qui perd sa passion[70].

Quelques semaines plus tard, Georges note dans son journal de bord :

Je reviens d'un beau voyage en Asie du Sud-Est, mon douzième et probablement mon dernier. Il me faut aller ailleurs, découvrir de nouveaux horizons, passer là où personne ne va, me frotter à d'autres cultures, m'éveiller à d'autres consciences. Je me sens vidé et rempli à la fois, rempli d'énergies et d'ambitions, vide de mes illusions. Tout d'un coup, l'Insectarium me semble petit, trop petit pour mes appétits. Les paramètres actuels ne me suffisent plus, j'ai faim. On ne me propose rien, je me sens comme une monture négligée par les parieurs. Mais je m'en fous, j'ai de l'haleine, je courrai ailleurs !

Georges continue son introspection, parfois tenté d'arrêter les chasses, les collections et les voyages pour se réorienter complètement, avec un goût d'humanisme et un désir profond de changer les choses.

« J'avais envie de partir outre-mer, de mettre sur pied dans un pays en voie de développement un nouvel insectarium qui serait populaire et créerait des emplois, un complexe qui abriterait des insectes

---

70. Citation de saint Augustin.

de tous les pays, les vecteurs de messages d'espoir. Les retombées financières seraient utilisées à des fins de santé et d'éducation pour le pays. C'était un projet auquel je tenais beaucoup, un de ceux à classer dans les choses à réaliser, encore aujourd'hui… »

Pour Georges, l'existence du missionnaire demeure la plus noble qui soit. L'entomologiste trouve sa propre vie aberrante lorsqu'il voit des enfants souffrir ou mourir faute de pain, de médicaments, d'amour. Il voudrait les adopter et leur redonner la dignité humaine, comme l'a fait mère Teresa, cette petite femme sans grands moyens qui a changé les façons de vivre des Indiens à force d'amour et de générosité. Georges réfléchit depuis longtemps à ce qu'il pourrait faire. Choisir une région défavorisée et y implanter une organisation philanthropique pour améliorer la condition des enfants et ainsi participer à enrayer la misère ? Existe-t-il un plan d'action pouvant être reproduit et appliqué en de nombreux pays ? Sans compter sa propre famille ; deux ados à la maison, c'est déjà une grande mission…

Et puis la chasse, les voyages et la collection ne cesseront pas, il le sait bien.

Lorsque Georges est nommé membre de l'Ordre du Canada, en octobre 1999, la reconnaissance est bien sûr appréciée, il y est sensible, mais elle ne suffit pas. Car, malgré sa gratitude, il est toujours en questionnement. Que valent réellement la récompense et l'appréciation ?

Dans son livre de citations, dans lequel il note celles qui l'ont marqué et qui l'influencent encore parfois, Georges reprend cette pensée d'Emmanuel Mounier, intellectuel et philosophe français ayant contribué à la réconciliation entre la France et l'Allemagne après la Seconde Guerre mondiale :

> *Vois-tu, il faut à tout prix que nous fassions quelque chose de notre vie… Non pas ce que les autres y voient et admirent, mais ce tour de force qui consiste à y imprimer l'infini.*

Tout comme 20 ans plus tôt, Georges est à la recherche d'une mission, d'un nouveau défi qui lui permettra de laisser sa marque… Après des réalisations comme l'Insectarium de Montréal et la série *Insectia*, que peut-il encore accomplir ?

> « À chaque jour, en me levant, c'est un ressort qui me fait sortir de mon lit ! Je ne veux surtout pas gaspiller cette journée qui commence, et j'établis très tôt la liste des tâches à réaliser ! C'est encore comme ça aujourd'hui ! »

À l'image de ses parents et depuis toujours, Georges veut rentabiliser son temps, ne rien obtenir sans mérite et sans peine. Il est obsédé par le travail, le succès et le rendement. Sa remise en question le porte à vouloir exercer un nouveau métier qui pourra faire une différence dans la vie des autres… son désir d'efficacité le force à le faire de la manière la plus utile et la plus profitable possible. Il se souvient d'avoir rêvé qu'un jour, il prêcherait sous les arbres. Peut-être n'était-il pas si loin de la vérité…

Les conférences
Du discours aux vaches à aujourd'hui

Dans les années 40, lorsque son oncle Guy l'avait aperçu en train de discourir passionnément, par un après-midi d'été, devant des vaches à l'air hébété, Georges avait eu honte et lui avait demandé de ne rien dire. Au contraire, son oncle, impressionné, s'était mis à lui livrer des conseils sur la façon de s'exprimer et de raconter.

Ces conseils ont bien servi, Georges a fait des conférences partout dans le monde et dans plusieurs langues (en français, en anglais, mais aussi en italien, en portugais et en espagnol, langues qu'il a apprises lors de ses voyages). On le sait, Georges Brossard est un passionné de l'art oratoire et peut subjuguer son auditoire. Mais il se souvient de l'époque où personne ne l'écoutait, sinon ses cousins et cousines, à qui il avait déjà tout dit. Ce temps où il suppliait ceux qui lui racontaient des histoires : « encore, encore… » Maintenant qu'il se trouve dans la position du narrateur et qu'on l'écoute, pour rien au monde il ne voudrait arrêter.

Évidemment, sa passion pour les insectes teinte ses communications, quel que soit le sujet abordé : l'entrepreneuriat, la motivation, la gestion, l'environnement, l'éducation, le leadership… Conférencier, voilà son nouveau métier.

« La vie, c'est unique !

« Et pourtant, combien d'entre nous feront un détour pour mieux écraser un petit insecte au sol ? Quel geste d'orgueil insensé ! Qui sommes-nous, tard venus sur cette planète, pour décider que cette vie, si petite soit-elle, n'a pas sa raison d'être, son utilité, sa nécessité ? Quelle attitude inacceptable et bien propre à l'*Homo sapiens*, toujours avide de domination !

« Voyons donc ! Toute vie a un sens. Rien ne vaut plus que la vie. L'insecte que l'on écrase comme cela bêtement au sol est peut-être un papa, une maman qui, à son tour, donnera naissance à la vie.

« La vie, c'est grand, c'est beau, c'est spécial, c'est un privilège.

« On a entrepris des expéditions spatiales pour tenter de découvrir une trace de vie ailleurs que sur la planète Terre et toutes sont revenues bredouilles… Serait-ce que la Terre a le privilège exclusif d'abriter la vie ?

« Pensons-y deux fois avant de mettre fin à une vie, car alors on détruit ce qu'il y a de plus précieux sur terre. »

Bien sûr, Georges a lui-même tué des milliers d'insectes… Voilà un beau paradoxe ! Pour apprendre à connaître les insectes, il faut les étudier, et pour ce faire, en sacrifier certains. Mais pour l'entomologiste, il a toujours été clair qu'il ne fallait pas que ses collectes mettent en péril une espèce. Les nombreux arthropodes de sa collection lui permettent de parler de la vie et de son unicité. Les analogies possibles sont nombreuses, l'approche, intéressante et fascinante. Les fourmis vivent en société et démontrent une très bonne organisation, basée sur la communication et le travail d'équipe ! Les insectes, en s'adaptant, au fil du temps, ont su traverser les années, les humains peuvent s'en inspirer. Les arthropodes ont depuis toujours incorporé le recyclage et le compostage dans leur mode de vie, des activités dont l'importance tarde à être reconnue dans le monde industriel !

Les insectes ne laissent personne indifférent, voilà pourquoi Georges les a choisis, voilà pourquoi il a jeté son dévolu sur cette classe. Il fait des discours et des conférences depuis longtemps déjà, et il lui arrive parfois, certains soirs, de captiver son auditoire à un point tel qu'on pourrait entendre une mouche voler.

Au-delà des extravagances du personnage, au-delà de son amour pour les insectes, Georges est au service de ses messages, qui sont nombreux.

Voilà la mission de Georges pour la prochaine décennie : les années 2000 lui permettront de transmettre ses connaissances et ses réflexions à un nombre grandissant de personnes, mais cette fois, de façon plus personnelle. Il ressent notamment la nécessité d'enseigner les sciences naturelles, et les insectes représentent une bonne façon d'aborder le sujet. Georges déplore l'urbanisation effrénée, le fait que les populations des villes soient désormais majoritaires et les populations rurales, marginales.

« La nature dans laquelle j'ai eu la chance de grandir est quasiment disparue et les autorités scolaires ne semblent pas avoir saisi l'importance d'enseigner l'environnement aux jeunes enfants du primaire. Ces adultes de demain ont malheureusement des connaissances en sciences naturelles limitées. Certes, les mathématiques, la chimie, le français et l'anglais sont des matières importantes, mais pour apporter les correctifs environnementaux nécessaires, ces jeunes devront savoir de quoi la nature est constituée, ils devront en connaître les matériaux de base. Où ces jeunes peuvent-ils s'éduquer sur le sujet, si ce n'est à l'école ? L'Insectarium peut-il compenser l'absence de cet apprentissage ? »

Georges fait des présentations dans plusieurs écoles, essayant de contribuer un tant soit peu à l'éducation écologique des générations futures. De plus, l'ancien notaire élargit la portée de ses plaidoiries : par les insectes, l'environnement, et par l'environnement, l'âme humaine…

En décembre 2000, le Congrès international d'entomologie a lieu à Montréal, au Palais des congrès. Georges prononce le discours d'ouverture, portant sur la responsabilité sociale d'une entomologie moderne. Comme toutes les sciences, l'entomologie doit avoir une vision globale et durable. Elle doit prendre en considération les espèces en voie d'extinction, en favorisant, par exemple, l'élevage de certains insectes, tout en empêchant leur disparition dans la nature. Les discours des congressistes sont généralement très pondérés, mais celui de Georges est émotif, détonne et enthousiasme la foule de 3 000 entomologistes qui l'applaudissent chaleureusement. Pour l'entomologiste amateur qu'il est, c'est une grande fierté d'être admis dans le rang de ces scientifiques.

Être tribun est un boulot exigeant, un art que Georges prend au sérieux. Il admire Martin Luther King, qui n'avait pas son pareil en ce domaine, de même que Winston Churchill, John Kennedy et tous ceux qui ont su captiver l'attention de leurs compatriotes en manipulant avec brio l'art oratoire. Selon Georges, le plus grand de tous fut Cicéron, il y a 2 000 ans. Ses discours étaient tellement bien structurés et nuancés qu'ils servent encore de modèles aujourd'hui. Pour honorer la mémoire de son maître, Georges utilise quelquefois le latin, en guise d'introduction : « *Si quid est in me ingenii, judices* (s'il y a en moi un peu de talent, ô, juges), je voudrais l'utiliser aujourd'hui pour… » Plusieurs ont appris le latin lors du cours classique, peu le maîtrisent encore avec autant d'aisance que Georges. Il faut dire que le droit, avec toutes ses références latines, l'a aidé à manier avec facilité cette langue presque morte.

Après des années de voyages presque ininterrompus, le travail de conférencier aurait pu être assommant pour Georges l'aventurier. Pourtant, il suffit d'être témoin de la fougue qu'il déploie lors de ses discours pour comprendre le plaisir qui l'anime. Et rien de tel pour lui qu'un auditoire attentif de professionnels, qui contraste avec la passivité des vaches qui l'observaient 50 ans plus tôt.

Avant de monter sur scène, Georges se recueille et pleure parfois, reconnaissant d'avoir la chance et le privilège de parler aux gens, de pouvoir les aider, les animer, les émouvoir et les inspirer. Il pleure aussi quand tout est fini, de joie, parce qu'il a peut-être eu un impact, ou de tristesse, parce que l'événement est terminé.

Ainsi se succèdent les conférences de l'homme passionné, dans les milieux d'affaires ou scientifiques qui le sollicitent, mais aussi dans les écoles, surtout celles des milieux défavorisés. Il est comme un missionnaire laïque qui se doit de propager ses enseignements, peu importe

l'endroit, mais plus généreusement aux moins bien nantis, en commu-
niquant haut et fort ses encouragements aux groupes vulnérables, comme
du temps où il était au collège, alors qu'il martelait aux souffre-douleur
leur droit d'avoir de l'espoir, leur responsabilité de se tenir debout et
de se prendre en main.

En 2003, Georges rédige un article pour le compte du magazine *Entreprendre*, reprenant une partie d'un discours à la jeunesse qu'il a livré à
quelques reprises :

[...] Il s'est installé sur l'ensemble de la planète un climat de morosité, de
pessimisme collectif qui, petit à petit, gagne toutes les fibres de la société.
On assiste au tarissement de la force imaginative de l'humain, de sa puissance créatrice, de sa capacité à se redresser ! L'homme a abdiqué [...]. Les
conférences de motivation que je donne tous les jours dans les écoles
secondaires en sont un exemple éloquent. Les jeunes ne décrochent pas
seulement de l'école, mais de toute leur vie. Et lorsque je les interroge, ils
me disent : "C'est fucké !" Tout est soudainement fucké. L'école, les professeurs, la société, la politique, toute la terre est fuckée !

Je leur réponds avec véhémence que nous vivons dans un pays de rêve, un
pays immense regorgeant de richesses naturelles, un pays qui ne connaît
ni guerre, ni famine, ni épidémie, un pays de culture aux multiples dimensions, un pays où la sécurité sociale et médicale fait l'envie des autres, où
l'éducation est gratuite et accessible à tous.

Il faut avoir le courage de changer les choses, de se prendre en main, de
modifier certaines de nos habitudes pour se nettoyer, se dépolluer, se
ramasser, se décrotter ! On ne peut plus se fier uniquement aux gouvernements pour corriger la situation. Toute action gouvernementale, de quelque
nature qu'elle soit, doit être préalablement réclamée et méritée par la
population[71].

Pour l'intrépide chasseur d'insectes, ce sont maintenant ses discours
qui prennent toute l'importance. Il profite de toutes les tribunes de la
meilleure façon possible. Les réalisations dont il est fier, les conclusions
auxquelles il est arrivé, ses succès et ses insuccès, il se doit de les communiquer.

---

71. Georges Brossard, « Inspirons-nous des insectes », *Entreprendre*, vol. 17, n° 3, 2003, p. 15-16.
   Cet extrait a été reproduit aux termes d'une licence accordée par COPIBEC.

L'idéal n'est pas une vie confortable...
Ce pourquoi il vaut la peine de vivre...
C'est le don de soi aux autres[72].

Même l'Assemblée nationale fait appel aux services du conférencier lors d'une activité au Parlement en octobre 2008, pour faire connaître aux décideurs québécois la Fondation Jean-Charles-Bonenfant, qui a pour mission d'augmenter, d'améliorer et de diffuser les connaissances sur les institutions politiques et parlementaires et de promouvoir l'étude et la recherche sur la démocratie.

Depuis le début des années 2000, Georges se rend régulièrement dans les écoles primaires et secondaires pour faire des conférences de motivation ou portant sur les sciences naturelles. Lorsqu'un montant symbolique est demandé à l'entrée, celui-ci est ensuite remis à un organisme de charité de la localité. Georges est sollicité dans plusieurs municipalités : Montréal, Mascouche, Saint-Constant, Saint-Marc, Boucherville, Saint-Bruno, Sherbrooke, Laval, mais aussi plus loin, à Asbestos et à Gaspé. Peu d'éminents conférenciers vont dans les établissements scolaires, les Maisons des jeunes, les résidences pour personnes âgées et acceptent de se rendre en région. Mais Georges doit parler à tout ce beau monde ! Peu importe le milieu et peu importe la distance, car, plus c'est loin, plus il y a de monde pour assister aux conférences ! Mais ces contrats sont plus difficiles : la route est longue et les nuits dans les motels et hôtels sont source de grande solitude. Malgré tout, le conférencier accepte, sans jamais le regretter.

Georges prépare toujours ses discours avec minutie, adapte son contenu à l'auditoire. Son désir de performance ne l'a jamais quitté. Il a été un excellent notaire puis un entomologiste de réputation internationale, il veut maintenant être un grand conférencier. Sa soif de réussite le pousse à donner le meilleur de lui-même, à ne ménager aucun effort pour passer ses messages tout en étant divertissant, voire spectaculaire, par exemple en lançant dans les airs ses notes après avoir fait son entrée, jouant le jeu du conférencier excentrique qui improvise. Sinon, ce sont ses phasmes et ses mygales qui attirent l'attention et suscitent l'émotion.

---

72. Citation de Louis Pasteur.

Georges ne refuse jamais une demande, même si l'école ou l'organisme qui souhaiterait l'accueillir n'a pas l'argent pour s'offrir ses services. Il fait payer les entreprises qui en ont les moyens, et les offre gratuitement (ou presque) à ceux qui en ont bien besoin. Voilà sa vocation dans toute sa splendeur.

Au-delà des sciences naturelles, Georges parle d'énergie, de fierté et de droiture. Il s'adresse aux enfants pour leur dire l'importance de l'honnêteté, de l'ambition et de l'entrepreneuriat. Il est le cultivateur qui sème ses graines, avec l'espoir que ces jeunes prennent conscience qu'ils sont capables de tout, qu'ils auront une bonne et belle vie, que leurs rêves et idéaux sont précieux et réalisables. Georges souhaite leur faire comprendre que les obstacles auxquels ils ont fait face et auxquels ils feront face leur permettront de devenir plus forts et plus endurants, qu'ils obtiendront des résultats et que la réussite est à leur portée. Les insectes qu'il utilise sont le vecteur d'un message plus grand, plus important. Ainsi, la mygale et le scorpion permettent de montrer qu'il est possible de surmonter la peur, les insectes-branches et les insectes-feuilles font prendre conscience de la beauté et de l'efficacité de la nature.

> « Je veux aussi contribuer à mettre un frein à ces mauvaises habitudes de consommation dont je suis témoin, et contribuer à l'amélioration des comportements environnementaux. Pour moi, la qualité de vie dépend directement de la connaissance des éléments de la nature, et nous n'en savons pas assez, surtout les jeunes ! »

Georges se revoit alors qu'il était tout petit, fasciné par les insectes qui se cachaient dans les bois. Puis, les métiers qu'il a pratiqués et les gens qu'il a rencontrés ont façonné l'homme qu'il est aujourd'hui. La rigueur et la sévérité de ses parents ont certes fait de lui un homme travaillant, mais l'austérité et la solitude de sa tendre enfance en ont aussi fait un grand dépendant de l'amour des autres. Il aurait voulu entendre autrefois ce qu'il dit maintenant à tous les jeunes qui croisent son chemin : « Tu es beau, tu es bon, tu es capable de grandes choses ! »

Aux enfants, Georges répète : « Faites-vous respecter ! N'abandonnez pas vos rêves ! » Aux adultes : « Ne leur enseignez pas la peur, ne faites pas taire leurs rêves. Le rêve est une manufacture de bonnes choses ! »

Lorsque l'auditoire change et que le conférencier s'adresse, par exemple, à des entrepreneurs, il transmet aussi un message d'espoir et de confiance.

> « Au Québec, nous sommes un peuple fier qui se tient debout ! Il n'y a pas de mal à faire de l'argent dans un monde capitaliste. L'important est d'aimer ce que l'on fait et de bien le faire ! »

Georges est un motivateur bouillonnant. Il demande aux adultes de s'impliquer, de devenir motivateurs à leur tour. Il les encourage à voir grand, à prendre leur place. Il n'y a pas d'âge pour réaliser un rêve ! Il suffit d'y croire et parfois de faire les choses différemment, de faire de nouvelles expériences, de créer. Georges tente d'insuffler son ambition, de transmettre à tous cette énergie qui l'habite.

Lors de ses conférences, Georges veut communiquer cette pensée : « La réussite d'un individu tient souvent à ses difficultés antérieures, dont il a su tirer profit. » Leçon qu'il a lui-même apprise et mise en application lors de ses changements de carrière. Les obstacles qu'il a dû franchir, les préjugés et préjudices dont il a été victime l'ont forcé à se surpasser. La souffrance occasionnée par la perte de sa vocation religieuse l'a poussé à mettre l'effort et l'énergie nécessaires pour arriver à ses fins et bâtir une pratique notariale digne de ce nom, hautement rentable.

Il en est de même pour ses débuts en entomologie, alors que ses nombreux détracteurs y voyaient un notaire en train de saboter sa carrière ou, pire encore, l'accusaient d'être un *pusher* ! Car une rumeur courait à Saint-Bruno dans les années 80, celle d'un prétendu entomologiste se servant des insectes et de ses voyages dans les pays tropicaux pour faire le trafic de stupéfiants ! Ces ouï-dire ont blessé Georges, mais ne l'ont sûrement pas empêché de continuer, ni les chasses ni les voyages. Plutôt que de le décourager, les médisances l'ont poussé à se surpasser.

À la fin de ses conférences, les remerciements sont nombreux. Plusieurs personnes prennent la peine de lui écrire des mots qu'il conserve précieusement :

> *Je dois vous avouer avoir eu les yeux humides à plusieurs reprises lors de votre présentation. Merci beaucoup d'avoir préparé une rencontre qui se rapproche autant de la réalité des jeunes, vous avez vraiment su les toucher.*

> *Merci d'avoir éveillé en moi une conscience nouvelle, avec vous en tête, je parcours les déserts, les jungles, les dunes et les plages à la recherche des fascinations de la vie.*

Les conférences deviennent un peu sa raison de vivre et sa façon d'être aimé. L'affection que les gens lui témoignent le nourrit, leurs commentaires et leur ouverture le confortent dans sa mission et ses préoccupations, dans ses accomplissements. Georges s'abreuve de leur gratitude et de leurs réussites. Comment ne pas être bouleversé lorsqu'il reçoit une lettre de parents qui lui sont reconnaissants d'avoir changé la vie de leur enfant ? Comme cette femme qui lui écrit pour lui dire que la photo prise de sa fille avec lui a trôné un mois sur sa table de chevet, à l'hôpital, et qui conclut : « Je crois sincèrement que votre rencontre a été un point culminant pour elle. Un déclencheur. Je suis persuadée que, sans même le savoir, vous avez été partie prenante de sa guérison. »

Georges s'est accompli, et doit aider les autres à s'accomplir.

Tout individu, selon Georges, a la responsabilité et le droit de se cultiver, d'apprendre, d'être curieux. Et le comportement des insectes peut servir de modèle aux humains sur plusieurs plans.

> « Par exemple, ils peuvent nous apprendre beaucoup en matière de recyclage. Ce sont les insectes qui décomposent les matières végétales et animales, et les retournent au sol sous forme de matière première ! »

En septembre 2008, à la garderie de son petit-fils William, Georges tente de convaincre les petits de ne pas être effrayés par les insectes. Un journaliste du quotidien local est sur place et fera un court article sur l'émerveillement des enfants lors de cette visite inusitée. Georges n'a pas l'habitude d'un public aussi jeune, mais se prête au jeu pour la joie de son petit-fils.

[...] c'est un moyen pour moi de leur enlever la peur. Ce qui leur permet de devenir de meilleurs citoyens ; ils sont plus respectueux de la nature. Les gens qui ont des craintes, ça fait un peuple de peureux, qui ont peur de tout. De s'engager dans une relation, de s'acheter une maison, de se lancer en affaires. Moi, j'enlève la peur[73].

En voyage, il lui arrive de réunir les touristes québécois pour leur faire des conférences privées, sur la nature, les insectes, les voyages ou les passions. Après les discours, il part à la chasse. C'est ainsi, après tout, qu'il met la main sur les précieuses bestioles destinées à devenir les « stars » de ses conférences, comme l'élatéride lumineux...

En février 2013, lors d'un voyage au Honduras, Georges se retrouve, à la tombée du jour, sur le bord d'une route en terre battue, à espérer un taxi. La chasse nocturne a ses avantages, mais il commence à être fatigué, et ne voudrait pas se perdre dans le noir. Après une longue attente, un taxi passe enfin et embarque l'intrigant touriste, traînant sur lui un filet et une grosse besacc. Alors qu'il est en route vers l'hôtel, Georges aperçoit une petite lueur traversant la route, devant la voiture. Il demande au chauffeur de s'arrêter immédiatement, ce dernier s'exécute tout en regardant son client comme s'il était un vieux fou. Georges part aussitôt à la course vers le petit boisé où s'est éclipsé « l'ovni ». Il secoue doucement un tronc et l'élatéride lumineux se dévoile alors dans toute sa splendeur ! Rapide comme l'éclair, Georges attrape d'une main le précieux coléoptère, aussi connu sous le nom de scarabée à ressorts. L'élatéride est ainsi décrit en 1667 par Jean-Baptiste du Tertre, botaniste et missionnaire dans les Antilles :

---

73. Frank Jr. Rodi, « Georges Brossard émerveille les enfants », *Les Versants*, 8 mai 2008.

Je n'ai rien vu dans toute l'Amérique digne à mon jugement d'estre admiré, comme les Mouches luisantes. Ce sont comme de petits astres animez, qui dans les nuicts les plus obscures remplissent l'air d'une infinité de belles lumières, qui éclairent et brillent avec plus d'éclat, que les Astres qui sont attachez au firmament[74].

Un insecte rare, qui éclaire comme 100 mouches à feu et virevolte sur lui-même en suivant la trajectoire d'un ressort pour faire peur à ses prédateurs. Georges, à bout de souffle mais exalté, revient vers le taxi. Le chauffeur l'attend avec scepticisme, jusqu'à ce qu'il lui présente l'étonnante trouvaille. L'homme est fasciné par l'insecte qui éclaire, ce natif de la place n'en avait jamais vu auparavant !

Quelques jours plus tard, en prenant l'avion vers la maison, Georges sent l'insecte qui gigote dans sa poche. Peu pourront comme lui se vanter d'avoir traversé l'Amérique ! Georges doit faire une conférence à la Baie-James et prévoit épater la galerie avec la bête lumineuse.

La semaine suivante, à Radisson, alors qu'il fait −52 °C dehors et que Georges livre un discours sur la passion et les forces créatrices qui sommeillent à l'intérieur de tous, le conférencier fait fermer les lumières de la salle… Et l'élatéride lumineux apparaît, dans toute sa splendeur ! L'insecte tropical fait fureur au nord du 53e parallèle, présenté chaleureusement par un illuminé.

Pour nourrir sa petite vedette habituée à la canne à sucre, Georges a concocté un mélange de sirop d'érable et de cassonade. Ainsi, le scarabée à ressorts est traité aux petits soins en échange de ses services. Il sera exhibé, au cours de son séjour nordique, devant un public de tous âges, des gens en pâmoison devant une bestiole qu'ils ne verront qu'une seule fois dans leur vie et qui a peut-être servi d'inspiration à la création du ressort et des lampes de poche !

En mai 2013, Georges fait une présentation dans le gymnase d'une petite école primaire. Son matériel : deux boîtes remplies de cadres, de livres

---

74. Extrait du livre *Histoire générale des Antilles habitées par les François*, repris dans *Les Élatérides lumineux*, écrit en 1886 par Raphaël Dubois.

et d'insectes vivants. D'entrée de jeu, Georges veut s'assurer d'avoir l'attention des enfants surexcités :

« S'il vous plaît, s'il vous plaît. Vous êtes 200, je suis seul, alors je n'accepte aucune intervention ! J'ai des choses à vous montrer, des choses extraordinaires, et je n'ai pas beaucoup de temps, alors je vous demande d'écouter religieusement. »

Il aborde ensuite le sujet de la peur : la vieille tante effrayée par les araignées, la mère qui ne veut pas mettre les pieds dans l'Insectarium. « Il ne faut pas avoir peur », dit-il à son auditoire en sortant les phasmes, ces sympathiques insectes ressemblant à une branche d'arbre. C'est le chaos dans le gymnase, les jeunes enfants peinent à rester calmes devant la possibilité de toucher à des bestioles exotiques en ce frisquet matin de mai.

Georges permet à plusieurs d'entre eux de tenir les insectes. Après les phasmes, il sort la mygale, que Gabriel prend sans aucune crainte. L'excitation est à son comble ! Alors que les adultes évitent quelquefois le regard de l'homme qui les invite à surpasser leurs craintes, les enfants veulent toujours participer à l'expérience. C'est un exercice d'apprentissage, l'araignée velue, une fois dans les petites mains, prend une tout autre dimension, surtout à travers les yeux ébahis des enfants. Georges a aussi pour eux une surprise, la plus grosse coquerelle du monde, arrivée la veille d'Australie grâce à un ami pilote d'avion. La coquerelle géante touche de ses petites pattes les mains de Daphné et d'Isaac. Puis, le dernier défi, et non le moindre : quelques courageux élèves, dont Sidney, Jennifer et Katie, ont le privilège de prendre le scorpion. Un succès monstre !

C'est une matinée mémorable, tant pour les enfants que pour les enseignants, qui réalisent l'importance du petit monde animal et de l'environnement. Georges profite de l'enthousiasme de la directrice pour semer en elle l'idée de créer un laboratoire de sciences naturelles dans l'école. Il l'invite chez lui pour voir non seulement sa collection de 400 000 insectes, mais aussi ses cadres thématiques, des outils de référence qu'il conçoit pour les établissements scolaires. L'objectif est de démontrer la beauté de ces spécimens tout en enseignant la taxonomie des arthropodes.

Quelques semaines plus tard, les cadres seront accrochés aux murs de l'école, en attendant un laboratoire plus complet…

> « Si le ministère de l'Éducation ne considère pas comme essentiel d'avoir dans des écoles primaires des laboratoires de sciences naturelles, j'arriverai bien à convaincre certains directeurs de se doter de ces éléments si nécessaires au développement d'une conscience environnementale ! »

Pour Georges, maintenant septuagénaire mais nullement retraité, les conférences demeurent un métier noble qu'il adore pratiquer. Tant que ses services seront demandés, le conférencier sera au rendez-vous…

La caverne d'Ali Baba

Son interprétation des sciences naturelles et son amour singulier pour les insectes ont rendu Georges populaire. Cette notoriété plaît bien au conférencier, qui aime le monde et aime être aimé. Il apprécie les marques d'affection, offre souvent des laissez-passer pour l'Insectarium à ses admirateurs, les invite parfois carrément chez lui. Parce que sa maison vaut le déplacement, ne serait-ce que pour découvrir sa caverne d'Ali Baba…

Depuis le don qu'il a fait à l'institution qu'il a fondée, Georges n'a pas cessé de renflouer ses coffres, et possède des centaines de milliers d'insectes dans son sous-sol. On pourrait croire que c'est un espace bordélique, mais ce serait mal connaître le propriétaire, qui passe de longues heures dans son « laboratoire », à monter, étaler et identifier tous ses spécimens, qui sont ensuite encadrés, seuls ou en groupe, selon un thème entomologique ou artistique. Parfois, il présente les insectes selon leur ordre et les identifie par leur nom scientifique, parfois, il utilise une quantité impressionnante de scarabées colorés qu'il regroupe pour faire une œuvre originale. Les insectes de grande valeur sont exposés dans des cadres ornant les murs, d'autres arthropodes sont minutieusement disposés dans des meubles conçus à cet effet, chacun selon un thème précis, sa provenance et son ordre ; des centaines de tiroirs à ouvrir pour admirer les couleurs de l'Asie, de l'Afrique, de l'Amérique… Lorsque les murs et les tiroirs ne suffisent plus, les cadres sont empilés sur les meubles et les tables de travail. L'ordre et la propreté sont essentiels pour la mise en valeur de sa collection, d'une richesse époustouflante : des papillons de toutes les couleurs et de toutes les grandeurs, des scarabées, des araignées et des scorpions de tout acabit. Peu de gens restent insensibles au spectacle.

C'est que beaucoup de monde se présente au domicile des Brossard, surtout depuis qu'il est connu. Ça passera bien, se disait Suzanne, il n'invitera pas des inconnus à venir à la maison toutes les fins de semaine ! Mais les années passent et l'achalandage demeure… En montrant ses insectes et leur beauté, Georges espère sensibiliser ses invités à l'importance de l'environnement. Rapidement cependant, l'original motivateur délaisse les arthropodes pour parler des gens, de leurs possibilités et de leur devenir.

Quelle chance de pouvoir visiter la demeure d'un personnage aussi surprenant ! Une jeune femme décrit son expérience en ces mots :

> *La mygale était un cadeau pour le moins inattendu ! J'ai été littéralement émerveillée de la délicatesse avec laquelle vous l'avez posée dans ma main. Je n'ai pas eu peur tellement ma confiance en vous était totale.*
>
> *Cette photo est désormais sur mon frigo et me prouve que les rêves se réalisent et que les peurs peuvent être dépassées.*

Ce sont parfois les enfants qui écrivent à Georges, comme Tommy-Lee :

> *Merci d'avoir pris du temps pour partager avec moi de votre savoir-faire, des techniques d'entomologie et de chasse aux insectes.*
>
> *Tous vos insectes sont un rêve à voir pour les yeux. Dès mon départ de chez vous, j'avais hâte d'arriver à la maison, pas parce que j'avais hâte de vous quitter, mais parce que j'avais hâte de nourrir et loger ma couleuvre que vous m'avez offert [sic], j'avais à*

ranger mes insectes au congélateur, mais j'avais à monter mon super cadeau : le scorpion Heterometrus fulvipes. *Je suis vraiment chanceux et honoré que vous m'offrez* [sic] *de devenir mon parrain dans la poursuite de mes rêves. Je ne connais pas de mot plus grand que ce simple Merci !*

Comment Georges pourrait-il cesser ses invitations, après d'aussi touchants remerciements ?

Georges et Suzanne reçoivent aussi des gens d'outre-mer avec qui ils se sont liés d'amitié lors des nombreux voyages. Lorsqu'ils accueillent des Japonais, ils revêtent le kimono. Lorsqu'il s'agit d'une délégation chinoise ou d'ouvriers ayant travaillé à la construction du Jardin de Chine, c'est le drapeau de leur pays qui est planté devant le lac Seigneurial, en guise d'hommage. Chaque fois, les invités ont droit à une réception royale. Et Georges ne peut s'empêcher de multiplier les invitations, qui lui permettent de montrer son extraordinaire collection.

L'entomologiste n'est pas passé inaperçu au cours de sa carrière. Son originalité l'a aidé à laisser sa marque, mais ce sont ses accomplissements qui lui ont apporté la reconnaissance. Dès la fin des années 80, dix ans après avoir pris sa retraite et après avoir parcouru le monde en clamant son amour pour les insectes, l'ancien notaire commence à cumuler les prix et les hommages…

En septembre 1988, Georges reçoit le prix Léon-Provancher de la Société d'entomologie du Québec, en reconnaissance de sa contribution à l'avancement des sciences entomologiques. Puis, au début des années 90, il est nommé Homme de l'année par la Fondation québécoise en environnement, un organisme à but non lucratif ayant comme mission de provoquer et d'accélérer le changement des attitudes et des habitudes des gens. En recevant la statuette de bronze, représentant un homme et une femme avançant vers l'avenir tout en regardant les traces qu'ils laissent derrière eux, Georges est ému…

Le 10 juin 1990, au tour des gens de sa propre ville d'honorer Georges en lui remettant l'Ordre du mérite de Saint-Bruno-de-Montarville. Cette médaille d'or reconnaît sa contribution exceptionnelle, entre autres par son action auprès des groupes environnementaux et par sa grande disponibilité auprès des divers organismes scolaires.

Le 21 octobre 1999, quelques semaines à peine après son retour de sa longue mission pour National Geographic, il apprend qu'il sera nommé membre de l'Ordre du Canada. La cérémonie officielle a lieu le 26 avril 2000, à Rideau Hall, où la gouverneure générale, Adrienne Clarkson, lui remet la prestigieuse médaille, ainsi qu'à d'autres récipiendaires, dont la chanteuse Sarah McLachlan. Lors des remerciements, sous son veston chic, Georges ne manque pas de faire remarquer à l'auditoire la camisole qui caractérise si bien ses chasses et son personnage, et qui jure quelque peu avec la sobriété des gens et des lieux.

Les années 2000 sont aussi celles de la reconnaissance, la démonstration que l'action et la persévérance de Georges ont porté des fruits.

En 2002, lors du jubilé de la reine Elizabeth II (la célébration du 50e anniversaire de son accession au trône), les gens sont invités à soumettre le nom de compatriotes qui se sont engagés de façon exceptionnelle et exemplaire dans leur communauté. La candidature de l'entomologiste est proposée et acceptée (sans que le principal intéressé sache qui est derrière cette proposition). Georges se voit donc remettre la médaille du jubilé d'or par Adrienne Clarkson.

« J'étais très heureux et très ému. En voyant les autres personnes autour de moi qui étaient aussi reconnues, j'avais l'impression d'avoir contribué au moins un peu à rendre le monde meilleur. J'espérais inspirer les jeunes à aller au bout de leurs rêves… Ça avait bien marché pour moi ! »

À l'adolescence, Georges aurait voulu savoir que les possibilités qui s'offraient à lui étaient infinies plutôt que de croire, comme le voulait l'époque, que son avenir était celui d'un seul emploi, prêtre, dentiste ou avocat. Il aurait voulu savoir qu'il y avait des gens passionnés et passionnants, que les accomplissements possibles étaient variés, immenses et illimités. Son père était une référence en ce qui concerne le travail et la rigueur – mais il y avait peu de place pour l'émotion, la créativité et la joie de vivre. Ce sont ces valeurs qu'il cherche désormais à mettre de l'avant, celles qui, petit, lui ont fait défaut.

« N'ayez crainte d'avoir des rêves, des aspirations grandioses ! »

Georges veut influencer les gens qu'il croise, les convaincre de se découvrir et d'endosser des valeurs comme l'équité, la générosité, la fierté et l'excellence.

Quelques mois plus tard, le 2 juin 2003, le fondateur de l'Insectarium de Montréal reçoit un doctorat honorifique de l'Université McGill. C'est la collation des grades en même temps que la remise des doctorats *honoris causa*. Sur le campus, Georges croise des parents fiers et nerveux. En les voyant ainsi comblés, l'orateur décide de s'adresser à eux : « Votre travail et vos sacrifices n'ont pas été faits en vain, voyez à quel point vos enfants réussissent bien ! »

Les mères avaient déjà la larme à l'œil avant même que l'entomologiste ne commence son allocution. À la fin, l'audience est fébrile et émue. Georges se souviendra de ce discours comme étant un des plus touchants qu'il aura été appelé à livrer. Suzanne et ses garçons l'accompagnent, et posent à côté de lui dans sa toge toute prestigieuse. Lui qui a eu tant de difficultés à obtenir son baccalauréat au collège classique, voilà qu'on lui remet un doctorat, en sciences par-dessus le marché !

Le 13 novembre 2003, Georges se voit remettre un autre doctorat honorifique, cette fois, par l'Université du Québec à Trois-Rivières, qui reconnaît sa carrière d'entomologiste de renommée internationale. Son ami Stéphane Le Tirant a préparé le dossier de candidature de Georges, avec l'aide du Dr Jean-Pierre Bourassa, premier directeur général de l'Insectarium de Montréal. C'est aussi Stéphane qui avait préparé le dossier de candidature pour l'Ordre du Canada et qui le fera pour l'Ordre du Québec… Chaque fois, la candidature est acceptée d'emblée.

La cérémonie a lieu au Musée québécois de culture populaire de Trois-Rivières, en présence de nombreux invités, dont Pierre Bourque, toujours présent lorsque son ami est honoré. Les photos de voyage de Georges défilent à l'écran alors qu'est prononcé l'hommage. Dans la première allocution, le président par intérim de l'Université, monsieur Jacques A. Plamondon, évoque la notion de « loisirs studieux ». Se divertir, tout en apprenant, voilà qui correspond au parcours de Georges. Le président poursuit en reconnaissant la contribution de Georges dans la diffusion des connaissances :

> « La rétention du savoir par ses détenteurs est inacceptable, quelle qu'en soit la raison. L'aventure scientifique tout entière appartient au patrimoine commun de l'humanité et elle doit faire partie du

bagage culturel de chaque tête bien faite. Or il appartient aux universités de jouer un rôle dans cette entreprise de faire partager par le plus grand nombre les résultats des scientifiques qui produisent les connaissances nouvelles. Je crois d'ailleurs, pour ma part, qu'on ne reconnaît pas suffisamment dans nos établissements l'importance de cette contribution de nos professeurs qui s'adonnent à des travaux de vulgarisation. Un élitisme latent, tributaire d'un sentiment de supériorité inavouable, met un frein à une politique d'ouverture de la science. Or une politique démocratique devrait au contraire multiplier les incitations et les valorisations au sein de nos universités pour les travaux de vulgarisation, de telle sorte que nos chercheurs considèrent la diffusion large de leurs résultats comme une tâche professionnelle majeure. »

C'est ensuite au tour de la rectrice de l'Université, madame Claire V. de la Durantaye, de prononcer l'hommage.

« Nos pionniers se souviendront de l'étonnement et du scepticisme avec lesquels la population québécoise apprenait, au début des années 70, que l'Université du Québec à Trois-Rivières abritait un groupe de recherche s'intéressant au comportement des insectes piqueurs. D'aucuns se disaient : "N'y a-t-il pas des questions plus urgentes à étudier dans notre société ?" Pour d'autres, la pensée que de tels travaux pourraient un jour contribuer à éradiquer ces gênantes bestioles les réconciliaient avec le projet. Par bonheur, les mentalités ont bien changé depuis. Non seulement la recherche nous a-t-elle appris à découvrir et à respecter la fascinante réalité des insectes, mais ces derniers constituent désormais un sujet d'étude et de réflexion pour les chercheurs et les penseurs, qui y puisent une compréhension renouvelée du monde et de son fragile équilibre. Les insectes, on le sait aujourd'hui, représentent un réservoir intarissable de renseignements sur notre évolution et offrent le spectacle de véritables merveilles que la science n'a certes pas fini de comprendre et de dévoiler.

« Pour une large part, ce renversement de perspective est attribuable à notre nouveau lauréat, M. Georges Brossard. Membre de l'Ordre du Canada et entomologiste d'envergure internationale, M. Brossard a grandement contribué à modifier nos perceptions et à conférer à l'entomologie ses lettres de noblesse. De sorte que c'est pour nous un grand honneur de l'accueillir aujourd'hui afin de lui décerner le titre de docteur *honoris causa* de l'Université du Québec, sous l'égide de l'Université du Québec à Trois-Rivières, distinction que notre établissement accorde à des personnes dont le mérite exceptionnel justifie un témoignage public d'appréciation et d'estime.

« Un rapide survol des principales réalisations de M. Brossard suffit pour prendre la mesure du parcours étonnant de cet homme lui-même hors du commun. À l'aube de la quarantaine, alors qu'il s'accorde une période de réflexion et s'interroge sur le sens à donner à sa vie, un papillon le frôle et semble l'inviter à le suivre. C'est la grâce qui le touche, car cet épisode aura pour lui l'effet d'une révélation et décidera de son destin : il allait désormais se consacrer entièrement à ce qu'il appelle de manière plaisante "sa relation insectueuse". Quittant le notariat, il renoue ainsi avec une passion démesurée latente depuis l'enfance. Commencent alors de nombreux périples qui l'amèneront dans plus de 110 pays et au cours desquels il rassemblera la plus importante collection privée d'insectes au monde. Depuis la fin des années 70, notre récipiendaire aura recueilli, au fil de ses pérégrinations aux quatre coins du globe, près de 600 000 spécimens d'insectes provenant de 150 000 espèces différentes.

« Au milieu des années 80, M. Brossard éprouve le désir de partager sa passion et de faire profiter la population québécoise du fruit de ses incessants voyages. Il organise en ce sens des expositions qui sont couronnées d'un vif succès. Cette réussite fait naître dans son esprit l'idée d'une exposition permanente, d'un véritable "temple à la gloire des insectes", selon le mot de notre récipiendaire, qui décidément a le sens de la formule. Alors que le projet recueille des appuis sans cesse plus nombreux, M. Brossard cède son impressionnante collection à la Ville de Montréal et en vient à établir les cadres de ce qui deviendra, en 1990, l'Insectarium de Montréal. Le succès fut immédiat et, à ce jour, plusieurs centaines de milliers de personnes ont eu la chance de fréquenter l'Insectarium, qui constitue le plus grand établissement du genre en Amérique et un des plus importants au monde.

« Dès que l'Insectarium a commencé à prendre forme, M. Brossard s'est notamment tourné vers l'UQTR, qui était déjà riche d'une solide expérience dans le domaine de la recherche, de l'éducation et de la diffusion de la science entomologique. En même temps qu'il permettait à l'Insectarium de consolider ses positions en tissant des liens avec la communauté universitaire, notre lauréat offrait aussi à nos professeurs et chercheurs une vitrine extraordinaire pour diffuser et promouvoir leurs travaux auprès du grand public. D'ailleurs, M. Jean-Pierre Bourassa, un des initiateurs du groupe de recherche sur les insectes piqueurs à l'UQTR, aura l'honneur d'être nommé le premier directeur scientifique de l'Insectarium de Montréal et de travailler à la mise sur pied de diverses activités de recherche et d'éducation populaire. Ce partenariat allait s'avérer fécond et durable. Ainsi, l'Insectarium a fait appel aux services des entomologistes trifluviens lors de nombreux événements thématiques et, récemment encore, l'exposition Fous de la science a accueilli trois projets de recherche menés à l'UQTR. Plusieurs ateliers de formation offerts à l'Insectarium le sont par des professeurs et chercheurs rattachés à notre établissement.

« [...] La fondation de nombreux insectariums a fourni à M. Brossard l'occasion de travailler à ce que lui-même considère comme sa grande œuvre, qui est de réconcilier l'humanité avec le monde des insectes. Afin de plaider sa cause, celui qui s'est à bon droit accordé le titre d'"avocat des insectes" a choisi d'élargir sa tribune et, débordant bientôt l'univers des musées, d'étendre à une plus vaste échelle son entreprise de sensibilisation à la beauté de la faune entomologique, de même qu'au rôle capital qu'elle joue dans l'ordre de la nature. C'est ainsi que l'on doit à M. Brossard la réalisation et l'animation d'*Insectia*, série télévisuelle diffusée dans près de 150 pays et s'adressant chaque semaine à un public de 350 millions de téléspectateurs.

« [...] Bien que le traitement d'*Insectia* soit rigoureux, M. Brossard ne se lasse pas pourtant de cultiver notre faculté d'émerveillement et de faire la belle part à la poésie, à l'humour et à la passion.

« Cette initiative heureuse participe d'une vision traduisant un idéal planétaire de conservation et d'éducation qui cherche à faire de notre monde un monde meilleur et, en élargissant l'horizon intellectuel de la jeunesse, à préparer l'humanité de demain. Or, cette vision altruiste s'accompagne d'un militantisme écologique actif, l'environnement demeurant une des préoccupations constantes de M. Brossard. En se faisant le défenseur des animaux les plus méprisés, les insectes, notre récipiendaire travaille en effet à éveiller les consciences et à sensibiliser l'opinion sur la splendeur, mais aussi sur la fragilité de la nature. Les centaines de conférences que notre lauréat a prononcées à travers le monde, les ateliers éducatifs qu'il a animés, ses interventions à la télévision, à la radio et dans la presse écrite concourent tous à souligner l'importance des insectes dans l'équilibre des écosystèmes et à protéger la biodiversité sur notre planète. En poursuivant sa mission de réconcilier les hommes et les insectes, M. Brossard aura du même souffle réussi l'exploit rare et infiniment méritoire de faire concorder entomologie et humanisme.

« C'est donc avec un immense sentiment de fierté, Monsieur Brossard, que nous vous accueillons aujourd'hui au sein de la grande famille de l'Université du Québec à Trois-Rivières en vous attribuant le titre de docteur *honoris causa*. Par le rayonnement de vos actions fondatrices sur la scène internationale, vous avez accompli le tour de force de rendre l'entomologie accessible au plus grand nombre. En manifestant votre volonté d'encourager l'interaction fructueuse entre l'Insectarium de Montréal et le milieu universitaire, vous avez concouru au décloisonnement de la recherche et, entre autres, permis aux professeurs et chercheurs de l'UQTR de profiter d'une visibilité exceptionnelle et d'un canal privilégié pour la diffusion de leurs travaux. Communicateur et vulgarisateur hors pair, vous vous êtes mérité à la fois l'estime du grand public et la considération du monde scientifique. Par votre souci constant de transmettre le goût des sciences et de promouvoir l'éducation auprès des jeunes, votre parcours, Monsieur Brossard, est en outre très inspirant quant aux valeurs scientifiques et sociales que nous nous attachons à promouvoir dans notre institution, comme il représente un témoignage vivant de l'idéal d'excellence que nous poursuivons. Enfin, vos qualités éminentes de visionnaire et d'humaniste, votre engagement exemplaire font de vous un modèle tant pour la communauté scientifique que pour la société en général. Aussi l'Université du Québec à Trois-Rivières tient-elle à vous offrir ses compliments pour cette nomination, Monsieur Brossard, en même temps qu'elle désire vous témoigner son admiration et sa gratitude pour les réalisations prodigieuses que votre nature généreuse et votre enthousiasme communicatif ont permis d'opérer – comme de favoriser la guérison d'un enfant en lui permettant de voler sur les ailes du rêve. »

Georges est aux anges !

Quel plaisir pour moi d'accepter cette distinction, surtout qu'elle provient d'une université qui m'est fort sympathique et dont l'expertise en entomologie est reconnue mondialement ! En ce qui me concerne, ma mission a toujours été simple : je voulais réconcilier les humains avec cette classe animale qui a beaucoup de classe… les insectes. À mes yeux, l'information n'a pas de valeur à moins d'être accessible à tous et partagée[75].

Pour faire la démonstration de cette philosophie d'ouverture et de partage des connaissances, l'UQTR et l'Insectarium de Montréal s'unissent pour présenter à la population de Trois-Rivières, au cours de l'automne 2003, *Les Ornithoptères, des papillons aux ailes d'oiseaux.* Cette exposition itinérante, créée lors du premier anniversaire de l'Insectarium, s'est promenée à travers le Québec et s'est bonifiée avec les années. Les Trifluviens peuvent maintenant y admirer l'*Ornithoptera victoriae epiphanes* forme *brossardi*, ce majestueux papillon nommé en l'honneur de Georges quelques années plus tôt.

À Montréal, monsieur Michel Lamontagne, le directeur des Muséums nature de Montréal (regroupant le Biodôme, l'Insectarium, le Jardin botanique et le Planétarium), écrit aussi à Georges en 2003 pour le féli-

---

75. Communiqué, 13 novembre 2003, Direction des communications et des partenariats, UQTR.

citer de son doctorat honorifique et pour le remercier de sa contribution à l'institution scientifique. En un peu plus de dix ans, près de quatre millions de visiteurs ont pu découvrir et s'émerveiller devant la beauté des arthropodes, ces animaux mal connus et mal aimés.

C'est une chance extraordinaire d'avoir un personnage de votre trempe comme fondateur et porte-parole de l'Insectarium. Beaucoup de visiteurs viennent à l'Insectarium pour tenter de vous rencontrer. Ils sont surpris, parfois déçus de ne pas vous croiser au détour d'un couloir. Vous êtes un levier médiatique unique que les autres institutions de notre complexe muséal parfois envient...

[...] Vous n'avez pas la langue dans votre poche pour provoquer les changements d'attitude face aux insectes... Les gens de tous les milieux, que ce soit le milieu scientifique, celui de l'entrepreneurship ou même celui du showbiz, sont fascinés par l'explorateur mythique qui, à la fois, cristallise leur imaginaire et les confronte à leurs préjugés et à leur peur des insectes.

[...] Pendant encore longtemps, vous influencerez le développement de l'Insectarium de Montréal par votre créativité étonnante, par votre générosité attachante, par votre énergie débordante et par votre humanisme englobant.

Enfin, le 20 juin 2006, Georges est nommé chevalier de l'Ordre national du Québec. Jean Charest lui remet l'insigne honneur :

« Aujourd'hui, on compte plus de 25 insectariums dans le monde, et vous avez aidé à la mise sur pied de plus de la moitié d'entre eux. Vos connaissances en entomologie, en muséologie et en conception d'expositions sont immenses. Vous avez ouvert au grand public une branche complète de la biologie qui n'était accessible qu'à une poignée de scientifiques. Vous êtes un communicateur hors pair, à l'énergie très contagieuse. Votre série télévisée *Insectia* a été diffusée dans plus de 150 pays. Vous êtes vous-même, certains le diraient comme cela paraît-il : un spécimen tout à fait unique.

Georges Brossard, au nom du peuple québécois, j'ai l'honneur de vous décorer de l'insigne de chevalier de l'Ordre national du Québec. »

En août 2011, Georges reçoit une lettre écrite dans le cadre des Correspondances d'Eastman (événement où l'on se réunit dans un endroit charmant pour écrire à des personnes chères, à cette époque où les lettres manuscrites sont presque révolues). Voilà un autre témoignage émouvant...

> *À toi mon Georges,*
>
> *[...] les Correspondances d'Eastman sont bénéfiques, c'est comme une contamination de l'écriture, c'est le cœur à l'envers, le cœur ouvert! Je vis une journée douce, paisible et sereine. Ça fait du bien! La richesse de la culture me nourrit l'âme.*
>
> *Je suis toujours fière de toi et de ton grand cœur qui déborde. Tu as su me faire rire et me faire vivre la magie de l'intensité. Ne lâche pas l'envie de te dépasser, tu es né pour faire de grandes choses.*
>
> *Je t'aime mon Georges*
>
> *Suzanne*

Georges est touché. Comment ne pas l'être? Cette missive vaut plus que bien des reconnaissances officielles.

Après avoir été nommé chevalier de l'Ordre du Québec, Georges reçoit la médaille d'honneur de l'Assemblée nationale en décembre 2011. Celle-ci reconnaît sa contribution à la société québécoise par ses conférences de motivation données souvent bénévolement, dans les milieux défavorisés et en région.

Le journal local de Saint-Bruno publie de nouveau un article sur ce concitoyen qui a été le sujet de bien des articles depuis ses débuts en entomologie.

L'ASSEMBLÉE NATIONALE HONORE GEORGES BROSSARD[76]

« Je suis resté surpris parce qu'une telle récompense, ça ne se demande pas. Ça tombe du ciel ! Je ne dédaigne pas, ni ne méprise ce geste, mais j'ai fait le saut lorsque j'ai appris la nouvelle », mentionne Georges Brossard, que le journal *Les Versants* a rencontré.

Selon lui, bien d'autres, des oubliés, auraient pu recevoir cet honneur. « Ça m'émeut pour ceux qui n'en reçoivent pas parce que bien d'autres auraient pu l'avoir à ma place. Tant de gens font de belles choses. Je pense à toutes ces mères monoparentales qui passent des années à prendre soin de leurs enfants autistes, schizophrènes, déficients intellectuels, créant un climat infernal pour ces adultes. C'est à l'Assemblée nationale de trouver ces personnes et de les honorer ; il n'y a pas seulement des vedettes », de poursuivre monsieur Brossard.

En novembre 2012, Georges est nommé Grand Montréalais par la Chambre de commerce du Montréal métropolitain. Pour lui, encore aujourd'hui, ce qui compte, ce n'est pas simplement d'essayer, mais d'avoir des résultats. Surtout dans l'état actuel des choses, alors que sont dénoncés les fraudeurs de tout acabit, la reconnaissance du travail accompli est au moins une chose positive dans le flot continuel des nouvelles, toutes plus décourageantes les unes que les autres. L'air est au scepticisme politique.

Ainsi, les années 90 et 2000 ont été, pour l'entomologiste, fertiles en réalisations et riches en reconnaissances. La passion du chasseur d'insectes aura bien sûr été récompensée au-delà de ce qu'il aurait pu espérer, tout petit, alors qu'il courait avec son filet pour attraper des papillons...

---

76. Frank Jr Rodi, *Les Versants*, 14 décembre 2011.

Les graines de générosité de maman
Georges l'humaniste

Cette passion unique pour les insectes, qui l'a tant fait voyager, a sensibilisé l'entomologiste aux problèmes planétaires. Georges est un voyageur et un observateur lucide, témoin des grandes injustices et des grandes pauvretés du monde. Il trouve excessivement difficile d'être spectateur de la douleur et du malheur des autres. Comment faire la chasse aux papillons alors que des enfants et des vieillards abandonnés meurent sous ses yeux ? Pour compenser son impuissance, Georges se lie d'amitié avec les gens qui l'accueillent, offre de payer les études des enfants, espérant pour tous un monde meilleur. À chacun de ses voyages, le missionnaire dans l'âme paie volontiers des frais pour le poids excédentaire de ses bagages, remplis de souliers, bottes, linge chaud et cadeaux pour les habitants du coin qui l'hébergeront, le conduiront ou le croiseront. Aussi, chaque année, lorsqu'il se rend avec Suzanne au Costa Rica, le couple s'engage à payer les frais de scolarité d'un enfant dans le besoin, jusqu'à l'université. Ils font de même en Thaïlande et au Venezuela, peu importe l'endroit, ils apportent leur soutien dès que la situation le justifie. Les deux s'entendent pour dire qu'ils ont été choyés par la vie et qu'il est de leur devoir de partager, à la maison comme à l'extérieur, là où les conditions de vie sont loin d'être aisées.

Alors que Pierre Bourque est maire de la ville de Montréal, de 1994 à 2001, Georges, Suzanne et leurs deux garçons se rendent chaque Noël à l'hôtel de ville afin de servir soupe et réconfort aux plus démunis. Aussi, pour bien transmettre à leurs enfants la valeur du partage, les garçons doivent remettre à cette occasion le plus beau de leurs cadeaux à un jeune d'un milieu défavorisé. C'est l'histoire qui se répète, alors que le petit Georges se voyait aussi dans l'obligation de partager ses présents avec les plus pauvres.

On l'a vu, Georges est généreux de son temps et de sa passion lorsqu'il visite les écoles des milieux défavorisés, et contribue financièrement à de nombreux organismes. En reconnaissance d'un don, il est nommé, le 1er septembre 1998, gouverneur de la Fondation de l'Hôpital de l'Enfant-Jésus de Québec. Georges demeure convaincu que l'argent n'est qu'un moyen d'aider et qu'il en existe d'autres dont, parfois, la valeur est plus grande. Le conférencier clame haut et fort l'importance de l'altruisme et prêche par l'exemple en visitant bénévolement les écoles de milieux défavorisés, en prenant la parole pour encourager les jeunes à se découvrir.

Inspiré par sa sœur Monique, qui a amassé 15 000 dollars pour faire creuser un puits au Burkina Faso, Georges décide de se battre pour l'accessibilité à l'eau dans le monde. Il faut savoir que 1,4 milliard de personnes sur terre en sont privés… Ainsi, pour collecter des fonds destinés à la construction de puits en Afrique, Georges prononce un discours lors de la réunion annuelle de Kanuk (son ami Louis Grenier en est le fondateur et président), à laquelle assiste le gratin québécois. Il s'adresse ainsi à eux, sans ménagement et sans détour : « Vous autres, vous êtes des égoïstes, des ingrats ! Vous êtes bienheureux avec vos petits bonheurs personnels, mais vous ne pensez pas aux autres ! À quel moment avez-vous donné ? Avez-vous partagé votre temps ? Votre argent ? » Pour le conférencier, choquer est parfois le meilleur moyen de provoquer les choses. La stratégie fonctionne, son ami Louis disparaît quelques instants, pour revenir avec un chèque qu'il remet à Georges. D'autres aussi réagissent, le messager est convaincant ; plusieurs puits seront construits.

Georges ressent une grande tristesse de voir se côtoyer la pauvreté et l'opulence extrêmes. Pour lui, qui appartient à un cercle restreint de gens fortunés et est habitué aux réceptions où le champagne coule à flots et où les plateaux de homards et de caviar sont retournés aux cuisines à peine consommés, le malaise est grand. Parfois, il ose dire tout haut, espérant conscientiser ses amis : « Quel gaspillage, quelle drôle d'utilisation de l'argent si durement gagné ! »

Il se sent aussi la responsabilité de faire des petits gestes qui feront une différence. En novembre 2010, il se rend à l'Hôpital Honoré-Mercier de Saint-Hyacinthe, à l'unité de pédiatrie, pour y installer une collection d'insectes, incluant évidemment d'exotiques papillons, tels que des morphos bleus, mais aussi des *Actias luna*, ce joli papillon de nuit aux ailes émeraude, celui-là même qui l'a tant inspiré 60 ans plus tôt. Il installe le tout à une hauteur stratégique pour que les enfants puissent en profiter.

En 2011, l'entomologiste se rend dans une école d'un coin défavorisé de Longueuil, sur la Rive-Sud de Montréal, accompagné de Louis Grenier. Ce dernier a apporté des vêtements chauds, des sacs à dos et d'autres cadeaux qui seront donnés aux enfants. Même si l'ambiance est un peu triste (plusieurs enfants n'ont pas déjeuné…), les deux hommes sont là pour présenter leur parcours et surtout pour leur dire de belles et grandes choses, les convaincre de leurs possibilités et les gâter un peu, eux qui le sont rarement. Ils remettent les petits cadeaux aux enfants, un par un, question de pouvoir serrer les petites mains, de leur transmettre peut-être un peu de chaleur et d'encouragement. Face à la misère, la grosse misère, les mots manquent, les larmes viennent aux yeux.

En février 2012, Georges visite d'autres écoles, accompagné de Suzanne et de leur petit-fils, William. Ce dernier présente fièrement sa collection d'insectes aux côtés de celle de son grand-père. Après leur passage, la vingtaine d'élèves ayant assisté au discours de Georges écrit une lettre de remerciement, tout en félicitant William pour sa collection : « Il deviendra comme Georges lorsqu'il sera plus grand. » Et Yasmine ajoute : « Moi, je ne voulais pas toucher aux insectes parce que je n'aime pas les insectes, mais je ne les ai jamais traités de bibittes. Je sais qu'ils sont des êtres vivants comme nous les humains ! J'ai trouvé le cafard, l'araignée et le scorpion vraiment fascinants ! »

Par ses actes de philanthropie, Georges tente de se rattraper, en quelque manière, pour le vœu de pauvreté abandonné jadis. La condition humaine lui importe et, encore plus important, il peut participer à l'améliorer. Il offre à cette vieille dame qui traîne ses provisions à pied de la reconduire chez elle, lui remet même sa carte professionnelle pour qu'elle l'appelle la prochaine fois qu'elle a besoin d'un *lift*…

Comme d'autres riches humanistes, Georges Brossard croit en l'efficacité du capitalisme dans la mesure où les richesses que permet ce sys-
tème économique profitent aussi au bien commun.

Les passe-temps d'un faux retraité

Présentations, conférences et voyages de chasse, le septuagénaire ne peut faire autrement que d'avoir plusieurs projets de front. Il ressent d'autant plus l'urgence d'agir qu'il se voit vieillir et que tant de choses restent à accomplir. À l'âge de la retraite, Georges est occupé, mais pas toujours autant qu'il le voudrait…

Pour passer le temps, il se met à la fabrication de meubles. Il adore la menuiserie depuis toujours, elle représente pour lui la possibilité de concrétiser ses émotions. Un passe-temps qui lui permet à la fois de se libérer l'esprit et d'exprimer sa personnalité. Déjà, dans les années 80, il confectionnait des cadres immenses en forme de papillon pour ses expositions. Il se dit maintenant ébéniste dans l'âme plutôt que dans la technique, les meubles construits rivalisent en courbes et en originalité. Il affirme que personne ne les aime, sauf lui, un peu comme cette classe animale qu'il défend depuis toujours…

« Croyez-le ou pas, je suis le seul à trouver que mes meubles sont beaux ! Ceux à qui je les offre sont gênés lorsqu'ils les reçoivent. Voyez ma misère ! Alors pour réagir, l'âme à l'envers, le cœur de travers, les larmes aux yeux, dépité, écœuré… j'en fais un autre. »

Outre la menuiserie, l'infatigable travailleur planche sur bien d'autres projets. Pourquoi pas un livre ? Il a bien quelques écrits qui mériteraient d'être publiés… Sinon, une émission de télé ? Il rêve de mettre sur pied un talk-show hebdomadaire original dont il serait l'animateur et où seraient mis en vedette des individus anonymes. Un hommage serait ainsi rendu à ces personnes admirables et précieuses dans leur milieu, qui connaîtraient leur moment de gloire, qui verraient leur bonté reconnue et récompensée. Georges voudrait donner une visibilité à ces gens et à ces valeurs auxquelles il tient tant, profiter de cette tribune pour faire quelque chose de pertinent, au contraire de ces téléréalités où l'apparence prime et où les abrutis se succèdent. Bref, un moment de télévision émouvant et inspirant ; voilà un autre de ces rêves classés dans la colonne de droite, ceux qu'il reste à accomplir.

Et les voyages continuent, apportent toujours leur lot d'aventures et de bonheur. Georges s'envole pendant la période hivernale pour fuir le froid. C'est qu'il préfère s'habiller léger, quels que soient les degrés annoncés… Et puis, arrêter les voyages et la chasse n'est absolument pas une option, peu importe les projets sur lesquels il travaille. N'est-ce pas lui qui répète à qui veut l'entendre qu'il n'est jamais trop tard pour accomplir ses rêves ?

Quelle vie !

Pour Georges, le temps file à toute allure. Voilà maintenant plus de 30 ans qu'il réalise les missions qu'il se donne, qu'il porte ses messages.

« J'aurais parfois aimé sentir moins de poids sur mes épaules, utiliser mon argent à folâtrer plutôt que de m'échiner à vouloir faire toujours plus. Aurais-je pu être moins occupé, consacrer ma vie à lire et à apprendre, comme j'en rêve parfois ? Non. Car, au fond, ma vie en est déjà une de rêve… J'ai eu la chance de profiter d'une liberté financière rare, de la latitude accordée par ma compagne, de loisirs et d'accomplissements valorisants. Au lieu d'avoir des regrets, je devrais être fier de mes ambitions et de la concrétisation de mes projets ! »

Pour cet homme aux multiples métiers, l'Insectarium de Montréal est sa plus grande réalisation, la plus concrète, celle qui traversera le temps et les années. Il en est le meilleur ambassadeur ; depuis plus de 20 ans, il convie tous les gens qu'il rencontre à visiter cette institution, à découvrir le monde des insectes. Au cours des dernières années, il a distribué des centaines de cartes d'invitation. Lorsque les cartons officiels manquent, il écrit sur un simple bout de papier : « Entrée gratuite à l'Insectarium de Montréal, offerte par son fondateur, Georges Brossard. »

Le temps fait son œuvre, Georges vieillit. Même s'il a toujours son cœur d'enfant et peut encore s'émerveiller devant la beauté, même s'il marche plus vite que la majorité des gens de son âge, son état de santé n'est plus le même. Avec nostalgie, il songe à la force et à l'agilité qui l'habitaient jadis. Pourquoi vieillir est-il aussi douloureux ? Ça l'enrage d'avoir parfois mal partout : aux pieds, aux fesses, aux bras, aux jambes… Heureusement, les infiltrations à base de cortisone lui permettent d'oublier un peu les maux qui l'habitent.

Lorsque la souffrance se manifeste, Georges se dit qu'il faudrait arrêter les conférences, se reposer un peu. Mais ces ruminations ne durent qu'un temps, pour rien au monde il ne voudrait cesser ses exposés, qui lui apportent à la fois valorisation et satisfaction, malgré la crainte de se répéter.

« Je veux motiver les gens, mais je ne veux surtout pas radoter comme un vieux ! »

Georges est parfois assailli de doutes… Est-il moins en demande ? A-t-il encore son utilité ? Découragé, un peu déprimé, il craint d'avoir épuisé ses sujets. Puis, l'éternel motivateur réalise qu'il n'a pas parlé à tout le monde, qu'il y a certainement des gens qui gagneraient à être encouragés, qui auraient besoin d'un coup de pouce ou d'un coup de pied au derrière. Et puis, il croise une dame qui le remercie, ou reçoit une lettre d'un jeune qu'il a influencé, et alors il oublie les doutes, les incertitudes et les appréhensions, et se concentre à nouveau sur sa mission. Il y a tant à faire, comment pourrait-il arrêter ?

Causalités

À l'aube de la vieillesse, alors qu'il ne peut plus aussi aisément faire le grand écart et marcher sur les mains, Georges réalise que rien n'arrive pour rien. Toute action produit ses effets, qu'ils soient immédiats ou à retardement, et certaines décisions toutes simples peuvent finalement être très payantes.

Parce que sa maman mettait du fumier sur les fleurs, ses pivoines étaient les plus belles de la région. Et ces mêmes pivoines attiraient les monarques, lesquels ont séduit le petit Georges, devenu plus tard, bien plus tard, un entomologiste de renommée internationale.

Parce qu'il a charmé le maire Drapeau, il a rencontré Pierre Bourque et fondé avec lui un premier insectarium.

Parce qu'il a voulu un jour être prêtre, il a pu solliciter les frères des écoles chrétiennes et obtenir la collection du frère Laliberté.

Parce qu'il a créé un insectarium, il a eu la chance de contribuer à la création de plusieurs autres institutions du genre à travers le monde.

Parce qu'il a aidé un garçon à attraper un papillon bleu, il a peut-être contribué, ne serait-ce qu'un peu, à sa guérison, en plus de participer à la réalisation d'un grand film.

On dit que le battement d'ailes d'un papillon peut déclencher une tornade à l'autre bout du monde... Tout geste a ses conséquences, toute action a ses effets. Encore faut-il savoir quoi faire et comment le faire.

Sur une note plus personnelle...

Encore aujourd'hui, Georges aide des enfants qui souffrent d'autisme ou de déficience intellectuelle, et ceux qui vivent dans des quartiers défavorisés, en leur offrant du temps. Ces enfants jugés négativement trop tôt, étiquetés sans avoir eu la chance de s'exprimer... L'entomologiste espère qu'en donnant du temps à ces enfants, ils prendront la place qui leur est due et non celle qui leur est assignée par la société. Pour les convaincre de leur valeur, il donne des conférences de motivation et de prise de conscience.

En août 2013, il offre une de ces séances à des jeunes filles qui ont été agressées sexuellement. Il leur donne tout l'amour et le bonheur qu'il peut, tente de les persuader qu'elles n'ont aucune raison de se culpabiliser. Elles arrivent chez lui en regardant par terre, et en ressortent, 1 h 30 plus tard, la tête haute, avec un peu plus de confiance et d'espoir.

La semaine suivante, les invités du jour, qui auront droit à un pique-nique pour profiter du paysage et de la quiétude du lac, sont de jeunes adultes affectés d'une déficience intellectuelle et des responsables de l'AVRDI[77], association qui a pour mission d'aider les familles à intégrer à la société les personnes qui vivent avec une déficience intellectuelle, en les encourageant à participer à des loisirs, à des activités sociales et socioculturelles. Georges a une affection particulière pour cet organisme avec lequel il collabore depuis quelques années. Pour lui qui, plus petit, voulait s'occuper des plus vulnérables, ces jeunes représentent ceux dont il doit se soucier, ceux auprès de qui toute la société devrait s'engager.

Après avoir côtoyé Georges pendant quelques mois pour qu'il lui raconte sa vie, l'auteure de ces lignes est aussi conviée à cette conférence toute privée. J'ai donc la chance d'être un témoin privilégié de cet engagement particulier.

Aujourd'hui, c'est au tour de Louis-Victor, Stéphanie, Alexandra, Lucas et plusieurs autres d'être invités, de bon matin, dans la grande maison originale, cachée dans la forêt de la montagne de Saint-Bruno. L'accueil est chaleureux et spontané. D'entrée de jeu, Georges leur dit : « Vous autres, vous êtes chanceux ! De beaux papillons avec une aile abîmée, voilà ce que vous êtes ! » C'est une belle analogie, loin de la tristesse et de l'accablement.

> « Voyez comme vous êtes chanceux d'avoir des personnes qui s'occupent si bien de vous ! Dans bien d'autres endroits, on met de côté les papillons blessés, les personnes abîmées sont abandonnées ! Savez-vous combien d'enfants, ce matin, n'ont pas déjeuné ? Juste à vous regarder, on voit bien que vous avez bien mangé, vous ! »

Les rires fusent, les jeunes sont charmés. Et ça ne fait que commencer.

Georges est heureux, car ses merveilleux insectes lui permettent d'entrer en communication avec eux, apeurés ou souriants, intrigués et curieux, en confiance avec lui.

Puis, il parle de la peur…

---

77. Association de la Vallée du Richelieu pour la déficience intellectuelle.

« La peur, c'est effrayant ça ! La peur, ça paralyse, ça empêche, ça modère ! Il faut passer par-dessus ses peurs, parce qu'elles nous empêchent de nous développer. Mais j'ai une bonne nouvelle ! La peur, ça se guérit, et il y a moyen de la vaincre en y allant progressivement. »

Il leur a déjà montré les phasmes et les phyllies, certains les ont même pris dans leurs mains. L'entomologiste partage avec eux son savoir. Les jeunes sont époustouflés d'apprendre que la mygale pond 80 bébés par année, ils poussent des cris et pouffent de rire… « Quoi ? »

C'est ensuite l'heure d'affronter la crainte de la bête poilue, pour ceux qui sont prêts. Chaque chose en son temps, Georges ne les brusque pas, il comprend ceux qui sont hésitants. « Tu veux, tant mieux. Tu veux pas, t'es pas niaiseux pour ça ! » La majorité s'aventure, se permet la sensation forte de voir l'impressionnante araignée fouler de ses pattes la paume de ses mains.

L'objectif de Georges ? Que ces jeunes ressortent de chez lui heureux et motivés, confiants et prêts à persévérer, à travailler fort comme ils en sont capables. Dans sa propre maison, il les accueille, puis les prend sous son aile et les divertit, mais, au-delà du divertissement, ces jeunes ressortent confiants, rien n'est à leur épreuve, cette blessure à l'aile leur demandera seulement de travailler parfois un peu plus fort pour pouvoir voler.

La justesse de son propos me touche.

En m'accompagnant à la voiture, Georges y va d'un simple et laconique : « Tu vois, y a rien là ! »

Rien là pour celui qui a vécu 100 vies, pour celui qui veut charmer tous ceux qu'il croise, sans distinction de milieu, de couleur ou de langue, celui pour qui communiquer est source de bonheur et essentiel à sa mission, celui qui trouve la vie si belle qu'il nous convainc même d'épargner l'insecte qui, autrefois, nous répugnait.

Rien là ? C'est admirable ! Georges veut montrer l'exemple et encourager ses pairs à pratiquer le don, le partage et la charité. Je crois qu'il veut me dire qu'il est facile de s'impliquer, qu'il est facile de pratiquer la bonté. « Y a rien là » pour cet homme peu commun, mais pour le commun des mortels aussi, croit-il…

Rien là, mais je suis émue, un peu bouleversée par cette nouvelle démonstration de la beauté d'âme de cet homme, par cette chance qui m'est donnée de raconter sa vie.

J'ai donc raconté, mais je n'aurai pas tout dit, certains secrets auront été conservés. Parce que Georges est un fier grand-papa et, à la demande de William, il réservera certaines histoires pour les seules oreilles de ses petits-enfants, qui sont une autre de ses passions.

Fragilités
par Georges Brossard

En vieillissant, je m'aperçois qu'on est fragiles, je m'aperçois que la maladie, l'essoufflement, la fatigue, l'écœurement même, pointent à l'horizon.

Je regarde en arrière, et je vois tous ces beaux souvenirs, toute cette passion, cette émotion, cette activité, cet activisme, ces réalisations, et ces échecs aussi. Toute cette énergie…

Alors je suis un peu fatigué, aujourd'hui, je me sens fatigué. Demain, je vais acheter un autre coffre, un coffret à souvenirs, un petit coffre pour y engouffrer toutes ces tranches de ma vie, comme pour les conserver, les retenir, et me distraire de l'usure du temps.

Ces coffres où l'on enferme les petits livres qu'on a peut-être écrits, et qui y trouvent place bien sagement. Et où, avec eux, on range son amour, ses amours, ses émotions. Ses passions aussi, et ses misères, ses peines, sa rage, et ses espoirs, encore.

Ainsi, ces souvenirs ne murmurent plus, ils se taisent à tout jamais.

Parfois, des années après, comme par hasard, on ouvre à nouveau le petit coffre et soudain, il se met à murmurer de nouveau, d'abord d'une façon inintelligible, puis, de plus en plus claire, impérativement. Alors on s'empresse de le refermer, ébahi devant une telle pérennité. On le referme soi-même pour s'assurer qu'il ne chuchotera plus. Enfin, c'est le silence pour toujours, à tout jamais.

UNE GÉNÉALOGIE
ÉTONNANTE

Lorsque l'incroyable conteur qu'est Georges Brossard nous raconte sa généalogie, celle-ci est faite d'ancêtres notables, de chevaliers et, bien sûr, de monarques! Ce qui explique sans doute son sang chaud, son infatigable acharnement, sa vigueur hors du commun... Peut-être est-ce une question de gènes?

Il mentionne Robert le Fort, les rois Philippe Ier et Louis le Gros, des batailles gagnées, des conquêtes, de grands drames, de grandes réalisations et une force de caractère exceptionnelle.

En reprenant les personnages cités, voici donc les racines généalogiques de Georges Brossard, dont certains lointains ancêtres ont marqué l'histoire...

Robert le Fort, Hugues le Grand, le roi Hugues Capet, le roi Robert le Pieux, le roi Louis le Gros, le roi Philippe Auguste ainsi que Philippe le Hardi sont les ancêtres d'Antoine de Brossard, fils illégitime du comte Charles de Valois, neveu non officiel du roi Philippe le Bel.

Charles de Valois, né en 1270, était comte, mais surtout fils, frère, beau-frère et gendre de rois. Il fut un personnage puissant et influent de son époque. Il se maria trois fois, eut en tout 14 enfants légitimes, dont le futur roi de France, Philippe VI. À l'extérieur de ses mariages, il eut aussi au moins quatre enfants illégitimes. Il rencontra Hélène de Brossard avant son premier mariage et en fit son amante. Ils eurent ensemble trois enfants, qui prirent le nom de leur mère: Marguerite de Brossard, née en 1286, Antoine de Brossard, né en 1289, et Jeanne de Brossard, née en 1290.

Antoine de Brossard est lui-même l'ancêtre d'Isaac Urbain Brossard, né à Laflèche, en France, en 1634, et qui fut le premier de la lignée à s'établir au Canada. Quelques mots sur sa venue...

La Grande Recrue de 1653

Ville-Marie fut fondée en 1642 par Paul de Chomedey, sieur de Maisonneuve. Dix ans plus tard, afin d'assurer la survivance de la colonie, Jeanne Mance persuada de Maisonneuve de retourner en France afin de recruter des colons. Isaac Urbain Brossard faisait partie des hommes qui signèrent un contrat d'engagement. Le 20 juin 1653, 102 hommes forts et braves, accompagnés de M. de Maisonneuve, s'embarquèrent pour l'aventure. Marguerite Bourgeoys et 13 jeunes femmes faisaient aussi partie du voyage. Ce groupe d'immigrants sera connu sous le nom de «la Grande Recrue de 1653». La traversée fut difficile et les tempêtes, nombreuses. Huit personnes perdirent la vie.

Urbain avait été engagé comme maçon et s'appliqua toute sa vie à construire des maisons pour les marchands et les autres gens aisés de l'époque, en plus de travailler sur sa ferme. Il avait une réputation enviable et fut l'un des premiers entrepreneurs de la colonie. Il épousa Urbaine Hodiau, elle aussi Française, arrivée au Québec avec ses parents en 1659, et ils eurent une descendance nombreuse.

Parmi eux, Michel-Henri Brossard, né en février 1869, qui épousa Justine Perrier en 1896. Ils furent les heureux parents de plusieurs enfants, dont Georges-Henri, le père de Georges, et ses oncles Léo et Guy, personnages importants de cette histoire.

Voici de quoi étaient faits les ancêtres de Georges Brossard. Se pourrait-il que ces gens aient été porteurs d'un gène provoquant un goût de l'aventure, une énergie inépuisable, des idées de grandeur?

HOMMAGES
PAR GEORGES BROSSARD

À mon père, Georges-Henri

À qui je dois beaucoup. Ma santé et mon énergie. Sa vie, dans tous les domaines, a été un modèle, un exemple à suivre. Son souci d'efficacité a marqué mon existence.

À ma mère, Lucienne

À qui je dois tout. Ses valeurs et sa générosité ont imprégné l'homme que je suis. C'est à elle que je dois d'abord la santé de fer dont j'ai hérité. Même à l'âge adulte, elle m'a impressionné par la prise en main de sa vie et la prise en charge de celle des autres, par son ouverture à de nouveaux apprentissages que l'époque ne lui avait pas permis. La pivoine rouge de maman sur laquelle s'était posé le monarque que j'avais senti… toute ma vie relève de cet événement dont je me souviens encore aujourd'hui.

Aux prêtres du Collège Saint-Laurent

À ces 60 hommes généreux qui ont donné leur vie aux autres et à Dieu, qui m'ont donné le goût de l'étude et de la réflexion, le goût du savoir en littérature, en arts et en sciences. Leur contribution incroyable ne devrait pas être ignorée à cause d'une réputation entachée par les gestes atroces causés par certains religieux, et dont je n'ai jamais été victime ni témoin. Je leur dois une reconnaissance énorme.

À Pierre Bourque

Pour le soutien inconditionnel qu'il m'a donné tout au long de l'aventure de la création de l'Insectarium de Montréal et pour son amitié.

Au maire Jean Drapeau

À qui je reconnais, jusqu'à un certain point, la paternité de l'Insectarium, en ce sens que, dès notre première rencontre, il m'a appuyé à 100 %.

À Stéphane Le Tirant

Pour son amitié, pour son aide incontournable et perpétuelle dans l'accomplissement de mes recherches en entomologie et de mes insectariums dans le monde. Il a été d'un soutien inouï. Pour ses habiletés en ce qui a trait aux gadgets et aux fonctionnalités technologiques qui m'échappent.

À ma sœur Monique

Qui, durant les années de ma retraite, a pris soin de mes affaires et de mes avoirs avec une fidélité à tout casser, qui a été une administratrice et une négociatrice hors pair et un modèle de générosité.

À mon frère Benoît

L'initiateur de beaucoup de mes passions. Qu'il s'agisse de la chasse aux insectes ou au gros gibier, de la pêche ou de l'aviation, c'est lui le premier qui m'a fait découvrir le plaisir lié à ces activités.

À mon frère Henri

Pour sa sagesse et sa générosité. Je salue en lui le missionnaire qu'il a été, que ce soit auprès de sa famille ou auprès des Philippins.

À Suzanne, ma compagne

Pour son soutien, son ouverture et sa collaboration. Pour toutes ces chasses où elle m'a accompagné, a souffert avec moi et s'est fait piquer avec moi. Pour la vie...

Un jour, alors qu'elle était à 3 000 kilomètres d'ici, en voyage à Cuba avec trois de ses copines, elle a rencontré des Québécois dans un restaurant sur le bord de la plage. Tout le monde jasait et, après un certain temps, un homme lui a dit : « C'est drôle, savez-vous à qui vous me faites penser ? Peut-être que vous le connaissez... Vous savez l'homme qui a fondé l'Insectarium, qu'on voit de temps en temps à la télévision... Brassard, je crois, Georges Brassard... »

À mes enfants

Mes deux beaux garçons, que j'ai essayé toute ma vie d'inspirer, à qui j'ai voulu donner des messages et des exemples, que j'ai voulu conseiller pour qu'ils soient plus forts, plus beaux, plus performants, plus capables, plus entrepreneurs et, surtout, plus travaillants. J'ai voulu leur enseigner les vertus du travail, et je les ai fait travailler d'arrache-pied.

Très jeunes, ils ont aidé et contribué. Ils ont été responsables de capturer les ménés qui servaient d'appâts aux clients de la pourvoirie en Abitibi. Ils ont ensuite été en charge de l'élevage de vers de terre, du transport du matériel et des commandes de nourriture. Ils ont aussi dû alimenter l'avion, recevoir les clients, faire le ménage, passer le râteau et vider les chaloupes qui se remplissaient d'eau chaque fois qu'il pleuvait.

Et j'ai tellement insisté pour qu'ils soient efficaces, honnêtes, bons, ingénieux, intelligents...

Peut-être que j'ai exagéré.

À ma défense, j'ai toujours voulu le meilleur pour mes enfants : la meilleure éducation, le meilleur exemple familial, les meilleurs témoignages d'accomplissements, de charité, d'amour, de générosité.

À mes deux garçons, dont je suis très fier. À Nathalie aussi, que je considère comme ma fille, que j'aime comme mon enfant, et qui le mérite bien, car elle est extraordinaire.

À Barbara

Je ne peux lire ce texte que tu as écrit avec tant de passion, de fidélité et d'amitié sans ressentir pour toi une grande reconnaissance et une grande admiration. Il a fallu que tu m'aimes un peu, sinon beaucoup, pour maîtriser le caractère que tu décris si bien. Bienheureux sont les humains qui ont la chance inestimable de croiser ta route. En te lisant, c'est avec une grande émotion que je vois ma vie défiler. Et, sais-tu quoi ? Ça me donne le goût de continuer...

À tous ces autres amis que je n'ai pas mentionnés.

Il me faudra un deuxième livre pour prendre soin de ceux que j'ai oubliés...

Remerciements de l'auteure

À Georges d'abord. Je n'aurais pas pu tomber sur un meilleur sujet... J'ai été témoin et bénéficiaire de votre générosité. Vous aviez toute mon admiration, vous avez maintenant tout mon respect et toute mon amitié.

À Marc-Antoine, pour les mots qu'il m'a fallu t'écrire, qui sont un peu la source de ce drôle de projet, pour ton soutien, ta patience et tes habiletés de chasseur de mammouth. Où serais-je sans toi ? Tu as et tu es mon amour.

À Jennifer et Gabriel, mes amours, pour votre entrain, votre curiosité. Vous êtes source d'inspiration, de motivation.

À Yolande, ma petite maman, pour ton implication dans ce livre, pour ta disponibilité et tes recommandations

À Marie, ma chouette, pour ton oreille attentive dans les moments plus difficiles.

À ma famille, mes amis et mes collègues, pour l'intérêt, les mots d'encouragement.

À Stéphane Le Tirant, pour ta grande collaboration et ton efficacité. Ton aide tout au long de ce projet a été précieuse.

À toutes les autres personnes que j'ai eu la chance de rencontrer pour parler d'un personnage en or : M. Pierre Bourque, M. Guy Latraverse, Mme Pauline Charbonneau, M. Benoît Brossard et Mme Monique Brossard, merci pour votre contribution et votre gentillesse à mon égard.

À Suzanne et Georges fils, pour votre ouverture et votre confiance.

À mon éditeur. Martine, pour ton enthousiasme ; Marie-Anne, pour ta rigueur.

Table des matières

Préface de Pierre Bourque 11

Avant-propos de Stéphane Le Tirant 15

Prologue 17

PARTIE I   1940-1961 — LA PRÉPARATION 19

Ti-Georges (la tendre enfance) **21**

L'amour des insectes 22

L'importance de la nature – La vie en campagne 28

Des graines de générosité 31

La discipline, la rigueur et le travail acharné 33

Benoît, fidèle complice 36

Initiation à la politique, ou le pouvoir des mots 37

Collège classique **41**

La campagne arrive en ville : Éléments latins 41

Syntaxe 43

Méthode 45

Versification 46

Belles-lettres 48

Rhétorique 52

Philosophie I et II 55

Noviciat – Religion, quand tu nous tiens **59**

PARTIE II   1961-1978 — OBJECTIF LIBERTÉ 65

***Absque argento omnia vana* – Sans argent, tout effort est vain** **67**

Vocation manquée – La douleur de l'échec 67

Université d'Ottawa – Berceau d'une nouvelle passion 72

Notaire *or not to be*..78

Le notaire missionnaire 83

Les amours d'un homme occupé....................................**87**

Avec Georges, ça mord ! – Incursion en politique….............**91**

Volte-face – Quand la facilité ne suffit pas.........................**93**

PARTIE III   1978-2000 — L'ACCOMPLISSEMENT....................... 95

Jeune rentier cherche nouvelle passion..............................**97**

La chasse aux trésors **101**

Thaïlande – Berceau d'une passion retrouvée.........................101

Voyages et tourments..105

Mexique – Les jardins fleuris 110

Amazonie – Deux mondes : l'entomologie et l'ornithologie 111

L'Afrique du Sud – L'infiniment petit et le gros.......................114

Amérique du Sud – Les découvertes.......................................118

Pérou – Une illustre visite..120

Venezuela – L'abondance et la beauté....................................123

La famille..127

La Mongolie – Voyage fraternel..129

Mission – Créer un temple à la gloire des insectes **131**

Des voyages inspirants..143

La concrétisation d'un rêve..147

L'insectarium fait « des petits »..157

La vie post-insectarium – Passion, quand tu nous tiens..........**165**

Costa Rica – Les chauves-souris...165

Venezuela – Le bouc...166

La France – Les « Montréal »..167

République dominicaine – Stratégie de *Strategus* 168

Côte d'Ivoire – Les bousiers..169

L'entomologiste et l'horticulteur 172

Afrique du Sud – Les grandes ambitions..................................173

Georges à la télé **183**

Insectia..187

La promotion et les voyages 191

Insectia 2...199

Pourquoi pas le cinéma ?...203

Un morpho bleu au fond d'un tiroir 204

Savoureux moment télévisuel – Conan O'Brien 209

PARTIE IV   LES ANNÉES 2000 — LE DÉVOUEMENT 213

Georges le militant – L'importance de s'impliquer...........**215**

La politique, ou irruptions dans le débat public 215

La quête de gestes environnementaux concrets 227

Solidarité communautaire – S'engager partout et toujours 231

Les 20 ans de l'Insectarium **235**

Volte-face – À la recherche d'une nouvelle vocation **237**

Les conférences – Du discours aux vaches à aujourd'hui 240

La caverne d'Ali Baba 252

***Honoris causa* – La reconnaissance** **255**

Les graines de générosité de maman – Georges l'humaniste...........**267**

Les passe-temps d'un faux retraité.................................**271**

Quelle vie ! **273**

Causalités...274

Sur une note plus personnelle...275

Fragilités – par Georges Brossard 278

UNE GÉNÉALOGIE ÉTONNANTE... 281

La Grande Recrue de 1653..283

HOMMAGES – PAR GEORGES BROSSARD 285

Remerciements de l'auteure 291

Cahier photo 297

Achevé d'imprimer
sur les presses de
Imprimerie H.L.N.
Imprimé au Canada - Printed in Canada

La mère de Georges, Lucienne Derome.
Photo : © Harvey Majeau

Le père de Georges, Georges-Henri Brossard.
Photo : © Harvey Majeau

Georges (troisième à partir de la gauche), défenseur pour l'équipe de hockey du Collège Saint-Laurent,
saison 1955-1956.

Georges au Camp Valderi à 20 ans (1960).

Georges au sommet de sa forme, vers 1960,
au Collège Saint-Laurent.
Photo: © Père Conrad Larouche

Georges au noviciat, avec soutane et collet
(août 1961).
Photo: © Robert St-Jacques

Georges dans son bureau de notaire
à Brossard (1967).
Photo : © Mireille Laurier

Avec son père Georges-Henri. À l'arrière : l'affiche
de campagne de Georges aux élections de 1974.
Photo : © Lucienne Derome, la mère de Georges

Georges et Suzanne lors d'un voyage en Inde,
vers 1979.

Georges et ses deux garçons, en 1983.

Georges devant la maison flottante qu'il a
construite en Abititi, vers 1980.

Un vrai passionné de pêche (Abitibi).

Georges voyage avec son frère Benoît en Mongolie (1989).

Georges et David au Mexique, en 1987 (Fondation Rêves d'enfants).
Photo : © Gaétan Taillefer

Georges au Venezuela, en 1993.
Photo : © Suzanne Schiller, la conjointe de Georges

Georges revoit David au Jardin botanique de Montréal, au début des années 2000.

Pierre Bourque (deuxième en partant de la gauche) et Georges Brossard (cinquième) lors de la première pelletée de terre du futur Insectarium de Montréal, en 1989.
Photo : © Ville de Montréal

Photo aérienne de l'Insectarium de Montréal.
Photo : © Christian Carpentier

Georges et son ami Stéphane Le Tirant, après la création d'un petit Insectarium en République Dominicaine.

La muséologie originale de l'Insectarium de Montréal.
Photo : © Stéphane Le Tirant

Lors du tournage d'*Insectia* en Équateur, Georges porte à son cou un collier rare fait de scarabées entiers (*Chrysophora chrysochlora*).
Photo : © Denis Blaquière

Georges entouré d'enfants, à Puerto Ayacucho au Venezuela.
Photo : © Denis Blaquière

Georges lors d'un voyage en Thaïlande en 1992.
Photo : © Pierre Bourque

Georges dans une rivière en Équateur, en 1998.
Photo : © Denis Blaquière

Georges reçoit un baccalauréat honorifique de l'Université McGill (2003).
Photo : © Université McGill

Photo prise lors du 20ᵉ anniversaire de l'Insectarium de Montréal. Dans l'ordre, Georges Jr., Georges, Guillaume, Suzanne, Érika et William.
Photo : © François Pesant

Maison de Georges.
Photo: © Marie-Élaine Kahle

Georges dans son antre (le sous-sol de sa demeure), à Saint-Bruno.
Photo: © Nathalie Mongeau

La mygale et le scorpion, fidèles compagnons de Georges.
Photo : © Pierre LaRue

Papillon lune du Québec (*Actias luna*).
Photo : © René Limoges

Le papillon qui fut à l'origine de tout (*Papilio memnon*).
Photo : © René Limoges

Hémiptère du Costa Rica (*Antianthe* sp.).
Photo : © René Limoges

Hémiptère coloré que l'on peut retrouver en
Floride (*Umbonia crassicornis*).
Photo : © René Limoges

Charançon girafe (*Trachelophorus giraffa*).
Photo : © René Limoges

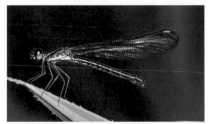

Libellule que l'on retrouve en Thaïlande
(*Aristocypha fenestrella*).
Photo : © René Limoges

Scarabée d'or du Panama (*Chrysina resplendens*).
Photo : © Insectarium de Montréal
(Jacques de Tonnancour)

Scarabée argent (*Chrysina* sp.).
Photo : © Insectarium de Montréal
(Jacques de Tonnancour)

Papillon bleu (*Morpho helenor*).
Photo: © Insectarium de Montréal (René Limoges)

Le Voilier vert (*Graphium agamemnon*).
Photo: © Insectarium de Montréal (René Limoges)

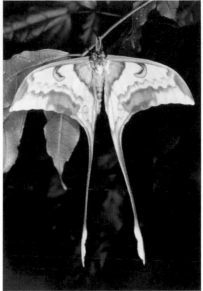

Les yeux d'hibou sur les ailes du Caligo
(*Caligo memnon*).
    Photo : © Insectarium de Montréal (René Limoges)

Actias maenas, le papillon qui symbolise
pour Georges la beauté.
    Photo : © Insectarium de Montréal
(Jacques de Tonnancour)

Monarque du Québec (*Danaus plexippus*).
Photo : © Jean Haxaire

Phasme que l'on peut trouver en Malaisie
(*Phobaeticus serratipes*).
Photo : © Insectarium de Montréal (René Limoges)

Phyllie (*Phyllium* sp.).
Photo : © Insectarium de Montréal (René Limoges)

Mante religieuse (*Mantis religiosa*).
Photo : © Insectarium de Montréal (René Limoges)